APELLIDOS ALICANTINOS

Gerardo Muñoz Lorente

© 2018

La presente edición ha sido revisada atendiendo a las normas vigentes de nuestra lengua, recogidas por la Real Academia Española en el *Diccionario de la lengua española* (2014), *Ortografía de la lengua española* (2010), *Nueva gramática de la lengua española* (2009) y *Diccionario panhispánico de dudas* (2005).

Apellidos alicantinos

© Gerardo Muñoz Lorente

ISBN: 978-84-17577-02-5
Depósito legal: A 445-2018

Edita: Editorial Club Universitario. Telf.: 96 567 61 33
C/ Decano, n.º 4 – 03690 San Vicente (Alicante)
www.ecu.fm
ecu@ecu.fm

Printed in Spain
Imprime: Imprenta Gamma. Telf.: 96 567 19 87
C/ Cottolengo, n.º 25 – 03690 San Vicente (Alicante)
www.gamma.fm
gamma@gamma.fm

INTRODUCCIÓN

A finales de 2015, el entonces director del diario *Información*, Juan R. Gil, me propuso escribir una sección quincenal y dominical, de cuatro páginas de extensión, relativa a la historia de los apellidos alicantinos más conocidos. Dejó a mi criterio la selección de los mismos, con la condición de que perduraran hoy en día en el censo de la ciudad, puesto que se cerraría cada reportaje con una entrevista realizada a una persona residente en Alicante que tuviera el apellido en cuestión.

Elaboré una lista provisional de apellidos en la que no incluí varios apellidos históricos de la ciudad de Alicante, por no haber ya personas censadas con ellos, según los datos que amablemente me facilitó Antonio Arcos, el afable jefe del departamento municipal de Estadística, recientemente fallecido; por ejemplo: Burguñó, Salafranca, Canicia, Fernández de Mesa, Martínez de Vera, Paravecino, Rotlá, Franqui, Vallebrera...

Busqué información de cada uno de los apellidos en mi archivo y biblioteca particular (crónicas, libros de historia, artículos propios), en el Archivo Municipal de Alicante, el Archivo Histórico Provincial y el Archivo del Obispado en Alicante (mi agradecimiento al archivero Juan Martorell, a quien durante tantos días mantuve ocupado), consulté el callejero municipal (que me proporcionó Arcos), la hemeroteca y algunas páginas web de contrastada fiabilidad.

También busqué y entrevisté a las personas que en la actualidad viven en la ciudad y que tienen el apellido elegido para cada reportaje.

La primera entrega de la sección «Apellidos Alicantinos» apareció en las páginas de *Información* el domingo 22 de noviembre de 2015 y estaba dedicado al apellido Pascual. La última entrega fue publicada el domingo 18 de diciembre de 2016, dedicada al apellido Pasqual de Bonanza. En total, 29 reportajes. Finalizado el plazo acordado, quedaban en el listado de candidatos decenas de apellidos más, por lo que, tal vez en un futuro más o menos próximo, se retome la publicación de esta sección en el periódico alicantino.

En este libro se recopilan los veintinueve artículos y entrevistas publicados por *Información*. No los encontrará el lector en el mismo orden en que aparecieron en el periódico, sino alfabéticamente.

Gerardo Muñoz Lorente

AGUILERA

LA HUELLA INDELEBLE DE UN MARQUÉS

En el siglo XVII vivían en la ciudad de Alicante varias familias apellidadas Aguilera, alguna con raíces napolitanas.

El primer Aguilera alicantino del que se tiene constancia documental se llamaba Juan y estaba casado con Ana Bosch. Bautizaron en 1602, en la iglesia de San Nicolás, a su hija Ana.

En el Setecientos apenas si aparecen Aguileras registrados en los libros parroquiales. Solo en 1785 figura un Manuel Aguilera, natural de Málaga y viudo de María de la Oliva, que se desposó en San Nicolás con María Aguilar, natural de Aspe. Él era «Doctor en ambos derechos y Abogado de los Reales Consejos», según se lee en los registros de bautismo de sus hijos Manuel y M.ª de los Ángeles, nacidos en 1787 y 1789, respectivamente.

SIGLO XIX

En 1854 había un Juan Aguilera García que solicitó al ayuntamiento que se realizase la alineación foral de la calle Empecinado; un Alejandro Aguilera, natural de Presidio (Almería) y casado con Dolores Fernández, que bautizó el 13 de abril de 1893 en Santa María a su hijo Francisco y el 19 de diciembre de 1894, en San Nicolás, a su hija M.ª de los Ángeles; y un coronel, Manuel Aguilera, del Regimiento de la Princesa, con guarnición en la ciudad, que falleció el 3 de mayo de 1898.

El 29 de noviembre de 1860, en San Nicolás, Carlos de Aguilera y Santiago de Perales se casó en segundas nupcias con M.ª del Rosario Hernández de Tejada. Tuvieron dos hijos. Este Aguilera había nacido en Madrid el 8 de julio de 1819, fue capitán de navío de la Armada (se retiró a los 34 años) y era el III marqués de Benalúa. Tras su muerte, acaecida en Madrid el 14 de diciembre de 1880, el marquesado fue heredado por el primogénito de su primer matrimonio.

Marquesado de Benalúa

Este título nobiliario fue concedido por Isabel II el 29 de julio de 1849 a Gaspar de Aguilera y Contreras, que era el mayor propietario de tierras del municipio granadino de Benalúa de Guadix.

Gaspar falleció soltero, por lo que el título fue heredado por su hermano Domingo, que había nacido en Madrid el 20 de diciembre de 1796. Este II marqués de Benalúa se casó con María Santiago de Perales Rojo y fueron padres de tres hijos: Carlos, Paulina e Isabel.

Domingo murió de apoplejía el 11 de mayo de 1864 en sus propiedades de Castillo de Higares (Toledo), pasando el marquesado a poder de su primogénito, Carlos de Aguilera y Santiago de Perales, a quien ya conocemos. Este III marqués de Benalúa se casó en Madrid, en primeras nupcias, con su prima hermana Josefa de Aguilera y Becerril, con quien tuvo cuatro hijos: José Carlos, Paulina, Domingo y Valentina, nacidos en Madrid.

El marquesado de Benalúa fue heredado por el primogénito, José Carlos de Aguilera y Aguilera, nacido y muerto en Madrid, pero que vivió muchos años en Alicante, donde alcanzó una gran fama.

Seguiremos los hechos protagonizados en la ciudad de Alicante por este IV marqués de Benalúa, en la que llamaremos «Rama Benalúa», que fue por la que continuó este título nobiliario, lejos ya de nuestra ciudad.

Los dos hijos que tuvo el III marqués de Benalúa con la alicantina M.ª del Rosario Hernández de Tejada en su segundo matrimonio, así como sus descendientes hasta la actualidad, los seguiremos en otra rama, a la que llamaremos «Rama Alicantina».

RAMA BENALÚA

JOSÉ CARLOS DE AGUILERA Y AGUILERA

Nació en Madrid el 28 de abril de 1848, pero vino a vivir a Alicante siendo niño, al igual que sus tres hermanos, donde su padre se casó en segundas nupcias con Rosario Hernández de Tejada. Su domicilio estaba en la calle de San Nicolás, 22.

Tras la muerte de su padre se convirtió en el IV marqués de Benalúa.

Se casó el 17 de mayo de 1874 con la alicantina M.ª del Rosario Enriqueta Waring y Hernández de Tejada. Tuvieron una única hija, María del Rosario, bautizada el 17 de abril de 1893 en la iglesia de Santa María.

Elegido concejal en enero de 1875, fue nombrado vocal de la junta municipal que organizó la reedificación de la ermita de San Roque, asumiendo la mayor parte del coste económico de las obras (concluidas en 1879), y también el de las dos campanas que hizo construir en Barcelona para dicha ermita, entregadas en Alicante el 12 de agosto de 1880.

Político

En 1879 fue candidato del partido moderado y en 1884 se pasó al partido liberal, tras entrevistarse en Madrid con Práxedes Mateo Sagasta, fundador de dicho partido.

El domingo 13 de junio de 1886 fue elegido líder del partido liberal-monárquico de Alicante.

Hijo adoptivo y Grande de España de primera clase

El ayuntamiento le concedió el título de hijo adoptivo de la ciudad en 1881. Pero el marqués no recogió su título en Alicante, sino que fue una comisión del ayuntamiento encabezada por el alcalde la que fue a entregárselo a su domicilio madrileño el 2 de febrero de 1883, felicitándole también por habérsele concedido el título de Grande de España de primera clase, a petición del propio ayuntamiento alicantino. Esta petición se había acordado en sesión celebrada en mayo de 1881 y le fue concedida mediante real decreto de 21 de diciembre de 1882.

El motivo de tanto agasajo por parte de la corporación alicantina se debía al empeño del marqués por traer la tan necesitada agua potable a la ciudad desde su finca de La Alcoraya y a su generosidad al correr con los gastos de algunas obras públicas, como la ya mencionada reedificación de la ermita de San Roque o la construcción de varios jardines que embellecieron la ciudad. Sobre la importancia de esto último redactó el arquitecto municipal Manuel Chápuli un informe el 17 de mayo de 1882, en el que reconoció que las plazas de San Francisco y de la Constitución habían conseguido transformarse gracias al marqués «en amenísimos jardines que son el encanto de los vecinos de las mismas (...). La importancia de estos jardines consiste en haber proporcionado vegetación conveniente á la higiene pública, paseos amenos para el solaz y esparcimiento del vecindario y mejorado en tales términos las condiciones de aquellas plazas que, en la de San Francisco especialmente, ha aumentado el valor de la propiedad urbana en mas de diez por ciento».

En 1886, el marqués encargó al arquitecto José Guardiola Picó (el mismo que proyectó el barrio de Benalúa) la construcción de un palacete en la calle Luchana (actual avenida Doctor Gadea), muy cerca de la plaza de San Francisco que tan bellamente había quedado adornada con los jardines y paseos que él había costeado, revalorizando así las casas y solares de alrededor.

Barrio de Benalúa

En julio de 1883, Francisco Pérez Medina, apoderado del marqués de Benalúa, presentó en el ayuntamiento una solicitud de construcción de un nuevo barrio a las afueras de la ciudad, en el Llano del Espartal, en nombre de la sociedad Los Diez Amigos, que había comprado en dicho paraje 152 203 metros cuadrados de terreno, por 31 250 pesetas.

La sociedad Los Diez Amigos estaba presidida honoríficamente por el marqués de Benalúa, mientras que la presidencia efectiva la ocupaba el doctor José Soler y Sánchez. Los otros ocho miembros eran Juan Foglietti Piquet, Armando Alberola Martínez, Pascual Pardo Jimeno, José Carratalá Cernuda, Francisco Pérez Medina, Pedro García Andreu, Arcadio Just Ferrando y Clemente Miralles de Imperial, siendo este último sustituido poco después por el arquitecto José Guardiola Picó.

El ayuntamiento aprobó el proyecto del nuevo barrio (en el que se contemplaba la construcción de 208 casas) el 17 de agosto de 1883. Las obras, iniciadas el 25 de julio de 1884, fueron dirigidas por el arquitecto municipal José Guardiola Picó.

Comoquiera que la sociedad Los Diez Amigos recibió varias solicitudes pidiendo terrenos sobrantes para edificar, organizó el 6 de diciembre de 1883, en su oficina de Maldonado, 11, una pública licitación de terrenos, al precio de 7,50 pesetas el metro cuadrado.

Las casas fueron adjudicándose paulatinamente entre los socios, según iban concluyéndose las manzanas, mediante sorteos que eran celebrados con la mayor solemnidad. Naturalmente, el marqués y su familia consiguieron la propiedad de muchas de ellas. Como explicaba *El Constitucional* dos días después de uno de estos sorteos: «Las diez y seis casas rifadas, resuelven un problema de cooperacion por demás sorprendente; con 100 duros los diez y seis socios agraciados acaban de adquirir una casa valorada en mas de treinta mil reales construida con arreglo á los preceptos de la higiene y á los severos principios del ornato y embellecimiento. Verdad es que dichos socios han de contribuir con cuatro duros mas, á la cuota mensual de la sociedad, pero este esceso lo reditúan las casas compuestas de planta baja y principal, espaciosas como son, ventiladas y situadas en un punto que ofrecen una agradable perspectiva».

Las obras finalizaron en 1896, con la construcción de solo 160 casas, alineadas en calles con una anchura de 15 metros, algunas de las cuales tenían el nombre de los diez componentes de la sociedad promotora. La corporación llamó al barrio Benalúa y avenida de Aguilera a su principal vía, en honor al marqués.

Abastecimiento de agua

En 1880, José de Aguilera y Aguilera, que había adquirido un manantial (mina Enriqueta) situado en la partida rural de La Alcoraya, solicitó al ayuntamiento autorización para traer a la ciudad agua desde dicho manantial.

En sesión celebrada el 17 de septiembre de 1880, el ayuntamiento autorizó al marqués de Benalúa a llevar a la ciudad aguas desde su manantial y a instalar fuentes públicas para la venta de la misma, estableciendo en la concesión, entre otras condiciones, la de que «en el caso de que la población contase con un abastecimiento total, haría desaparecer dichas fuentes».

El domingo 8 de mayo de 1881, el marqués de Benalúa inauguró cinco fuentes en la ciudad con suministro de aguas de La Alcoraya. El precio era de cinco céntimos cada dos cántaros.

Los periódicos alicantinos se deshicieron en elogios hacia el marqués: «Bendiga Dios al génio protector á quien debemos este inapreciable bien, y mostrémonos agradecidos al M. Iltre. señor don José Cárlos de Aguilera y de Aguilera, Marqués de Benalúa, que ha dotado de aguas á Alicante» (*El Eco de la Provincia*).

El 14 de agosto de 1883, en la notaría madrileña de Francisco Moragas, se reunieron el marqués, su apoderado Francisco Pérez Medina, el ingeniero Eduardo Manby Muñir y Gustavo Jenequel Berkemeyer, representante de la compañía inglesa Alicante Water Works Limited. Mediante escritura, el marqués entregó a la compañía dos fincas suyas sitas en La Alcoraya y Monforte, con la mina Enriqueta, los depósitos y encauzamientos de agua, así como sus derechos de concesión otorgados por el ayuntamiento alicantino, por un valor total de 500 000 pesetas. A cambio, él recibió de Jenequel 10 000 acciones de la compañía inglesa y 24 000 pesetas en billetes.

El 9 de septiembre siguiente, Francisco Pérez Medina comunicó al ayuntamiento la cesión del marqués a la compañía inglesa de la propiedad y derechos del manantial y fuentes de La Acoraya.

El marqués fue nombrado gerente de la compañía inglesa y, como tal, solicitó en 1884 al ayuntamiento que dejase sin efecto la condición por la que, en el caso de que la ciudad contase con un abastecimiento total de agua, quedaría sin efecto la concesión que se le había dado. Pero en sesión celebrada el 17 de octubre se rechazó esta propuesta. Entonces el marqués pidió que se le concediese el abastecimiento total de aguas desde La Alcoraya.

En 1885, el marqués cedió gratuitamente el suministro de agua para los pobres, a petición del ayuntamiento, y dos años después concedió una acometida de agua para el servicio del Laboratorio Químico Municipal.

El 21 de mayo de 1889, el ayuntamiento aceptó, en principio, las bases propuestas por el marqués para el abastecimiento completo de aguas potables, pero Salvador Pérez Llácer interpuso recurso de alzada contra dicho acuerdo; y, en 1891, Enrique Coucourte y Victoriano Blasco Molina presentaron ante el alcalde sendas proposiciones para el abastecimiento total de aguas a la ciudad. En vista de ello, el ayuntamiento decidió convocar una subasta pública. Se celebraron dos, simultáneamente en Alicante y Madrid, los días 7 de julio y 15 de septiembre, que fueron declaradas desiertas por falta de licitadores.

Tras la modificación de dos cláusulas de condiciones del proyecto (60 años de duración del contrato, y diez días de plazo para presentar los títulos de propiedad y la acreditación de un caudal mínimo de 4 000 metros cúbicos diarios), volvió a publicarse una tercera subasta el 23 de septiembre.

Coucourte presentó su proposición en forma y dentro de plazo, mientras que el marqués lo hizo discrepando contra las dos cláusulas antes mencionadas y solicitando un plazo mayor para presentar los títulos de propiedad de los manantiales y la acreditación de caudal.

El ayuntamiento acordó dar la concesión de abastecimiento total de aguas a Enrique Coucourte. El marqués presentó recurso de alzada contra dicho acuerdo, pero este quedó ratificado el 3 de diciembre de 1892 por real orden de la Dirección General de Administración Local.

El marqués presentó contra esta real orden una demanda ante el Tribunal Contencioso-administrativo de Madrid, pero resultó que ya entonces había dejado de ser el gerente de la empresa Alicante Water Works Limited, tal como demostró el fiscal, razón por la cual el Tribunal sentenció el 21 de mayo de 1895 que, en virtud de que el demandante había perdido el carácter de concesionario, quedaba sin curso la demanda y ordenó archivarla.

Muerte y sucesión

José Carlos de Aguilera y Aguilera renunció a la concejalía y se marchó a Madrid, donde murió el 28 de noviembre de 1900.

El título nobiliario lo heredó su hija, María del Rosario de Aguilera y Waring, nacida en Alicante y casada en Madrid, el 6 de abril de 1897, con Joaquín Escrivá de Romaní. Murió el 20 de febrero de 1918 en Morata de Tajuña (Madrid). Heredó el título su hijo, Joaquín Escrivá de Romaní y Aguilera, nacido en Valencia y muerto sin sucesión, por lo que el marquesado pasó a su sobrina María Luisa Escrivá de Romaní y Fominaya, sin descendencia y fallecida hace unos meses.

RAMA ALICANTINA

Como ya sabemos, Carlos de Aguilera y Santiago de Perales, III marqués de Benalúa, se casó en segundas nupcias con la alicantina M.ª del Rosario Hernández de Tejada y tuvieron dos hijos nacidos en Alicante: Carlos, bautizado en Santa María el 14 de agosto de 1862, y Domingo, bautizado en la misma iglesia el 2 de noviembre de 1863.

Domingo de Aguilera y Hernández de Tejada se casó en Madrid en julio de 1890 con Rosario Roca de Togores, hija de los duques de Béjar, de quien se separó durante la luna de miel. Emigró a París, donde ejerció de secretario del embajador. Más tarde, entregado a la vida bohemia, fue profesor de billar y empleado de una fábrica de botones. En 1939 se comunicó con su familia por correo, pero no volvió a saberse más de él tras la entrada de los alemanes en París un año después. Según comunicó la embajada a sus familiares, debió de ser enterrado en el cementerio de Père Lachaise.

Su hermano Carlos tuvo una vida más convencional. Se casó en el monasterio de la Verónica el sábado 21 de junio de 1890 con Clara Pardo de Donlebun y Pascual de Bonanza. Se celebró la boda en la quinta Vista Alegre, propiedad de sus suegros, obsequiándose «á todos los concurrentes con un delicado *lunch*, servido por la acreditada Fonda de la Marina (…). Llegada la hora de partida del correo para Madrid, salió de la quinta la venturosa pareja, la cual tomó el tren dirigiéndose á los reales sitios de Aranjuez donde permanecerán algunos días» (*El Alicantino*). Tuvieron siete hijos. La mayor, Luisa, falleció el 14 de febrero de 1907, a los 16 años. En julio de 1900 Carlos cesó en el negociado tercero del Gobierno Civil, por haber sido nombrado oficial de Secretaría del Ayuntamiento. Falleció en Biar el 5 de agosto de 1928.

Dos de los siete hermanos Aguilera y Pardo de Donlebun se casaron con dos hermanas apellidadas Fontcuberta y Pascual. Otro, Carlos, nacido el 30 de octubre de 1894 (en la Comandancia de marina) y bautizado en Santa María el 4 de noviembre, fue coronel de Caballería y se casó en 1926 en Madrid con Elena Salvetti y Pardo de Donlebun, que había nacido en Alicante en

1902. Tuvieron diez hijos. Carlos murió en Alicante el 18 de mayo de 1960, pero fue enterrado en Biar.

SIGLO XX

RAMA ALICANTINA

Carlos de Aguilera Salvetti

Era el primogénito de Carlos de Aguilera y Elena Salvetti. Nació en Aranjuez en 1927, pero vivió durante casi toda su vida en Alicante. Aunque tuvo varios trabajos como autónomo, su auténtica vocación era el ecologismo, publicando numerosos artículos como colaborador de este periódico. Trabajó con Félix Rodríguez de la Fuente y fue cofundador de WWF España. Casado desde 1955 con Joaquina Cirugeda Guardiola, hija de militar y nacida en Alicante en 1930, tuvieron cinco hijos. Se afincaron en Biar tras la jubilación de ambos. Falleció el sábado 18 de julio de 2015, a los 87 años.

Durante años investigó y recopiló información acerca de la historia de su familia, confeccionando un gran árbol genealógico que se remontaba 17 generaciones, aunque solo las últimas cuatro vivieron en Alicante. Desde Lope de Aguilera (procedente de La Aguilera, un pueblo burgalés situado a diez kilómetros de Aranda de Duero), nacido en el siglo XV, han pasado 19 generaciones de Aguilera hasta los nietos de Carlos.

OTRAS RAMAS

Aunque no eran muchos, desde luego en el siglo XX había otros Aguilera alicantinos, procedentes de ramas distintas de las anteriores. Así, pocos días después de comenzar el siglo, nació y fue bautizada en San Nicolás Joaquina Aguilera (27 de enero), cuyos padres procedían de la provincia de Murcia.

El 10 de diciembre de 1900 fue juzgado por homicidio en la Audiencia Provincial Antonio Fernández Aguilera.

Narcisa Aguilera, de 80 años de edad, casada y vecina de la calle de la Huerta, intentó suicidarse el 21 de noviembre de 1906 arrojándose «á la vía en la plaza de Santa Teresa, segundos antes de pasar el convoy en dirección á Muchamiel. La habilidad y presteza del maquinista han salvado de una muerte segura á la infeliz» (*La Correspondencia de Alicante*).

En 1913, Joaquín Aguilera se casó en Santa María con Rosario Contreras; y al año siguiente, en la misma iglesia, se desposó Juan Aguilera con Manuela Vargas.

Juan Cortés Aguilera y dos de sus hijos asesinaron en la noche del 25 de agosto de 1915 a un hombre en la puerta de su casa, sita en la calle de Trafalgar.

En 1925, Luis Santiago Aguilera pidió permiso para cercar un solar de su propiedad en la calle Valcárcel.

José Aguilera García-Roves abrió en 1941 un local en San Fernando, 36, dedicado a la venta de máquinas de escribir, que amplió cuatro años más tarde con un taller de reparación de dichas máquinas. En 1956 era presidente de la Hoguera Gabriel Miró y, como tal, pidió permiso para plantar una hoguera en esta plaza, confluencia con las calles Coloma y Cid.

HOY

Actualmente, hay censadas en la ciudad 171 personas con Aguilera de primer apellido, 189 con el segundo y ninguna con ambos. En total, 360.

«Quizá reclamemos el marquesado de Benalúa»

Elena Aguilera Cirugeda me recibe en su casa, en la alicantina calle de Belfast, donde también tiene su estudio de pintora. «Me dedico a la pintura desde siempre», me dice. Estudió Bellas Artes en Madrid, expuso individualmente por primera vez en 1985, en Benidorm, y su última exposición fue en la Lonja, en 2014.

Nació en Alicante hace 53 años. Es hija de Carlos de Aguilera Salvetti y Joaquina Cirugeda Guardiola. «Éramos cinco hermanos: M.ª Jesús, Carlos, Piedad, José y yo, que soy la tercera. Pero mis hermanos varones murieron hace años».

Elena está casada con el escultor Eduardo Lastres y tienen una hija, Judit, que nació en Alicante en 1994 y estudia Arquitectura.

M.ª Jesús vive en Madrid, está divorciada y tiene dos hijos. Piedad vive en Murcia, está casada con Francisco Campillo y tienen un hijo. Piedad y Paco vienen de Murcia expresamente para reunirse con Elena y conmigo.

«Mi padre nos bombardeaba con sus historias familiares cuando éramos niñas. No le prestábamos mucha atención porque no nos interesaban. Sí que le escuchaban con interés sus nietos y mi cuñado Paco, por eso le he pedido que venga», me cuenta Elena, antes de añadir: «Ahora, sin embargo, creo que sí que teníamos que haberle hecho más caso».

Adolescente rebelde, Elena se quitó el «de» de su apellido en el DNI. Ahora está pensando en recuperarlo, en honor a su padre. «Mis hermanas y yo nos reíamos cuando nos contaba que sus antepasados habían poseído no sé cuántas casas, palacios y hasta castillos, pero nosotros no teníamos apenas dinero. Aunque le gustaba mucho la Naturaleza y era ecologista, mi padre tuvo varios trabajos como autónomo, desde agente de seguros hasta publicista, y mi madre era empleada de la CAM. Mi abuelo paterno era el hijo de la segunda mujer del marqués de Benalúa, pero el linaje y el dinero se fue con la descendencia de su primera esposa. La última marquesa de Benalúa falleció hace unos meses, poco antes que mi padre, sin dejar descendencia, y hay quien nos anima a reclamar el título nobiliario. No sé qué haremos. A nosotras nunca nos ha preocupado lo del linaje, pero quizá nos lo planteemos como homenaje a mi padre. En cualquier caso, tendría que ser mi hermana M.ª Jesús, que es la primogénita, quien debería de reclamar el título».

Sobre la mesa tenemos repartidos los papeles que el padre de Elena y Piedad había guardado en una carpeta, en los que se cuenta ampliamente la historia de la familia, con un gran árbol genealógico en tamaño A1 (60 x 84 centímetros) como documento principal.

«Este legado de mi padre no queremos que se pierda. Nos hace ilusión conservarlo. Nuestros hijos tienen devoción por el abuelo y ahora a nosotras también nos apetece conocer historias de la familia», reconoce Piedad.

«Yo era el único que escuchaba a mi suegro. Tengo ese orgullo», dice Paco. «Sus recuerdos y relatos trascendían lo familiar. Era un hombre con mucha cultura y una forma de entender la vida que supo transmitírsela a sus hijos. Es su gran herencia. Su padre se libró de ser fusilado al principio de la Guerra Civil en Barcelona gracias a unos parientes suyos. Fue arrestado y encerrado con los demás sublevados en el barco Tucumán, que estaba en el puerto. Lo iban a fusilar por rebelión militar, pero dos de sus hermanos, que estaban casados con dos hermanas Fontcuberta, sobornaron al juez, el cual arregló los papeles para hacerle pasar por civil en vez de militar. Fue llevado entonces a la prisión de Montjuich, de donde fue sacado una noche por un grupo de milicianos de la CNT, pero que en realidad pertenecían a la Quinta Columna y eran enviados por sus hermanos. El chófer era el hijo del conde de Montseny (luego él también lo fue), futuro padre de los célebres periodistas Milá. Lo llevaron a una masía y luego a San Sebastián, vía Francia. Años después, uno de sus sobrinos, Carlos de Aguilera Fontcuberta, le pidió que le cediese el título de conde de Fuenrrubia. Tras consultárselo a su hijo (mi suegro, que era quien iba a heredarlo) decidió cedérselo a su sobrino en agradecimiento a la ayuda que le dieron los Fontcuberta durante la guerra. Este conde de Fontrrubia vive en la provincia de Gerona, en Ventalló, padece alzheimer y no tiene descendientes. Mi suegro decía que, llegado el momento, sus hijas deberían reclamar la devolución del condado. Son títulos nobiliarios que no dan dinero, pero sí prestigio social. No sé qué querrán hacer mi esposa y cuñadas al respecto, pero a mí me encantaría que mi hijo heredase uno de esos títulos. A mi suegro le hubiese encantado».

Entre las muchas historias familiares que contaba su suegro, Paco me traslada una relacionada con Domingo de Aguilera, quien se casó con una Roca de Togores oriolana de gran fortuna. «Los Aguilera anteriores a mi padre no tenían dinero, pero se casaban con mujeres ricas», puntualiza Elena. «Mi abuelo Carlos se casó con una Salvetti, Elena, que había nacido en la Casa de las Brujas (palacete situado en la avenida Doctor Gadea esquina calle San Fernando, actual sede de la Presidencia de la Generalitat en Alicante), pero al parecer no era propiedad de su familia, sino que estaban alquilados».

«Este Domingo de Aguilera se casó con Rosario Roca de Togores y se fueron de viaje de novios en tren a Mónaco. Nada más subir al tren le pidió al revisor que le avisase cuando se organizase una timba. Poco después ya se había jugado y perdido toda la fortuna de su mujer. Cuando se lo contó, ella se enfadó, y él se indignó porque —decía—, un caballero no podía permitir que su esposa le reprochase haber tenido mala fortuna en el juego. Se bajó del tren antes de llegar a Barcelona y no se supo nada de él durante años».

ALBEROLA

ORIGEN HUMILDE

A Alicante se dice en alguna crónica que llegó el primer Alberola hacia 1421, pero el primer documento en el que se menciona este apellido es una escritura notarial fechada en 1479. Se trata de un presbítero llamado Juan.

Ya en el siglo XVI, con fecha 9 de octubre de 1524, encontramos a un Bertomeu Alberola labrador, casado con Leonor, que venden a otros vecinos de Alicante un trozo de tierra con arbolado y una viña por 21 libras.

Gracias a los registros parroquiales (el primer Alberola aparece en 1586) es posible seguir con detenimiento la proliferación de Alberolas que hubo en la ciudad a lo largo de los siglos XVII, XVIII y XIX. La mayoría de las familias eran humildes y numerosas, aunque muchos de los vástagos no llegaron a la edad adulta. Citemos algunos ejemplos:

Gerónimo Alberola Planelles no tuvo ningún hijo con su primera esposa, María Tevar, pero con la segunda, Francisca García (con quien se casó en San Nicolás en 1677), tuvo diez entre 1677 y 1698. Vicente Alberola Burgos y Josefa Bou, casados en 1722, bautizaron a nueve hijos entre 1724 y 1742. Uno de ellos, Miguel Alberola Bou, se casó en 1747 con Micaela Berenguer, quien dio a luz siete veces entre 1748 y 1766. Ramón Alberola García se casó en 1783 con Lucía Gómez y bautizaron solo a dos hijos, pero tras enviudar se casó en 1793 con Josefa Soler, con quien tuvo doce hijos entre 1794 y 1815. En el mismo año de 1793, en la misma iglesia (San Nicolás) y con una mujer que se llamaba también Josefa Soler, se casó Mateo Alberola Gozálbez, teniendo ocho hijos entre 1796 y 1814. Y entre 1844 y 1871, José Alberola Cambiazo y Asunción Martínez (casados en 1843) bautizaron a 16 hijos.

De estas familias seguiremos más adelante a la formada por Ramón y Josefa Soler (que llamaremos Rama Soler) y la formada por José y Asunción Martínez (Rama Martínez), por contar ambas entre sus descendientes con personalidades relevantes de la sociedad alicantina de finales del siglo XIX y primera mitad del XX.

SIGLO XVIII

En 1721, el canónigo Eugenio Alberola vivía en la calle Empedrada, y en la década de 1760 había otro canónigo, magistral de San Nicolás, que se llamaba Leonardo Alberola.

En 1786, el beneficiado diaconal de la Colegiata se llamaba Lorenzo Alberola. El 7 de diciembre de aquel año bautizó a José María, «hijo de D. Casimiro Alberola Abogado de los Reales Colegios y de D.ª Josefa Simó, consortes». Ella era alicantina y Casimiro era natural de Muchamiel. José María era su primogénito. Después bautizaron en la misma colegiata a cuatro hijos más: M.ª Carmela (1788), José (1791), Francisco (1794) y Vicente (1797).

SIGLO XIX

Leonardo Alberola fue uno de los regidores del primer Ayuntamiento Constitucional, que tomó posesión el 16 de agosto de 1812. Anteriormente ya había sido elegido alcalde (30-10-1804).

El 1 de junio de 1873 apareció en *El Municipio* el siguiente aviso: «D. Vicente Pastor y Alberola, arrendador de la plaza de toros, advierte á quienes pueda interesar dirijan la correspondencia á su nombre y domicilio, calle de Riego núm. 3». Tres años antes, concretamente el 19 de abril de 1870, envió una carta al alcalde quejándose de que el ganado cabrío destinado a la venta de leche ocupase las aceras de la ciudad, pese a estar prohibido.

El 8 de septiembre de 1877 nació en Alicante Luis Foglietti Alberola, compositor musical que gozó de gran popularidad. Falleció en Madrid el 25 de mayo de 1918.

Antonio Giménez Alberola fue redactor de *El Liberal* entre 1886 y 1890, pero en enero de 1892 se inscribió en el Colegio de Abogados, abriendo bufete en Pardo Gimeno 26.

RAMA SOLER

Juan Bautista Alberola Soler (nacido en 1797) era comerciante. En 1859 fue vocal de la junta que organizó el obispo con el objetivo de recaudar fondos para la reparación del monasterio de Gracia. Su hermano Luis (nacido en 1815) fue elegido concejal en enero de 1878.

Ramón Alberola Soler

Nació en 1802. Comerciante al por mayor y menor de vinos y cereales, en 1851 pagó 3 805 reales por contribuciones directas. Fue concejal en 1840, 1843, 1844 (durante la rebelión de Boné), 1854 (tras la Revolución de julio) y 1867. Con la desamortización de Madoz compró censo perteneciente a la iglesia de Santa María por valor de 1 185 reales y de la iglesia de San Nicolás por valor de 497 reales.

Entre 1847 y 1850 fue uno de los principales propietarios urbanos de la ciudad, con una riqueza de 14 208 reales. Poseía casas en las calles Isla (1847), Puerta de la Reina (1848), Igualdad (1849), Lonja de Caballeros y Mayor (1850), plaza de San Francisco esquina calle del Foso (1851), calles Navas, Jerusalén y Bazán (1855), en el Malecón (1856), calle Teatinos (1857), y calle Colón (1863).

Fue miembro del Gremio de Comerciantes Capitalistas (1855) y vicecónsul de Cerdeña (1856). Se casó en 1824 con Francisca Romero. Tuvieron seis hijos. Murió en 1875.

Alberola-Romero

Los seis hijos que Ramón Alberola y Francisca Romero bautizaron en San Nicolás fueron: Carolina (1828), Francisco (1829), Ramón (1831), Adela (1833), Rigoberto (1835) y Juan (1836).

Francisco fue titular de una empresa consignataria con sede en la calle San Fernando, y promotor de la Sociedad del Canal de la Huerta. En noviembre de 1897 abrió una casa de huéspedes en el paseo de los Mártires, 57.

Adela heredó una casa en Mayor, 61 y, según el cronista Viravens, poseía una quinta de recreo en el término de San Vicente.

Rigoberto se fue a vivir a Madrid, donde se casó con la algecireña Elisa Canterac y tuvo dos hijos: Francisco e Isabel. Pero regresó a Alicante con su familia en la década de 1880.

Un héroe caído en Santo Domingo

Ramón Alberola Romero entró como cadete en el Colegio de Segovia con 14 años. A los 24 se licenció con el grado de teniente de Artillería. Era soltero y, según su historial militar, medía 5 pies y 2 pulgadas (1,57 metros, aproximadamente).

Estuvo destinado en Valencia, Cartagena y Alicante. Aquí estuvo encargado de la Comandancia desde junio de 1859 hasta el 31 de diciembre de 1860, que fue destinado al 5.º Regimiento, de guarnición en Vicálvaro.

En julio de 1861 fue trasladado a Madrid y el 16 de diciembre fue promovido a capitán del Departamento de Santo Domingo. Sin embargo, una licencia por enfermedad le retuvo en Alicante hasta febrero de 1862.

Marchó a su destino en ultramar a bordo del vapor correo Puerto Rico, en el cual embarcó el 16 de abril de 1862. En agosto del año siguiente desapareció en la provincia dominicana de Santiago, estando en la guarnición de Guayacanes, pueblo limítrofe a Haití. Tras un enfrentamiento con los rebeldes, se le creyó prisionero. Su hermano Rigoberto, que vivía en Madrid, se dirigió a la reina pidiendo se interesara por el paradero de Ramón. Isabel II atendió la petición y el ministro de la Guerra ordenó el 26 de septiembre de 1864 al Juzgado de Guerra que averiguara lo sucedido. Por la declaración de diferentes testigos, se supo que el capitán Alberola no estaba entre los prisioneros confinados en el campamento de Monte Cristo, dándose por seguro que había caído muerto el 23 o el 24 de agosto de 1863 a orillas del río Yaque. Dos tenientes y un médico dijeron haber oído que Ramón «prefirió la muerte al abandono de su bandera», rechazando la oferta de desertar y pasar a las filas rebeldes, que le hizo el caudillo dominicano Gaspar Polanco.

Se le declaró oficialmente muerto y se entregó un informe a su hermano Rigoberto el 5 de febrero de 1868.

El ayuntamiento alicantino puso su nombre a la calle que hasta entonces se llamara del Triunfo, paralela a la Rambla.

Casa Alberola

Juan Alberola Romero fue banquero. Se casó en 1862 con M.ª Dolores Gomis, con quien tuvo a Enrique (nacido el 26 de diciembre del mismo año), a Ramón (que nació en 1876 y falleció el 16 de agosto de 1892) y a M.ª Dolores.

En 1875 contrató al arquitecto José Guardiola Picó para la edificación de una vivienda en la calle San Fernando, con fachada al paseo de los Mártires. En 1891 pidió permiso municipal para construir una casa en dicho solar: Explanada con ángulo a las calles San Fernando y Bóvedas.

El edificio se construyó en 1894, destacando en su estructura la cúpula de escamas de cerámica vidriada que coronaba un torreón cilíndrico. Muy pronto este edificio empezó a ser conocido popularmente como Casa Alberola.

En la década de 1960 fue demolido un núcleo central de escaleras, levantándose en su lugar un bloque de viviendas que quedó incrustado en el edificio original.

RAMA MARTÍNEZ

Alberola-Martínez

Como decíamos antes, José Alberola Cambiazo desposó a Asunción Martínez en San Nicolás. Fue el 30 de abril de 1843. En el registro parroquial se dice que él era soltero, albañil, natural de Algeciras, que tenía 24 años y que sus padres eran de Cádiz (él, pintor); y que Asunción era ilicitana, soltera, de 20 años, y que su padre era rastillador. Eran, pues, dos personas humildes, nacidas fuera de Alicante pero establecidas aquí.

En la colegiata bautizaron a 16 hijos, de los cuales al menos cuatro murieron siendo niños: Amando (1844), Carmen (1845), Rosa (1846), Antonio (1847), Vicente (1849), Consuelo (1850), Manuel (1851), Consuelo (1853), Manuel (1854), Carmen (1856), Asunción (1859), José (1861), José (1864), María (1866), Concepción (1868) y Remedios (1871).

En el primer registro se sigue diciendo que el oficio del padre, José, era el de albañil, pero a partir del segundo se dice que era embalador.

Asunción Alberola Martínez fue maestra (1878).

Consuelo murió el 12 de septiembre de 1905.

Vicente se casó con María Costa y tuvo un hijo en 1897, Vicente.

José Alberola Martínez fue vicepresidente de la sociedad Montepío Mercantil (1900), cajero-contador de la Caja Especial de Ahorros (1902) y posteriormente (1906) director gerente. Se casó con M.ª Concepción Costa el 31 de enero de 1891, en San Nicolás, donde fueron bautizados sus hijos José (1895), Asunción (1900) y Carmelo. Pepín, como era llamado en la intimidad, murió el 28 de mayo de 1909.

Amando Alberola Martínez

Amando nació el 13 de marzo de 1844. Fue un político republicano ligado primero al partido Posibilista, del que fue concejal en 1889, después al Centralista (concejal en 1895) y más tarde al partido Fusionista (1898).

Desde 1877 perteneció a la Logia Alona, con el nombre simbólico de Calvo Asensio.

Fue perito mercantil. En 1891 fue elegido vicepresidente y en 1898 presidente del Colegio Oficial de Peritos y Profesores Mercantiles.

Como comerciante poseía, junto con Primitivo Carreras, una empresa importadora y exportadora de maderas y carbones minerales (P.R. Dahlander y Cía.). Fue socio de La Exploradora S.A. (1880), Los Diez Amigos (constructora del barrio de Benalúa, donde hay una calle con su apellido) y Los Nueves, sociedad promotora del tranvía urbano, de cuyo consejo de administración fue presidente en 1899.

Fue vicecónsul de Brasil, miembro de la Sociedad Económica de Amigos del País, vicepresidente de la Cámara de Comercio (1890) y presidente de la Caja Especial de Ahorros de Alicante (1887).

Se casó en San Nicolás el 4 de abril de 1870 con Josefa Gomis, que tenía 20 años (cuatro menos que él). Tuvieron seis hijos, pero al menos dos fallecieron siendo niños: Amando (1871), Amando (1872), José (1874), Ida (1877), Lara (1879) e Ida (1882).

Amando murió el 21 de marzo de 1900; su viuda, el 7 de octubre de 1902.

SIGLO XX

Francisco Martínez Alberola abrió en 1924 unos talleres en la calle San Juan Bautista; al año siguiente, solicitó al ayuntamiento devolución de fianza de 2 910 pesetas, depositada para la adquisición de un autocamión de riego de calles; en 1928 reformó y amplió su casa de Villegas 1; en 1942 abrió un almacén en la calle San Juan Bautista; y en 1947 construyó otro en la calle Joaquín Mendizábal.

Manuel Alberola Bernabeu fue un constructor que realizó numerosas obras públicas y privadas antes y después de la Guerra Civil. En el Archivo Municipal hay una treintena de solicitudes de permiso de obras a su nombre entre 1932 y 1962, destacando el derribo de la Audiencia Provincial en 1943, la construcción de una casa de cuatro plantas en Maestro Marqués, 18 (1955), un edificio en Antonio Galdó Chápuli, 14 (1959) y otro de 24 apartamentos en la Albufereta (1962).

José Mallol Alberola recibió en 1939 el traspaso de la farmacia sita en Valle Inclán, 2. En 1942, abrió una industria en la calle Doctor Ayela; construyó en 1949 una casa en Ciudad Jardín; en 1959 presentó el anteproyecto de construcción de cuatro bloques y un conjunto hotelero en la playa de San Juan; y en 1962 solicitó autorización para construir seis edificios en El Palmeral (carretera Alicante-Campello, km. 8).

El ingeniero Manuel Juan Alberola se dedicó a partir de 1942 a la construcción de panteones en el cementerio municipal. Entre este año y 1963 pidió permiso para construir treinta. En 1956 abrió en la plaza del cementerio un taller de cantero-marmolista y en 1962 ganó en subasta la adjudicación de lápidas procedentes de mondas.

El 5 de febrero de 1967 entraron a formar parte del ayuntamiento los concejales Francisco Marhuenda Alberola, por el tercio familiar, y Manuel Alberola Cremades y Enrique Santo Alberola representando a entidades. Este último era ingeniero de obras públicas e hijo de Enrique Santo Cantó y Remedios Alberola, que se casaron en noviembre de 1904. Francisco Marhuenda Alberola poseía una fábrica de lejías en Doctor Buades, 38 desde 1961, año en que abrió un cine de verano en calle Pinoso, esquina General Espartero y en el que presentó el proyecto de construcción de 17 bloques en las calles Francisco Esteban, Pastor Carrillo, Cánovas del Castillo y prolongación de Doctor Bergez. En 1963 construyó otro edificio en calle Fidel Pastor Carrillo, esquina San Pablo.

RAMA MARTÍNEZ

Alberola-Gomis

Amando Alberola Gomis nació el 15 de mayo de 1872. En el primer piso de San Fernando, 65 tenía su oficina de agente de bolsa en 1913 y de administrador de los baños de Busot en 1915. Murió el 9 de enero de 1929.

José Alberola Gomis nació el 19 de abril de 1874. Contrajo matrimonio en San Nicolás el 7 de marzo de 1919 con Jacinta Gamundi. Falleció el 18 de abril de 1925.

Alberola-Costa

Asunción Alberola Costa (nacida en 1900, hija de José y M.ª Concepción) contrajo matrimonio en San Nicolás el 28 de junio de 1924 con Eduardo Van Der Hofstadt, que era cajero apoderado de Aguas de Alicante. El 5 de abril de 1925 nació Eduardo Van Der Hofstadt Alberola y, posteriormente, su hermano Carlos. Asunción falleció el 18 de abril de 1931 y su marido siete días después.

Carmelo Alberola Costa fue redactor de *Diario de Alicante* y *Diario de Levante*. El 27 de mayo de 1931 se casó con Luisa Castellanos. El 5 de junio del mismo año fue elegido contador local del partido Radical de Lerroux y nueve días después vicepresidente local de Juventud Republicana. A mediados de 1934 era el representante en Alicante (con domicilio en Pérez Medina, 9) de La Industrial, una destilería valenciana. Durante la Guerra Civil fue miembro de la Comisión de Justicia y contador de Unión Republicana. Se exilió al finalizar la guerra.

RAMA SOLER

Alberola-Canterac

Como decíamos antes, Rigoberto Alberola Romero regresó a Alicante en la década de 1880 con su esposa, Elisa Canterac, y sus hijos Francisco e Isabel, nacidos en Madrid.

Rigoberto construyó una casa en la calle Lonja de Caballeros 8, en 1895; reconstruyó otra en Bazán, 11, en 1909; reformó otra al año siguiente en San Fernando, 19, y la lindante del número 21 en 1911. Edificó este mismo año una casa con fachadas a las calles San Agustín y Las Monjas; y en 1912 reformó otra en Sagasta, 45. Murió el 26 de junio de 1915.

Isabel Alberola Canterac contrajo matrimonio con Luis Martínez Vasallo.

Francisco Alberola Canterac

Fue concejal, presidente del Club de Regatas y promotor, junto con su tío Francisco Alberola Romero, de la Sociedad del Canal de la Huerta. También fue secretario de la Cámara de Comercio y contador de la Sociedad Económica de Amigos del País.

Sufragó los gastos de construcción de dos escuelas en San Nicolás, 16. En 1913 cedió su finca Clavería, cercana a la Santa Faz, para la construcción de unas escuelas públicas. Tres años después fue designado delegado regio de primera enseñanza.

Poseía una casa en Mayor, 59-61 y una finca en la partida de La Condomina denominada Plácido.

En octubre de 1913 otorgó escritura de compra-venta del tranvía urbano como vicepresidente de la junta directiva de la sociedad Los Nueves.

Se casó el 4 de octubre de 1886, en San Nicolás, con Rosa Such. Tuvieron seis hijos: Elisa, Francisco (1890), M.ª del Carmen (1891), Rigoberto (1894) y Ramón (1895).

Enviudó en abril de 1896. De su segundo matrimonio con Mercedes Herrera nació en 1901 Rafael Alberola Herrera. Falleció el 29 de marzo de 1917.

Enrique Alberola Gomis

Era, como ya sabemos, hijo de Juan (constructor de la Casa Alberola) y M.ª Dolores Gomis. Nació el 26 de diciembre de 1862.

Su hermana M.ª Dolores se casó el 28 de junio de 1915 con Renato Bardín.

En 1916, Enrique era el mayor accionista de la sucursal alicantina del Banco de España (915 acciones).

Contrajo matrimonio en el monasterio de la Santísima Faz con Rosa Llopis Vicens el 7 de diciembre de 1917.

Pidió permiso para construir un panteón en el cementerio en 1931, donde fue enterrado tras su fallecimiento (16-8-1935).

Alberola-Such

Elisa Alberola Such fue reina de los Juegos Florales de 1911. Se casó en 1913 con el capitán de Caballería Salvador de Lacy Zafra. En 1939 era tesorera de las Damas Camaristas de la Santa Faz.

Ramón Alberola Such fue juez del distrito norte (1922-1927). Tras cesar como juez abrió (enero 1928) bufete de abogado en San Nicolás 14. Fue presidente del Casino (1926) y de la Sociedad de Cazadores (1928), y secretario del Colegio de Abogados (1928) y del Tribunal Tutelar de Menores (1931). Contrajo matrimonio en la parroquia de Villafranqueza el 17 de octubre de 1917 con Carmen de Lacy Zafra (hermana de su cuñado). Ella murió el 8 de febrero de 1962 y el viudo fue ordenado sacerdote por el obispo auxiliar de la diócesis de Madrid-Alcalá el 7 de mayo de 1964.

Francisco Alberola Such

Fue abogado y hombre de total confianza del cabildo eclesiástico alicantino, miembro de la Hermandad de Custodios de la Santa Faz.

Quedó viudo el 23 de marzo de 1917 de su esposa María de Irizar Góngora, con quien había tenido un hijo: Francisco.

Contrajo segundas nupcias con María Manero Carratalá el 12 de mayo de 1923.

Vivía en San Fernando, 21 (la casa que fuera de su padre) y poseía una finca, El Pino, en la huerta alicantina.

Fue elegido concejal en 1915 y 1931, y diputado provincial en 1933. Permaneció detenido durante un par de días en agosto de 1932 con motivo del intento de golpe de Estado del general Sanjurjo. Al inicio de la Guerra Civil se refugió en el consulado argentino, pero fue encarcelado desde el 23 de septiembre hasta el 5 de noviembre de 1936, día en que fue devuelto al consulado argentino en calidad de preso.

En 1924 reconstruyó su casa de San Fernando 23, que le fue expropiada en 1939 para la apertura de la Rambla hasta la Explanada y que fue derribada al año siguiente. En 1941 pidió permiso para construir, en el solar que quedó entre la calle San Fernando, la Rambla y la Explanada, una casa de seis plantas con vivienda para el portero. Por esas fechas tenía su domicilio en Gadea, 17.

En 1939 era notario eclesiástico y el 31 de mayo de 1949 fue nombrado alcalde, cargo que ocupó hasta octubre de 1954. Durante su alcaldía el nacional-catolicismo local alcanzó su cenit. El 1 de agosto de 1949 reconstituyó el Patronato de la Santa Faz, que había sido suprimido por un alcalde franquista anterior.

Fue procurador en Cortes por la administración local en 1949 y 1952.

Falleció el 8 de septiembre de 1967.

Su hijo Francisco Alberola de Irizar fue colaborador habitual del periódico *El Día*. En 1943 era abogado y vocal del Consejo de los Jóvenes de Acción Católica.

Rafael Alberola Herrera

Hijo de Francisco Alberola Canterac y hermanastro de los Alberola Such, nació en 1901.

Durante la Segunda República fundó y fue director del periódico *DRA* (siglas del partido Derecha Regional Agraria, del que era jefe provincial), que salió precipitadamente antes de las elecciones de noviembre de 1933 y que desapareció en marzo del año siguiente, para dejar paso a *Más*, otro periódico mejor estructurado que duró hasta el 20 de febrero de 1936, fecha en que sus instalaciones fueron incendiadas.

En marzo de 1926 fue nombrado vicepresidente del consejo de administración de la sociedad Canal de la Huerta.

Fue detenido cuando se produjo el golpe de Estado del general Sanjurjo (agosto 1932, siendo presidente de Centro Católico), y fue elegido diputado en 1933 por el Bloque Agrario Antimarxista.

Estuvo ausente de Alicante durante la Guerra Civil.

En 1943, cuando comenzaba el problema de abastecimiento de leche en la ciudad, abrió una vaquería en su finca San Rafael, en la partida de la Santa Faz.

Fundó y dirigió la revista *Bahía* (1953), colaboró con el diario *Información* y fue el director durante la década de 1970 de semanarios como *Canfali Benidorm* y *La Voz de la Costa Blanca*.

Contrajo matrimonio el 7 de enero de 1925 con Josefina Manero Carratalá, hermana de la segunda esposa de Francisco Alberola Such. Mercedes Alberola Manero, que fue bautizada en San Nicolás el 4 de marzo de 1932, era delegada de catequesis del Consejo Diocesano de las Jóvenes en 1943.

Rafael murió en 1977.

ACTUALIDAD

Actualmente hay censadas en Alicante 661 personas apellidadas Alberola: 316 con el primer apellido, 343 con el segundo y 2 con ambos.

Son cinco las calles que tienen este apellido: Alberola Canterac (Villafranqueza-Santa Faz), Alberola (Benalúa), Alberola Romero (Casco Antiguo-Santa Cruz), Luis Alberola Ferrándiz (Villafranqueza-Santa Faz) y Médico Manuel Alberola (Polígono San Blas).

La Casa Alberola fue restaurada entre 2006 y 2011 por el grupo valenciano Nau, y adquirida en 2013 por los alicantinos Vicente Castelló y Pedro Vilanova, que pagaron por ella 2 070 000 euros.

«Mi abuelo se llamó Armando, y no Amando, porque su padre amenazó al cura con no bautizarle»

«Cuando mi bisabuelo Adolfo Alberola bautizó a su hijo Armando en Monforte, el cura insistió en que debía llamarse Amando, pero él le convenció diciéndole que, si no era Armando, *"el xiquet es quedava moro"*».

Esta anécdota familiar me la cuenta Armando Alberola Romá, catedrático de Historia Moderna de la Universidad de Alicante; autor de más de 150 publicaciones; premio extraordinario de doctorado (1985); profesor visitante en la Escuela de Altos Estudios de Ciencias Sociales de París en 2006 y 2007, y en la Universidad de París III-Sorbonne Nouvelle (2007); vicedecano de la Facultad de Filosofía y Letras (1987-1993), de la que fue decano en funciones en 1993; secretario general de la UA en 1998; vicerrector de Estudios e Innovación Educativa (1998-2000); y director del departamento de Historia Medieval e Historia Moderna (2001-2008). En 2006, la República Francesa le otorgó la distinción de Oficial de la Orden de las Palmas Académicas. Actualmente es director de la *Revista de Historia Moderna* y uno de los más prestigiosos investigadores históricos del país, especialmente sobre el impacto que el clima ha ejercido en la sociedad moderna y, junto con su esposa, sobre la figura de Jorge Juan Santacilia.

Su abuelo Armando Alberola Pastor vino a vivir a Alicante con 7 años, a casa de su tía Remedios, que era cigarrera. Aquí trabajó de platero y se casó por lo civil el 11 de septiembre de 1926 con Celia Valls, natural de Alcoy. Tuvieron tres hijos: Armando, Celia y Antonio. Emigraron a Argelia al principio de la década de 1930, pero regresaron pronto. Él trabajó a partir de entonces como guardamuelles, y ella en una fábrica de sacos y en otra de envasado de almendras. Celia fue miembro del Consejo Municipal tras el golpe de Estado franquista, en representación de la UGT. Estaba en el Mercado Central cuando el bombardeo del 25 de mayo de 1938, pero salió ilesa. «En puridad, fue la primera concejala de la II República en el ayuntamiento alicantino. Tuvo las competencias de Instrucción Pública, Beneficencia y Sanidad», señala su nieto.

Armando Alberola Valls nació en Alicante en 1927. Fue jugador del Alicante C.F. al principio de la década de 1950, pero su profesión era la de perito industrial. Se casó con la alicantina Manuela Romá en 1955, con la que tuvo tres hijos: Armando (nuestro entrevistado), Carmen (nacida en 1959, abogada) y Patricia (1969, filóloga).

Armando Alberola Romá nació el 2 de junio de 1956 en la calle Virgen de Belén, en la casa de sus abuelos maternos. El 19 de septiembre de 1983 se casó con Rosario Die Maculet. Tienen dos hijos: Armando (cuarta generación de este nombre en la familia), nacido en 1983 y doctor en Biología, y Carlos (1988), licenciado en Historia.

Aprovecho para preguntarle a este catedrático de Historia y eminente investigador su opinión sobre esta sección de Apellidos Alicantinos. Me responde: «En Historia, este análisis de tipo familiar se llama prosopografía. Más allá de la genealogía, que se queda en lo anecdótico, la prosopografía permite la demografía histórica gracias a la reconstrucción de familias».

AMAT

DISCRETA CONVIVENCIA

Algunos genealogistas dicen que el apellido Amat procede de un guerrero que formó parte del ejército de Carlos Martel, cuando este entró en Cataluña en el siglo VIII, y que acabó afincándose en Barcelona. Uno de sus descendientes, Ramón Amat, participó en la conquista del reino de Valencia, así como Bernardo Amat y sus hijos, que expulsaron a los musulmanes de Elda, por lo que Jaime I de Aragón les premió concediéndoles tierras en esta última ciudad y sus alrededores.

Sea como fuere, lo cierto es que, en la actualidad, las provincias españolas donde más Amat hay censados son, con mucha diferencia con el resto, las de Barcelona y Alicante. Y, dentro de esta última, es en Elda donde los Amat son más numerosos y más han destacado socialmente.

En Alicante, la primera referencia documental que conservamos de un Amat es la de Juana, hija de Miguel y Leocadia, en el registro bautismal en San Nicolás del 29 de enero de 1566.

SIGLO XVIII

Tomás Amat estuvo encarcelado nueve días del mes de junio de 1716 por orden de José Antonio Chaves, gobernador, corregidor y justicia mayor de Alicante. Fue puesto en libertad el 17 de aquel mes, tras saldar la deuda que tenía contraída por la compra de ropa con José Benit, mercader francés afincado en la ciudad.

Un profesor de Gramática

Tras la expulsión de los jesuitas en 1767, el ayuntamiento alicantino convocó una oposición para crear una plaza de Latinidad y Retórica, dotada con un salario anual de 270 libras. El 1 de marzo de 1768 fue elegido Vicente Amat Cerdán, natural de Elda y maestro de Gramática del colegio San Miguel de Orihuela.

El ayuntamiento tenía previsto que la escuela municipal de latinidad (con vivienda para el profesor) ocupara el antiguo colegio de los jesuitas, pero el edificio fue asignado a los tabarquinos rescatados, llegados a la ciudad el 19 de marzo de 1768. Así que no fue hasta el 7 de abril del año siguiente cuando Vicente Amat inició las clases en los desvanes del propio ayuntamiento.

Como residencia, Vicente alquiló un entresuelo por el que pagaba 9 libras de su propio peculio. Además, el salario que empezó a cobrar fue de 220 libras anuales, cincuenta menos de las que estaba dotada la plaza, según lo indicado en la convocatoria de la oposición.

Debido a unas obras que se hicieron en la Casa Consistorial, poco después, el aula municipal de Gramática hubo de ser trasladada. El antiguo colegio de los jesuitas todavía estaba ocupado por varias familias tabarquinas, así que Vicente alquiló una nueva casa, por la que pagó 56 libras. En ella vivió e impartió clases durante dos años.

En 1771, por fin pudieron Vicente y sus alumnos ocupar el antiguo colegio jesuita, pero enseguida surgieron problemas al habilitarse el edificio como hospital, por lo que se vieron obligados a abandonarlo. Vicente alquiló de nuevo una casa.

Vicente se casó con la alicantina Rafaela Segarra, en San Nicolás, el 27 de septiembre de 1772. Tuvieron siete hijos, bautizados todos ellos en Santa María: Joaquín ((28-10-1773), Francisco (10-3-1776), Vicente (14-8-1777), José (10-4-1780), Nicolás (16-12-1782), Rafael (5-5-1785) y M.ª Dolores (17-9-1787).

El aula de latinidad municipal no se trasladó al antiguo edificio jesuita hasta 1795. El obispo José Tormo cedió en 1785 este edificio a las agustinas de la Sangre de Cristo, y estas se resistieron durante una década a ceder el sitio que reclamaban Vicente y el ayuntamiento.

Pero nuevamente fue breve la estancia de Vicente y sus alumnos en aquel edifico, puesto que en julio de 1795 tuvieron que abandonar las habitaciones que ocupaban por hallarse en ruinas. Vicente alquiló una casa en la calle Empedrados. En noviembre de 1803, las clases de Gramática se suspendieron por amenazar ruina el edificio en el que se impartían.

Vicente Amat falleció en 1804 de fiebre amarilla.

SIGLO XIX

Rafael Amat Gras, nieto del infortunado profesor de Gramática, era marino mercante. Contrajo matrimonio en 1830 con Francisca Just, con quien tuvo tres hijos. En el Archivo Histórico Provincial se conserva el protocolo notarial (1854-1856) de la división y partición de la herencia del difunto

Rafael Amat Gras, «propietario que era de la embarcación nombrada Ecce Homo», entre su viuda y «sus hijos menores de edad, Godofredo y Rafael Amat y Just».

En las décadas de 1870 y 1880, el director de la Casa de Beneficencia era el capellán Rafael Amat Linares, natural de Elda, que vivía en una casa adosada a la iglesia de Santa María.

El abad Francisco Penalva bautizó en San Nicolás el 21-2-1876, con el nombre de Francisco, «á un joven hebreo convertido, llamado Judas Amat, natural de Mogador, Provincia de Marruecos, soltero, de 27 años».

El 1-7-1879 se fusionaron las aseguradoras españolas La Unión y El Fénix Español. Manuel Amat fue subdirector provincial de esta compañía de seguros, con oficina en Bailén, 5.

Otro Manuel Amat, o quizá el mismo, se anunciaba en 1878 como agente alicantino de la Compañía General Trasatlántica, con despacho en Argensola, 5, 2.º.

El colegio La Educación abrió en mayo de 1884 una clase de dibujo, dirigida por el maestro superior José Amat Fuentes, que tenía solo 19 años de edad. Casado en 1892 con Asunción Martínez, tuvo dos hijos. En 1918 era el director del colegio San Domingo, ubicado en Castaños, 32.

Un policía condecorado

José Amat Carbonell, nacido en San Vicente en 1830, contrajo matrimonio en San Nicolás el 7-2-1852 con la alicantina Ana M.ª García; tuvieron ese mismo año una hija, Teresa. Enviudó y se casó en segundas nupcias con Isabel Fuentes el 5-9-1863, con quien tuvo tres hijos: José, Ramón y Antonio. Un año antes construyó una casa en la calle Huerta.

El Constitucional, del 22-1-1875 noticiaba: «Se ha concedido la cruz de tercera clase de la orden civil de Beneficencia, al celoso inspector de orden público de esta provincia, don José Amat y Carbonell por los servicios prestados durante la invasión de la fiebre amarilla en esta capital en 1870».

Por los periódicos de la época sabemos de los altibajos en su carrera profesional: tomó posesión de su cargo en Alicante el 6-2-1881, pero fue cesado en febrero de 1882; fue destinado a Alcoy como inspector de vigilancia en enero de 1897; regresó a Alicante en mayo; volvió a Alcoy en octubre y fue cesado en noviembre del mismo año. Hasta tres veces ocupó el cargo de inspector en Alcoy.

SIGLO XX

Juan Miguel Amat, teniente de Carabineros, se casó el 23-6-1898 con María Soler, hermana del farmacéutico Agatángelo. En marzo de 1897 había sido destinado a Algeciras. A finales de 1905, ya con el grado de capitán, vino destinado a la comandancia alicantina, pero pocos días después fue enviado al puesto de Jávea. Regresó en abril de 1917 con el grado de teniente coronel y como nuevo jefe de la Comandancia. En mayo de 1920 fue ascendido a coronel y un mes después se hizo cargo de la dirección del Colegio de Carabineros, en El Escorial. En esta población madrileña falleció en marzo de 1930, siendo general inspector.

El pianista Vicente Amat era, en 1900, presidente de la sociedad Calderón de la Barca, y de la sociedad obrera Banda de Música de Alicante, en 1901.

En abril de 1912, Joaquín Amat daba lecciones de solfeo y piano a domicilio o en su casa de plaza Alfonso XII, 13, 3.º. En 1920 era médium del Centro espiritista Kardeciano, cuyo nuevo local fue inaugurado en diciembre de ese año en Navas, 37.

Gabriel Amat Tabares fue nombrado en septiembre de 1913 agente en Alicante de la Compañía General Española de Electricidad. Se casó el 29-1-1915 con Pepita Llopis, con quien tuvo un hijo en enero de 1920, Isidro. El 28-10-1932 fue elegido presidente de la sección de Electricidad del Sindicato de Gas, Agua y Electricidad.

Emilia Amat Santo fue nombrada en abril de 1918 auxiliar de la Escuela Normal de Maestras.

Severiano Amat Mas fue denunciado en julio de 1924, junto con otros tres hombres, por salir a la galería del balneario La Estrella con bañador corto.

Antonio Amat Lis, tataranieto del profesor de Gramática que conocimos más arriba, pidió permiso en 1931 para plantar una hoguera en la calle Bernardo López. También Luis Amat Barrachina pidió permiso en 1950 para plantar la barraca de la que era secretario: «*Sempre del mateix palo*», en la calle Calderón de la Barca, frente a las oficinas de la Compañía de Riegos de Levante.

Delincuentes

Francisco Amat García fue detenido «por promover cuestión en la vía pública con otro sujeto y desobedecer á los guardias que acudieron á reprenderle» (*La Correspondencia de Alicante*, 9-9-1897). Volvió a ser arrestado la noche del 28-3-1898 por participar en una pelea en la calle Infanta, y en la mañana del 16-8-1899 por promover un fuerte escándalo en el Mercado y tratar de desarmar al guardia municipal que le detuvo. También por escándalo público y desobediencia a la autoridad era nuevamente detenido el 7-9-1904. Fue curado en la Casa de Socorro de una pedrada en la cabeza el 17-4-1906. En diciembre de este último año fue juzgado por hurto. Al parecer, de vez en cuando trataba de ganarse la vida honradamente: «A las doce y media próximamente de la mañana de ayer, fue conducido en una silla á la Casa de Socorro, un hombre de unos 46 años de edad», noticiaba *Alicante Obrero* el 7-4-1916; el accidentado era Francisco Amat García, natural de Muchamiel y con domicilio en Antequera, 6, quien se resbaló y cayó al suelo en la calle Mayor, fracturándose la rodilla derecha, mientras vendía cupones de una rifa. Pero el 24-2-1921 volvió a ser detenido por pelearse con otro individuo en el Mercado.

Tomás Gómez Amat, alias Cuartel, que vivía en la calle Trafalgar, fue detenido el 17-7-1905 por robar un carrito con ropa a una lavandera en la calle del Pozo. *Diario de Alicante*, en su edición del 17-7-1912, le definió como «un abonado al banquillo de los acusados, pues ha sido condenado siete veces por hurto y además tiene otras cuentas pendientes con la justicia», como el hurto en una cordelería el 19 de diciembre anterior. El 29-11-1913 fue sorprendido por el guarda del puerto mientras sustraía maíz de una pila de sacos.

Antonio Amat Carratalá, de 17 años, fue detenido el 15-10-1909 por participar en una riña en la calle Valencia. Su hermano Manuel, cuatro años mayor, también fue detenido por riña el 24-9-1909. Y otro hermano, Miguel, conocido por el alias de Puchero, fue arrestado con 16 años en el muelle por hurto la noche del 8-1-1914. El Puchero pasó la segunda quincena de mayo de 1915 en la cárcel por cometer «actos inmorales en la vía pública», y el 27-9-1917 «sustrajo a Evarista Ortega del bolsillo del delantal, una carterita conteniendo 45 pesetas», informaba *El Luchador*, quien describía al Puchero como un joven «de 22 años, soltero, ratero, habitante en la calle del Paraíso 4». El 3-6-1918 fue detenido con su pareja, Teresa Martínez Navarro, por pelearse ambos en la casa donde vivían, en Cisneros, 3.

Estadísticas AMAT

LUGAR	APELLIDO 1.º	APELLIDO 2.º	AMBOS APELLIDOS	TOTAL	% ESPAÑA	% PROVINCIA
ESPAÑA	5 656	5 458	39	11 153	100	----
PROVINCIA BARCELONA	1 806	1 592	0	3 398	30,46	----
PROVINCIA ALICANTE	1 151	1 126	11	2 288	20,51	100
ALICANTE CIUDAD	216	236	0	452	4,05	19,75

Fuentes: INE y Ayto. Alicante.

«Mi padre era feliz ayudando a la gente»

Vicente Amat Martínez tenía muchas dudas sobre esta entrevista porque es un hombre muy discreto. Nació en Alicante el 20 de septiembre de 1953. Estudió en el instituto Jorge Juan y obtuvo el título de gestor administrativo en abril de 1973. Como no podía ejercer su profesión porque era menor de edad (entonces la mayoría estaba en los 21 años), aprovechó para hacer voluntariamente el servicio militar.

En enero de 1976 abrió, con ayuda de su padre, su propia gestoría, en la avenida de Salamanca, 51, que trasladó a finales de 1980 a Cardenal Belluga, 25 y, por fin, a finales de 1982, a la plaza de Luceros, 8, donde continúa actualmente.

Ha formado parte de la Junta de Gobierno del Colegio de Gestores de Alicante durante más de 12 años, siendo cuatro vicepresidente.

Próximamente celebrará las bodas de plata con la alicantina Nieves Durá, con quien tiene dos hijos: Vicente, nacido en 1994, que ha terminado recientemente DADE (Derecho y Administración y Dirección de Empresas), y Alejandro (1994), que está de erasmus en Edimburgo estudiando 4.º de DADE.

Es hijo único de Vicente Amat Quereda y Antonia Martínez Toledo. Ella nació en Caudete en 1927; él, en Alicante, en 1925. Contrajeron matrimonio el 3 de septiembre de 1952.

Vicente Amat Quereda empezó a trabajar muy joven en la gestoría Napoleón Bonmatí (situada en la plaza de la Santísima Faz, donde ahora está el Centro de Salud), de la que llegaría a ser gerente. Pero en 1976 se fue a trabajar con su hijo. «Era feliz ayudando a la gente», dice su hijo con orgullo. «La gestoría se llenaba a veces de personas que buscaban su ayuda, y él siempre los atendía con afabilidad, aunque luego algunos se olvidaban de los honorarios». Falleció en 2013.

Los abuelos paternos del entrevistado fueron Antonio Amat Carratalá, nacido en Alicante, y Rafaela Quereda Aracil, de Mutxamel. Antes de Vicente tuvieron una hija, Manuela, que se casó con Vicente Vañó, copropietario de la Papelería Vañó, que estaba en la plaza Abad Penalva. Tuvieron dos hijos: Vicente y Matilde.

«Mi abuelo vivió mucho y trabajó mucho. Contaba que en sus años jóvenes fue ballenero y luego, durante una temporada, bombero. Decía que, tras la explosión de la armería El Gato, sacó a varios heridos de entre los escombros. Murió a los 97 años».

AMÉRIGO

ESTIRPE DE JOYEROS Y PINTORES

Los dos hermanos Amérigo eran naturales de Portoferraio (isla de Elba).

El menor, Juan Bautista, llegó a Alicante a principios del siglo XVIII. Se casó con Águeda Perdido, con quien tuvo tres hijos: Mariana, nacida en 1706, Rosa (1720) y Lorenzo, que se casó en 1729 con Juana Camboriano y, en segundas nupcias y siendo ya anciano, con Mariana Sopena en 1766. Del primer matrimonio, Lorenzo bautizó en la parroquia de San Nicolás, entre 1731 y 1750, a doce hijos. Del segundo matrimonio tuvo únicamente uno, nacido en 1767.

Domingo, el hermano mayor de Juan Bautista, arribó a Alicante antes que este: a finales del siglo XVII. Casado en primeras nupcias con Ana María Payá, tuvo dos hijos: Bartolomé, nacido en 1691, y María Catalina (1694).

El primer platero de la dinastía

Bartolomé Amérigo Payá fue el primer platero y joyero de la dinastía, del que se tiene constancia. En 1710 trabajaba en la orfebrería de Francisco Pagán y a los 23 años se examinó y obtuvo en Valencia el título de Maestro de Plata de Ciudad y del Reino.

En 1720 abrió su propio taller orfebre en la calle Mayor alicantina, donde realizó numerosos trabajos por encargo, sobre todo con objetos litúrgicos para la colegial de San Nicolás. Llegó a tener cuatro aprendices.

Se casó con Vicenta Fernández en 1721, con quien tuvo un hijo al año siguiente, José. Tras enviudar se volvió a casar en 1728 con Vicenta Campos, con quien tuvo (entre 1729 y 1752) once hijos, algunos de los cuales no llegaron a edad adulta.

Bartolomé Amérigo Campos, nacido en 1739, fue también platero; se desposó con María Teresa Martínez y tuvo una hija, Vicenta (1761). Su hermano Tomás, nacido en 1741, se casó dos veces, primero con Francisca de Rojas, y la segunda, en 1771, con Francisca Roselló, con quien tuvo una hija, Vicenta (1778). Por último, Francisco Amérigo Campos, nacido en

1749, se casó en 1771 con Josefa Campos, con quien tuvo al menos 14 hijos entre 1773 y 1798.

Como podemos ver, del tronco familiar de los Amérigo alicantinos pronto empezaron a crecer numerosas ramas que fueron a su vez dividiéndose a lo largo del Setecientos.

Amérigo-López

Pero regresemos ahora al patriarca Domingo, padre del primer platero Amérigo alicantino. Tras enviudar de su primera esposa, se casó en segundas nupcias con María López en 1702. Bautizaron a diez hijos entre 1703 y 1725, pero solo seguiremos la línea sucesoria de dos.

Amérigo-Aragonés

El mayor de los Amérigo López, José Carlos, nacido en 1703, se casó a los 31 años con Manuela Aragonés. Entre 1736 y 1777 bautizaron a 14 hijos, aunque no todos superaron la infancia.

Domingo Amérigo Aragonés, nacido en 1737, se casó con Micaela Moyá y tuvieron, entre 1770 y 1782, cinco hijos. Su hermano Fernando se desposó en 1771 con Francisca Jover, pero no tuvieron descendencia. Otro hermano, Manuel, nacido en 1747, se casó en primeras nupcias con Josefa Galbis y en segundas con Magdalena Gozálbez, en 1789; solo tuvo descendencia con la primera: Francisca (bautizada en 1783), Antonia (1784) y Manuel Amérigo Galbis (1785). Por último, Francisco, el benjamín de los Amérigo Aragonés, nacido en 1756, se casó en 1777 con Francisca Santa y tuvo un solo vástago: Buenaventura, bautizado en 1787.

Amérigo-Ortiza

Conozcamos ahora la descendencia de otro de los hijos del patriarca Domingo: Agustín Amérigo López, cuyo linaje seguiremos hasta la actualidad. Casado en 1762 con Vicenta Ortiza, entre 1763 y 1783 bautizaron en San Nicolás a 14 hijos, tres de ellos con el mismo nombre: Agustín, lo que evidencia la alta mortalidad infantil que había entonces y el insistente deseo de los padres por asegurar la pervivencia de este nombre en su descendencia.

El tercer Agustín Amérigo Ortiza, nacido en 1778, se casó a los 20 años de edad con Ignacia Carreras Amérigo, naciendo el 1 de febrero de 1799 su primogénito, al que, por supuesto, llamaron también Agustín.

Vicenta Amérigo Ortiza se casó con Mariano Carreras Amérigo, hermano de su cuñada Ignacia. Tuvieron al menos tres hijos: Manuel (1794), Ignacio (1796) y Rosario (1798).

Luis Amérigo Ortiza, nacido en 1782, se casó con Antonia Pallarés. Tuvieron un hijo en 1802, José Baltasar, pero nació en Valencia, donde continuó el linaje, por lo que abandonaremos aquí esta rama.

Por último, Tomás Amérigo Ortiza, nacido en 1769, contrajo matrimonio en la colegiata con Ramona Morales en 1792. Entre 1794 y 1807 bautizaron a siete hijos.

SIGLO XIX

Manuel Carreras Amérigo

Primogénito de Mariano Carreras Amérigo y Vicenta Amérigo Ortiza, Manuel era bisnieto del patriarca Domingo. Nació a las once de la mañana del 31 de julio de 1794 y fue bautizado al día siguiente en la colegial de San Nicolás.

Elegido alcalde de Alicante dos veces, en 1839 y 1854, también fue diputado provincial en 1836 y oficial de la Milicia Nacional.

Comerciante y contribuyente, fue cónsul del Tribunal de Comercio en 1830 y vocal de la Junta de Comercio en 1832 y 1833.

Fue uno de los promotores del proyecto del ferrocarril Almansa-Alicante en 1843, que fue retrasado a causa de la rebelión de 1844, cuando los progresistas alicantinos, encabezados por Pantaleón Boné y él mismo, se sublevaron contra el Gobierno moderado. A diferencia de Boné y demás Mártires de la Libertad que acabaron siendo fusilados en el malecón alicantino el 8 de marzo de 1844, Manuel Carreras Amérigo logró huir por el puerto, exiliándose en Argelia.

De regreso a Alicante, en 1848, fue arrestado y encarcelado en el castillo de Santa Bárbara por intentar prender en la provincia la revolución que en aquel año se extendía por media Europa. Sufrió destierro en Filipinas, tras serle conmutada la pena de muerte que le fue sentenciada en consejo de guerra.

Regresó enfermo de malaria y arruinado en 1852. Durante el bienio progresista (1854-1855) fue nombrado director de la fábrica de tabacos y elegido alcalde, pero hubo de dimitir a causa de su mal estado de salud.

Casado con Juana Bellón Laviña, tuvo ocho hijos. Hasta poco antes de morir, vivieron en una casa que tenía entradas por las calles San Francisco y Balseta (actual Médico Manero Mollá).

Falleció a las cinco de la mañana del 25 de julio de 1855 y fue enterrado en el cementerio de San Blas. Cuando a mediados del siglo pasado fue cerrado este cementerio, sus restos se perdieron al no ser trasladados al nuevo camposanto, a pesar de la advertencia que un articulista de la época hizo en este mismo periódico.

Amérigo-Morales

Francisco, el antepenúltimo hijo de Tomás Amérigo Ortiza y Ramona Morales, nacido en 1801, se casó con Petra Aparici y se fue a vivir a Madrid, si bien su hijo nació en Valencia el 2 de junio de 1842. Francisco Javier Amérigo Aparici fue un celebrado pintor que vivió algunos años en Roma.

El penúltimo, Ramón Amérigo Morales, nació en 1806. Estudió pintura en el Consulado de Alicante y en Valencia, antes de hacer un largo viaje por Italia. A partir de su regreso en 1860 pintó infinidad de cuadros y estampaciones litográficas. Murió en 1884.

José Gabriel Amérigo Morales

Nació el 18 de marzo de 1807. Viajó muy joven a América, conociendo a la que sería su esposa en Cuba.

Josefa Magdalena Rouviere Giraud había nacido el 12 de mayo de 1811 en Savannah, Georgia. Era hija de un matrimonio francés que había llegado a América a principio de siglo y que se instaló definitivamente en Matanzas, Cuba, en 1918, donde compraron unas tiendas y fundaron poco después el cafetal La Dionisia.

El matrimonio Rouviere murió en junio de 1834 y, aunque todos sus bienes pasaron al mayor de sus ocho hijos, este traspasó el cafetal a Josefa Magdalena y a otros dos hermanos en 1836. Poco después debieron conocerse José Gabriel Amérigo y Josefa Magdalena, puesto que su primera hija, Josefa, fue bautizada en la parroquia San Carlos Borromeo de Matanzas en 1839. Dos años después nació el segundo vástago, Federico.

La caída del precio del café durante la década de 1840 mermó la fortuna de los Rouviere, quienes transformaron el cafetal en un potrero.

José Gabriel decidió regresar a Alicante con su familia en 1847. Por esas mismas fechas su esposa dio a luz a Gabriel, quien moriría con cuatro años. Se instalaron en la casa número 3 de la calle Mayor, donde nacerían sus hijos Alfredo (1851) y Victorina (1853).

El indiano Amérigo se convirtió muy pronto en un empresario de éxito. Antes de 1850 era ya uno de los principales propietarios urbanos. En 1851, el ayuntamiento ordenó demoler el antiguo convento de los dominicos y la pequeña iglesia aledaña que había en la calle Mayor, cuyos terrenos fueron adquiridos por José Gabriel dos años después. Sobre este céntrico solar encargó al maestro de obras Vicente Pérez construir un edificio con fachadas en las calles Mayor y Princesa (hoy Rafael Altamira) y en el Portal de Elche, con un pasaje debajo que recibiría el nombre de su dueño. Amérigo ocupó con su familia los mejores pisos de este edificio y el resto los alquiló.

En mayo de 1855, aprovechó la desamortización de Madoz para comprar más terrenos urbanos y rústicos. Entre ellos la quinta El Hostaler, en La Condomina, donde fundó en 1862 una fábrica de conservas; y la finca en San Blas donde había existido en 1816 un jardín botánico, que arrendaría posteriormente para la instalación de una fábrica de cal hidráulica.

Aprovechó el derribo de las murallas y el ensanche de la ciudad para expandir aún más su negocio inmobiliario.

En el Archivo Municipal se conservan más de medio centenar de solicitudes suyas, fechadas entre 1851 y 1881, para construir o reedificar edificios en diferentes lugares de la ciudad. Por aquella época se decía que no había calle en Alicante donde el indiano Amérigo no tuviese una casa en propiedad.

Su interés por que Alicante creciera y prosperara (y con la ciudad sus propios negocios), le llevó a colaborar en la traída del ferrocarril. En febrero de 1850 ya formó parte de la comisión que se constituyó a iniciativa del entonces gobernador civil, Ramón Campoamor. Y en 1853 era miembro de la Junta Provisional de Gobierno de la «Sociedad Anónima para la construcción del ferrocarril de Alicante a Almansa».

También fue financiero: el 21 de agosto de 1858 abrió en el pasaje que llevaba su nombre una sucursal del Banco de España, que dirigió hasta 1862; y en 1877 fue nombrado miembro del Consejo de Administración de la Caja Especial de Ahorros de Alicante.

Se interesó por el abastecimiento de agua para la ciudad, un negocio muy rentable. En mayo de 1867 llegó a un acuerdo con el ayuntamiento, como presidente de la Sociedad Nuestra Señora de los Remedios, para suministrar 600 000 litros de agua diarios, y en 1872 creó otra sociedad con el mismo objetivo: Canal de Alicante.

Hizo algunas donaciones pías, como la construcción en 1859 de una capilla en la iglesia de Gracia, o para la reconstrucción de la ermita de San Roque en 1875, a cuya inauguración asistió como «Caballero Gran Cruz de la Real Orden de Isabel la Católica». En 1868 también participó en la creación de la Junta de Beneficencia para socorrer a Filipinas y Puerto Rico, que habían sufrido huracanes y terremotos.

Su ideología era conservadora. Fue elegido regidor en septiembre de 1849, solo un año después de su regreso de América, aunque renunció dos meses después, alegando que debía trasladarse a Valencia a ejercer sus funciones de cónsul de Venezuela, designación que había sido realizada por el Gobierno venezolano en 1847. Volvió a ser elegido regidor en 1851 y 1863. Fue el primer alcalde alicantino tras el Bienio Progresista (1856) y volvió a ocupar este cargo en marzo de 1875, después de la restauración monárquica. Pocos meses antes de morir fue nombrado presidente del Comité Canovista. Enviudó el 22 de febrero de 1878 y falleció el 30 de agosto de 1884.

Amérigo-Rouviere

De los tres hijos del matrimonio José Gabriel Amérigo y Josefa Magdalena Rouviere que llegaron a edad adulta, sabemos que Josefa se casó con Fidel Curt; Federico, que abandonó la carrera diplomática para dedicarse plenamente a la pintura, se casó con Enriqueta Puccinelli; y Victorina se desposó con Juan Bautista Garriga.

OTRAS RAMAS

Cuenta el cronista Viravens que el relicario en el que se guarda la Santa Faz fue elaborado en 1829 por el platero alicantino Manuel Amérigo, lo que demuestra que la estirpe de orfebres fundada el siglo anterior por Bartolomé, el hijo del patriarca Domingo, pervivía en el XIX. Hay, además, constancia documental de que un Manuel Amérigo (probablemente hijo del anterior), del gremio de plateros, certificó una revisión de moneda de plata en 1851; y en el *Anuario general del comercio*, editado en 1862, se especifica que había una joyería en la calle Labradores, n.º 25, propiedad de «D. Manuel Amérigo, platero, fiel contraste, corresponsal de la fábrica de toda clase de joyas de D. José Miró, de Barcelona».

Hay legajos en el Archivo Municipal o noticias en la prensa de la época que nos hablan de un Francisco Amérigo que era «arrendador del arbitrio de Saladura» en 1819; otro (o quizá el mismo) Francisco Amérigo, que era alcalde de barrio en 1838; un José Amérigo, que era apuntador del Teatro Principal en 1869; otro José Amérigo (probablemente distinto del anterior), que era escribiente de la sección de Fomento del Gobierno Civil, en 1873; un torero Nicolás Amérigo en 1877; y un Antonio Amérigo, que era secretario del ayuntamiento en 1880.

El ayuntamiento aprobó en abril de 1880 «las bases para la adquisición por la municipalidad de parte de las aguas de la mina Sta. Rosa», de la que era propietario Federico Amérigo Jornet. Siete meses más tarde, este solicitó permiso municipal para instalar cinco fuentes públicas «para extender agua de la mina Sta. Rosa», en la calle de San Vicente, plazas de San Cristóbal y Progreso, y paseo de los Mártires, permiso que fue aprobado por el Consistorio el 15 de enero de 1881.

SIGLO XX

Curt-Amérigo

Josefa Amérigo Rouviere heredó una parte de los bienes inmobiliarios de su padre y, como ya sabemos, se casó con Fidel Curt y tuvieron cuatro hijos: Manuel, Rosa, Carmen y M.ª Victoria.

Amérigo-Puccinelli

Federico Amérigo Rouviere, diplomático, arquitecto (hay varios edificios construidos por él en la ciudad mexicana de Guanajuato), pintor y escultor, se casó con Enriqueta Puccinelli, a quien conoció en Roma y era hija del administrador del papa. Tuvieron cuatro hijos: Luis, Guido, José Gabriel y Josefina. Federico murió en 1912.

Luis Amérigo Puccinelli fue representante en la ciudad de la empresa Hispania. En 1907 solicitó al ayuntamiento que no se cobrasen las asistencias de la Casa de Socorro a sus obreros lesionados por accidente de trabajo. Casado con Dolores Barba, tuvo cuatro hijos.

José Gabriel Amérigo Puccinelli fue «empleado de la Representación de Tabacos» y contrajo matrimonio el 8 de agosto de 1902 con Josefina Bas.

Amérigo-Barba

Los cuatro hijos de Luis Amérigo Puccinelli y Dolores Barba se llamaban Luis, José Gabriel, Juan y Enriqueta.

Luis Amérigo Barba abrió en 1940 un almacén de elaboración de vinagres en calle Italia, 6, y una aserrería y carpintería mecánica en la calle Pintor Lorenzo Casanova, 21. Murió en accidente de tráfico en 1958. Su hermano José Gabriel pidió permiso en 1946 para construir una casa de planta baja en Desengaño, 11, y otro permiso, junto con su esposa Rosa

Asín Llobregat, para construir un edificio en la calle General Goded, esquina con calle Jerusalén.

Garriga-Amérigo

Victorina Amérigo Rouviere tuvo tres hijos con Juan Bautista Garriga: Juan Bautista, Enrique y Dolores. La herencia recibida de su padre permitió a Victorina hacer espléndidas donaciones, como la que hizo en 1920 para reparar el camarín de la patrona de Alicante, en su condición de presidenta de la Cofradía de Nuestra Señora de los Remedios. Falleció en 1923.

Curt-Amérigo, otra vez

Manuel Curt Amérigo, hijo de Fidel y Josefa, nacido en 1861, se casó con su prima Josefina Amérigo Puccinelli, hija de Federico y Josefina, formando así otra familia con los apellidos Curt-Amérigo. Tuvieron seis hijos, pero parece que solo llegaron a edad adulta los cuatro últimos: José Luis, Enriqueta, Clementina y Manuel.

Manuel Curt Amérigo (padre) fue copropietario, durante unos pocos meses de 1898, del diario *El Noticiero*. Elegido diputado provincial, fue alcalde en 1917 por el partido conservador. Murió el 7 de agosto de 1925.

Los cuatro hermanos Curt Amérigo (José Luis, Enriqueta, Clementina y Manuel) mantuvieron en común parte del patrimonio que heredaron de sus padres (su madre falleció en 1936). Tan unidos estaban, que en 1947 los cuatro solicitaron permiso para construir un panteón familiar.

No obstante, cada uno de estos hermanos tenía sus propios negocios, sobre todo los varones. Por ejemplo, Manuel Curt Amérigo (hijo) construyó en 1944 un edificio de cuatro plantas en la calle Castaños, 49, esquina Médico Pascual Pérez.

José Luis Curt Amérigo

En el *Diario de Alicante* de fecha 2-7-1914 se lee el siguiente breve: «Ha salido para Londres, en cuya capital permanecerá durante dos años, el distinguido joven D. José Luis Curt Amérigo».

En 1925 pidió autorización municipal para instalar en el paseo de los Mártires un cartel anunciador de la Agencia Buick, lo que evidencia que José Luis era ya entonces representante de esta marca de automóviles de Estados Unidos, fundada en 1903 y propiedad del grupo General Motors desde 1908.

En octubre de aquel año de 1925 José Luis se casó con Ana Tomás, con la que tendría siete hijos. Al menos uno de ellos murió siendo niño, ya que en el periódico *El Día*, del 7-7-1934, se lee la siguiente la noticia: «Nuestro querido amigo don José Luis Curt, acaba de perder a su hijito Pepito, pequeña criatura que era el encanto de su hogar».

En el mismo periódico, pero con fecha 24-6-1927, se informa de que «el agente automovilista don José Luis Curt Amérigo, ha solicitado autorización para instalar un aparato surtidor de gasolina en el interior del garage de Joaquín Costa». Y al día siguiente, pero en *Diario de Alicante*, aparece el siguiente anuncio: «Coche Oldsmobile de General Motors. Concesionario en Alicante: José Luis Curt. Mártires, 21».

En 1929, el emprendedor José Luis ya había abierto otra línea de negocio, además de la automovilística, como representante alicantino de la General Motors, según se desprende de un anuncio que apareció repetidas veces en *El Luchador* durante el verano de ese año: «Frigidaire (Refrigeración eléctrica automática). Producto de la General Motors. Usos domésticos: Neveras para casas de campo, Comunidades, Colegios… Tipos industriales: Para Restaurants, Bars, Cafés… Para detalles y presupuestos José L. Curt. Concesionario exclusivo Joaquín Costa, 28».

En julio de 1932 anunció en prensa la salida del «nuevo Opel construido en Alemania por General Motors, representado en Alicante por José Luis Curt, quien tendrá sumo placer en haceros una demostración del mismo. Garage y Oficinas en Plaza de Séneca, 21. Teléfono, 1247».

Y en 1934 las oficinas y sala de exhibición de su negocio de instalaciones frigoríficas fueron trasladadas a Pintor Lorenzo Casanova, 7, según un anuncio impreso en *El Día* a mediados de año.

José Luis debía ser un empresario tan activo como emprendedor, capaz de realizar cualquier trabajo, como conducir su propio camión, lo que le acarreó algún que otro disgusto: «Ha sido denunciado don José Luis Curt Amérigo, dueño del camión A.4522, por ir con dicho vehículo por la plaza de Chapí, falto de número de matrícula en la parte posterior, y no haber obedecido la señal de alto que le hizo el guardia» (*El Día*, 24-2-1933).

En 1944 pidió permiso para instalar una industria de aceites lubrificantes en Pintor Lorenzo Casanova, 7; en 1946 amplió su tienda de venta de automóviles en la avenida del Doctor Gadea, 17. Al año siguiente construyó un edificio de cuatro plantas, con garaje y gasolinera, en la avenida General Marvá, 14 (que reformó y elevó con un piso más en 1952) y construyó otra casa de varios pisos en la avenida Doctor Gadea, 26, esquina plaza Calvo Sotelo, adonde trasladó la venta de automóviles en 1948.

Pidió licencia en 1949 para construir un edificio en la calle Rafael Terol, con fachadas a las calles Valdés y San Quintín. En este mismo año instaló electromotores en el garaje Victoria, situado en Doctor Gadea, 24.

Aunque su principal negocio siguió estando alrededor del automóvil, a partir de 1950 amplió su abanico empresarial con la instalación de una armería en Doctor Gadea, 26 y un almacén de vino en General Marvá, 16, que transformó en bodega en 1959. En 1955 aumentó en un cuarto piso el edificio de Canalejas, 17 y pidió permiso para levantar un edificio de cuatro pisos donde estaba el garaje Victoria (Doctor Gadea, 24).

Obtuvo autorización en 1956 para instalar una gasolinera en Canalejas, 17 y otra en Doctor Gadea, 24-26. En este mismo edificio y año inauguró la residencia de huéspedes Excelsior.

OTRAS RAMAS

La saga de plateros y joyeros continuó en este siglo: En 1918 la joyería Amérigo estaba abierta en el n.º 30 de la calle Rafael Altamira, tal como se anunciaba en la prensa de entonces. Antonio Amérigo Mas la reabrió en 1940 en el n.º 6 de la misma calle, ampliándola cinco años después. Tuvo tres hijos. El primogénito, Federico Amérigo Marín, fue abogado acusador en el juicio contra José Antonio Primo de Rivera. Al finalizar la Guerra Civil se exilió a México, donde se casó y tuvo dos hijos. Su hermana Maruja no tuvo descendiente porque fue monja y su hermano Bernardo era médico y se fue a vivir a Madrid.

A Antonio Amérigo Mas le sucedió en la regencia de la joyería Amérigo su sobrino Víctor Uriarte Amérigo, hijo de su hermana Teresa. Víctor, que tenía un hermano sacerdote (Ángel), se casó con Enriqueta Terol, con la que tuvo dos hijas: M.ª Teresa y M.ª Victoria.

ACTUALIDAD

En la actualidad, hay censadas en la ciudad de Alicante 46 personas con Amérigo como primer apellido, 23 con el segundo y ninguna con ambos. En total, 69.

La joyería Amérigo, que estaba en la calle Altamira, fue trasladada hace veinte años a la calle Pintor Gisbert, 36, tras fallecer Víctor Uriarte Amérigo y sucederle en la regencia su hija M.ª Teresa Uriarte Terol. Esta ha perdido el apellido Amérigo, pero todo el mundo la conoce como M.ª Teresa Amérigo.

Pese a ser propiedad privada, el pasaje Amérigo siempre estuvo abierto, permitiendo el acceso a todos los alicantinos, desde que lo construyera el indiano José Gabriel Amérigo en 1853. Hasta que en el verano de 2004 fue cerrado, tras ser vendido el edificio a una sociedad que abrió en él un hotel de cinco estrellas.

«Mi padre contaba que su bisabuelo era un pillín, que coleccionaba ligueros de mujer»

Me reúno con Juan Manuel y Luis Carlos Amérigo Asín para que me hablen de sus recuerdos de familia. ¿Y qué mejor sitio que hacerlo en el pasaje Amérigo, ahora terraza del hotel que tiene el mismo nombre? Un edificio reconstruido pero que originalmente fue mandado levantar por su tatarabuelo.

Sus padres, José Gabriel Amérigo Barba y Rosa Asín, tuvieron cuatro hijos. El primogénito se llamaba José Antonio. Nació en 1929. Era militar y se casó con Conchita Cuervo-Arango. Murió con 47 años.

El segundo es Juan Manuel, nacido en 1932. Es un pintor de prestigio. Ha expuesto en las principales ciudades españolas y en algunas del extranjero. Ha recibido numerosos premios, entre ellos el Importante de este diario en 1986. Enviudó hace tres años de Pilar Moreno. Tiene cuatro hijos. En mayo próximo presentará una nueva exposición de cuadros, titulada «De la mano», conjuntamente con su hija María Jesús.

M.ª Carmen es la siguiente. Nació en 1935. Viuda del que fuera delegado de Trabajo, Tomás Bordera, tiene tres hijos.

El benjamín es Luis Carlos. Nació en 1941. Es abogado y durante 23 años (hasta el año pasado), fue cónsul de México. También fue concejal por la UCD e impulsor en la provincia de Alicante a mediados de 1980 de la llamada Operación Roca, como presidente del Partido Reformista Democrático (algo así como Ciudadanos de hoy, pero con menos suerte). Casado con Amparo Alonso, tiene cuatro hijos. Son la octava generación alicantina de los Amérigo; sus hijos, por tanto, la novena.

—El 19 de noviembre de 2005 celebramos aquí, en el pasaje Amérigo, una convención de los Amérigo de todo el mundo. Nos reunimos unas cien personas —recuerda Luis Carlos—. Nos hicimos una foto aquí, en la entrada del pasaje.

—¿Vinieron de muchos sitios?

—Sí, sí. Sobre todo de América.

—Hay varios Amérigo en Estados Unidos, México y Cuba. Algunos son descendientes de José Gabriel Amérigo Morales —dice Juan Manuel.

—¿Del indiano?

—Sí, del que construyó este edificio —responde Luis Carlos señalando el edificio que tenemos al lado.

—Se ve que tuvo unos cuantos hijos naturales en América —sonríe Juan Manuel.

Y Luis Carlos, también con media sonrisa, añade:

—Mi padre contaba que su bisabuelo era un pillín, que coleccionaba ligueros de mujer.

ARQUES

HÉROES OLVIDADOS

La alicantina es la provincia española donde hay censadas más personas apellidadas Arques. El origen de este apellido es muy antiguo, pero poco claro. En el año 986, el caballero Arnaldo de Arcas reconquistó Barcelona, que el conde Borrel había perdido en manos de los moros, y en 1238 Juan de Arcas, señor de Peraltilla, participó en la conquista de Valencia. Con el transcurso del tiempo, en el reino valenciano el apellido Arcas se transformó en Arques, según opinan algunos genealogistas.

El documento más antiguo en el que se menciona a un Arques en la ciudad de Alicante es un registro de la parroquia de San Nicolás, del año 1567, en el que se dice que Miguel Arques, hijo de Miguel y Margarita Molina, fue bautizado. Probablemente, este Miguel Arques Molina sea el mismo Miguel Arques, pedrero de oficio, que se casó en la iglesia de Santa María con Ana Castillo el 20-2-1596.

SIGLO XVII

En este siglo hubo en Alicante un Pedro Arques sombrerero que se casó en 1626 con Vicenta Gilart. Tuvieron un hijo: Juan (1627), que contrajo matrimonio en 1649 con Isabel Gallego, siendo padres de Josefa (1650), José (1651), Leonor (1654), José (1658) y Leonor Arques Gallego (1660).

Hubo, además, un Juan Arques Jover que era presbítero y un fray Agustín Arques que en 1678 escribió un Nobiliario Alicantino.

Benito Arques Mingot, que ocupó varios cargos municipales (justicia, 1672; almotacén, 1696), era el quinto de los ocho hijos que tuvieron Vicente (viudo de Gerónima Barrals) y Francisca Mingot, casados en 1627. Nacido en 1640, Benito contrajo matrimonio en 1659 con Francisca Pina y, en segundas nupcias, con Isabel Núñez en 1663, con quien tuvo once hijos.

SIGLO XVIII

Ya en el Setecientos, Benito Arques Núñez (hijo de Benito Arques Mingot), ciudadano militar, fue nombrado miembro del primer Ayuntamiento borbónico (1708). Su fidelidad a Felipe V fue corroborada mediante información de testigos en 1709, el mismo año en que consiguió ser nombrado administrador de los bienes de su cuñado ausente, Alexandro Bremont, hermano de su esposa, tras ganar un litigio a su otro cuñado, Tomás Bremont. Este, no obstante, ganó una nueva demanda en 1713, cuya sentencia condenaba a Benito a pasarle la pensión y rentas que le había legado su padre.

Tuvo cuatro hijas con Josefa Bremont, con quien se desposó en 1701: M.ª Ana (1702), Isabel M.ª (1703), y las gemelas Mariana y Francisca (1705). Tras enviudar, se casó en segundas nupcias (1716) con Isidora Sánchez, con quien tuvo cinco hijos: Francisco (1717), los gemelos Isidora y Benito (1720), Manuel (1723) y Rita (1725).

Regidor entre 1716 y 1721, Benito Arques Núñez era propietario en aquellos años de una heredad en las cercanías de la ermita de San Blas, con casa y huerto, que era conocida popularmente como Huerto de Arques.

Como su padre, Francisco Arques Sánchez fue regidor (1742-1753) y ocupó otros cargos municipales, como comisario de obras (1775). En 1741 contrajo matrimonio con Micaela Puigcerver, quien dio a luz al año siguiente a Isabel. Tras enviudar, Francisco se casó en segundas nupcias (1748) con Esperanza Sánchez, sin descendencia.

Arques-Aznar

Otro Francisco Arques se casó en 1749 con Bárbara Aznar. Fueron padres de Francisco (1750), Ángela (1752), Vicente (1754), Marcos (1757), Bárbara (1762), Antonia (1787) y Bartolomé (1770).

Bartolomé Arques Aznar contrajo matrimonio en 1790 con Josefa Gosálbez, siendo padres al año siguiente de Josefa, y en segundas nupcias se casó en 1795 con Manuela Agulló, con quien tuvo siete hijos: Marcos (1796), Bartolomé, Manuel, Rita (1799), Marcos (1803), Francisco (1813) y Bartolomé Arques Agulló (1825).

Arques-Garrica

Francisco Arques Aznar contrajo matrimonio en 1770 con M.ª Manuela Garrica. Fueron padres de Antonio (1772), Francisca (1772), Francisca (1776), Mariana (1779), José, Rosa (1780), Francisco (1783), Bartolomé (1786) y M.ª Ramona (1789).

SIGLO XIX

Marcos Arques Aznar fue maestro de obras y trabajó para el ayuntamiento. En 1833 reclamó el salario por los trabajos de limpieza y composición de la acequia que conducía las aguas de una fuente, desde la mina hasta la puerta del Tosal. En 1814 poseía dos casas en el barrio Nuevo valoradas en 15 000 reales, y otra en la calle Barranquete (15 000). Se casó a los 69 años con la viuda Francisca Torrent en la iglesia de Santa María, sin descendencia.

José Penalva Arques fue concejal republicano a finales de este siglo; murió en 1910.

Rafael Arques Cremades (hijo de Antonio y Francisca) tenía una panadería en Pozo, 29. En 1875 contrajo matrimonio con Adelina Soler, con quien tuvo siete hijos: Rafael (1875), Ana (1882), Ana (1884), Josefa (1886), Evaristo (1888), Francisco (1892) y Dorotea (1895).

José Arques era carpintero. El domingo 18-8-1872 observó desde el salón del balneario Simó cómo Ángela Catalán se estaba ahogando. Se tiró al mar vestido y la salvó. No aceptó la gratificación que se le ofreció pese a estar sin trabajo.

Bartolomé Arques Garrica

Nacido en 1786, participó muy activamente en la defensa de Alicante durante el asedio que sufrió la ciudad a finales de 1823 por las fuerzas de la Santa Alianza. Unos meses antes, en abril, formó una compañía a cuenta de su peculio familiar para luchar contra los realistas en Valencia.

El 11 de noviembre de aquel año (1823), un día antes de que el ejército francés tomara Alicante, Bartolomé embarcó rumbo a Gibraltar.

En 1805 se había casado con Vicenta Reus y eran padres de Ramona (1807), Francisco (1810), Bartolomé (1814), Vicente (1819) y María (1822).

En la madrugada del 19 de febrero de 1826 desembarcó en una playa próxima a Guardamar del Segura junto con otros ochenta hombres armados y dirigidos por el coronel Antonio Fernández Bazán. El desembarco formaba parte de una rebelión contra el absolutismo de Fernando VII. Una rebelión que se suponía debía extenderse por toda España. Pero en vez de llegar refuerzos liberales, acudieron en pocas horas numerosas partidas de realistas, que los persiguieron hasta la sierra de Crevillente. Decididos a alcanzar la costa al norte de Alicante, por Campello, Bartolomé, Bazán y los rebeldes supervivientes intentaron circunvalar la ciudad, siguiendo por la sierra hasta Agost y luego campo a traviesa. En la madrugada del 22 salieron de Agost en dirección a San Vicente, pero fueron sorprendidos cerca de la venta del Pla de la Olivera por una partida de realistas. Los pocos liberales que sobrevivieron a la emboscada, con Bazán a la cabeza, continuaron por una vereda que los internó en el barranco de Aguas, pero Bartolomé prefirió adentrarse en solitario en la parte más frondosa de la montaña. Llegó, ya de noche, a las proximidades de la Cañada del Fenollar, donde había numerosas canteras de yeso. Pasó la noche en una casa en ruinas que, al amanecer, estaba rodeada de realistas que le instaban a la rendición. Pero Bartolomé los sorprendió saliendo a galope y disparando sus armas, matando a un soldado del regimiento de Bujalance e hiriendo a un voluntario de San Vicente. Todavía no se había alejado cien pasos de la casa, cuando cayó con su montura abatido por la graneada fusilería de los realistas.

Fue enterrado el 23-9-1826 en el cementerio de San Blas.

En julio de 1927, el ayuntamiento cambió el nombre de la segunda Travesía de Plus Ultra, situada en las Carolinas, por el de Bartolomé Arques. Pero poco después de la Guerra Civil, en 1943, la calle pasó a llamarse Pinoso. Un hijo de este héroe, Vicente Arques Reus, solicitó al ayuntamiento un certificado de buena conducta en junio de 1857. Tenía 38 años y estaba soltero.

Arques-Guijarro

Bartolomé Arques Agulló se casó en 1818 con Francisca Rafaela Guijarro. Tuvieron seis hijos: Francisco (1820), M.ª Dolores (1822), Bartolomé (1828), Vicenta (1831), Antonio (1835) y María (1838).

Arques-Alemañ

Manuel Arques Agulló se casó en 1827 con María Teresa Alemañ. Tuvieron diez hijos: Francisco (1828), Anselmo (1830), Marcos (1832), Manuel (1834), Elisa (1837), Dolores (1839), M.ª Luisa (1841), Francisco (1843), Soledad (1845) y Vicente (1848).

Arques-Albertasi

Antonio Arques Bernabeu (nacido en 1823; hijo de Juan, de Jijona, y de María, de Mutxamel) era panadero. Casado con Josefa Albertasi, tuvieron doce hijos: Agustín (1849), Francisco (1850), Josefa (1852), M.ª Rita (1854), Agustín (1856), Francisco (1858), Rita (1860), Francisca (1862), Rita (1864), las gemelas Teresa y Francisca (1865) y Concepción (1867).

Agustín Arques Albertasi fue zapatero. Se casó en 1877 con M.ª Francisca Bosch y fueron padres de Antonio (1879).

Arques-Pérez

Sebastián Arques, natural de Jijona, tenía una sombrerería en Mayor, 34. En 1824 contrajo matrimonio con M.ª Teresa Pérez, con quien tuvo siete hijos: Jaime (1824), Teresa (1828), Sebastián (1830), Juan (1832), María (1833), Francisco (1835) y José Arques Pérez (1837).

Arques-Fillol

Bartolomé Arques Reus (hijo del héroe liberal Bartolomé Arques Garrica) pidió al ayuntamiento un certificado de buena conducta en 1859, año en el que poseía una casa en la calle Balseta y otra en la calle Lucentum. Unos años más tarde fundó una fábrica de cal hidráulica en una heredad de San Blas que era propiedad de José Gabriel Amérigo.

Casado con Manuela Fillol en 1841, tuvieron cinco hijos: Carolina (1842), José (1845), Carmelo (1848), Rafael (1849) y Carmen (1852).

José Arques Fillol contrajo matrimonio en 1869 con Ana María Bosch. Tuvieron cinco hijos: Bartolomé (1870), Bautista (1872), Enriqueta (1876), Manuel (1879) y Antonio (1882).

Arques-Murcia

Bartolomé Arques Guijarro contrajo matrimonio en 1865 con Teresa Murcia. Tuvieron siete hijos, dos de ellos nacidos antes de casarse: José (1860), María (1862), Francisco (1866), Dolores (1868), M.ª Antonia (1870), Tomasa (1872) y Luis (1875).

José Arques Murcia se casó en 1885 con Consuelo Baidal, siendo padres de Emilia (1886) y Josefa (1888). Su hermano Francisco desposó a María Rita Mollá en 1888 y fueron padres de Rafael (1889) y Emilio (1893).

Arques-Chaques

De su matrimonio con Alfonsa Chaques, Antonio Arques Guijarro tuvo cinco hijos: Josefa (1870), Tomás (1873), Antonio (1876), Rafael (1877) y Amelia (1900).

Arques-Martínez

Francisco Arques Alemañ contrajo matrimonio en 1851 con Tomasa Martínez. Tuvieron diez hijos: Luis, Francisco (1852), Francisco (1854), Lutgarda (1857), Domingo (1859), María (1861), Francisco (1863), Josefa (1865), Luisa (1868) y Josefa (1875).

Luis Arques Martínez se casó en 1879 con Francisca Morant y fueron padres de Dámaso (1880). Su hermano Francisco contrajo matrimonio en 1888 con M.ª Purificación Carbonell y fueron padres de María (1889), Francisca (1891), Luis (1893), María (1895), Francisco (1897) y Rosa (1898).

Arques-Calatayud

Manuel Arques Alemañ se casó en 1859 con Asunción Calatayud. Fueron padres de Agustín (1859), María (1861), José (1863), Antonia (1865), Antonia (1868), Manuel (1871), Manuel (1874), Francisco (1876), Ascensión (1878), Josefa (1881) y María (1884).

Manuel Arques Calatayud contrajo matrimonio en 1894 con la benidormí Josefa Such, siendo padres de Manuela (1900), José (1905) y Manuel. Murió en 1914.

Arques-Sanestanislao

Jaime Arques Pérez contrajo matrimonio en Santa María, el 19-9-1857, con Peregrina de Sanestinaslao, hija adoptiva del comerciante valenciano Pantaleón Crisoveloni. Fueron padres de Enrique (1859), Carmen (1860), Dominga (1864), Peregrina (1867), Jaime (1869) y Rafael.

Carmen fue madre soltera de dos hijos. Su hermano Jaime se casó en 1889 con Concepción Pérez, natural de Torrevieja (padres de Matilde -1890-, Jaime -1892- y Rafael -1893), y el menor de sus hermanos, Rafael, se casó con la cartagenera María Giménez y fue padre de otro Rafael (1898).

Arques-Miralles

Sebastián Arques Pérez heredó de su padre la sombrerería, que trasladó en mayo de 1879 a Mayor, 43. Casado en 1854 con Concepción Miralles, tuvieron siete hijos: María (1855), Remedios (1857), Concepción (1860), Guillermo (1863), Isabel (1865), Julio (1867) y Luis (1868).

En 1878, Remedios Arques Miralles se casó con Andrés Arques, hijo adoptivo de Juan Bautista y Bernarda Gironés.

Arques-Gueri

Francisco Arques Pérez fue maestro de obras y contratista de obras públicas. En 1882 poseía un depósito de material de construcción en la plaza Isabel II, 14, a nombre de Francisco Arques y Compañía. Contrajo matrimonio en 1862 con Carmen Gueri. Tuvieron dos hijos: Teresa (1863) y Francisco Arques Gueri (1871). Murió el 20-12-1906. Su viuda falleció en 1910.

Arques-Alberola

Miguel Arques y Manuela Alberola se casaron en San Nicolás en 1865. Tuvieron cuatro hijos: Manuela (1868), Antonio (1874), José (1877) y Remedios (1879).

José contrajo matrimonio, también en San Nicolás, con M.ª Esperanza Mayor en 1894. Fueron padres de Miguel (1895), José (1897), Amanda (1898) y Juan (1900).

SIGLO XX

Francisco Arques Gueri fue director de la fábrica de gas (1908-1924). En 1934 vivía en una casa de la calle Médico Pascual Pérez. Casado en 1897 con M.ª Josefa Ramón, fueron padres de Ángel (1898) y Josefa (1899).

Ángel Arques Ramón fue nombrado en julio de 1916 vicesecretario de la Federación Escolar Alicantina, contrajo matrimonio el 8-12-1921 con M.ª Salud Tanda (tuvieron una hija, Lolita, en febrero de 1923, siendo él contable de la Casa Jorge Hawes), y en 1942 pidió permiso municipal para instalar un electromotor en un molino triturador de piensos, que tenía en una granja situada en Camino del Garbinet, 346.

Nicolás Pastor Arques fue condenado en 1900 a más de 14 años de cárcel por haber violado el año anterior a una niña de ocho años. Su hermano Antonio, que era albañil, murió el 28-2-1913 al caerse de un andamio en la calle San Nicolás; tenía 55 años, estaba casado y vivía en la calle de la Rosa.

Rafael Arques Soler (hijo de Rafael y Adelina) murió en 1905. Su hermano Francisco fue miembro de un comité de distrito del Partido Republicano Radical (1931), vicesecretario de la junta provincial de la Liga Española de los Derechos del Hombre (enero 1938) y secretario de la junta municipal de Izquierda Republicana (febrero 1938).

Francisco Arques Calatayud (hijo de Manuel y Asunción) se casó en 1900 con Candelaria López. En 1940 fue denunciado por la compañía Riegos de Levante porque el contador de luz de su domicilio (Quintana, 66, entresuelo, derecha) estaba trucado para que no contara el consumo debido. El importe que le reclamó la compañía ascendía a 144,95 pesetas, pero al final retiró la denuncia cuando se comprobó que el fraude no había sido cometido por él, sino por la familia malagueña con tres hijos (conocidos como Los Rapaos) que había estado ocupando el piso hasta unos días antes de que finalizase la guerra.

Antonio Arques Company, nacido el 13-6-1914, fue deportado al acabar la Guerra Civil a los campos de concentración nazi, siendo liberado en Mauthausen el 5-5-1945 (memoriarecuperada.ua.es).

Rafael Arques Carbonell abrió en 1952 una papelería en avenida General Marvá, 21, aumentó en 1954 un piso su casa de Aspe, 48, pidió permiso en 1956 para vender estampas y grabados en General Marvá, 21, aumentó en 1958 tres pisos su casa de Botella de Hornos, 2, y en 1961 pidió autorización para aumentar un piso en General Marvá, 19 y otro en General Marvá, 21.

José Arques Guillén abrió en 1961 una cerrajería en Cerámica, 8.

José Arques Giménez abrió un taller de marmolería en Médico Francisco Boix, 17.

Arques-Mayor

Juan Arques Mayor (hijo de José y Esperanza), murió en 1902, con dos años.

Su hermano Miguel se anunciaba en la prensa en 1913 como representante en Alicante (Parroquia, 98) de la marca de chocolates Tibidabo, y de material para máquinas de escribir en 1916. Casado con María Samper, no bautizó a ninguno de sus dos hijos, nacidos en 1922 y 1929. Formó parte de un comité de distrito del Partido Republicano Radical en 1931. Además de anticlerical era masón (logia Constante Alona, 1921-1923, y Constante Alona 12, 1923-1927, con el nombre simbólico Titta Ruffo). En 1941 fue expulsado de la FET y de las JONS al descubrirse que había sido masón. Cuando fue detenido el 1-1-1943 trabajaba como acomodador en el cine España. El 12 de junio de aquel año fue enjuiciado en Madrid y condenado a 12 años de prisión, pero dos años después le fue rebajada la pena a la mitad y, en mayo de 1945, fue puesto en libertad.

Antonio Arques Chaques

Hijo de Antonio y Alfonsa Chaques. En 1913 se anunciaba como suba-gente mecánico (Gerona, 10) de una empresa barcelonesa de construcción de motores. Cuatro años después, avisaba de que era la «única casa de Alicante (Sagasta, 53 y Cid, 19-22) que importa directamente del extranjero, y a pesar del actual conflicto europeo, los Aceites, Valvolinas, Grasas, Correas de Pelo de Camello, Balata, Cuero, Algodón, Cáñamo, etc.».

En *Diario de Alicante* de 26-1-1920 publicó dos anuncios: uno sobre lu-bricantes y otro de venta de planchas eléctricas. En 1921 reformó una casa en plaza Isabel II, 6.

En 1926 se asoció con José Antonio Bonmatí, constituyendo la sociedad Arques y Bonmatí, que se anunció, a partir de entonces, como vendedora de automóviles usados y neumáticos, con oficinas en Joaquín Costa, 25 y sala de exposición en plaza Isabel II, 6.

En una misma página de *Diario de Alicante* del 8-6-1927 se publicaron cuatro anuncios suyos: dos de venta de automóviles y neumáticos, otro en el que vendía «una fábrica de cementos, situada en las cercanías de la carretera de Petrel», y otro en el que ofrecía instalaciones para elevar agua «bien sea para riego como para uso doméstico».

En 1929 ganó el concurso de instalación de calefacción en el ayuntamien-to, para la sociedad barcelonesa Erebus, que él representaba.

En 1933 encargó la construcción de un panteón.

En 1936 se anunciaba como representante de la casa Philips y vendía ne-veras Jay.

Casado en 1898 con la alcoyana Asunción Payá, ambos con 22 años, tu-vieron cuatro hijos: Antonio, Asunción, Casimiro y Antonia.

Acusado de ser afiliado a la UGT y de masón, fue detenido al finalizar la Guerra Civil, pero puesto en libertad en abril de 1940, tras comprobarse que no había pertenecido a la masonería. Al año siguiente, pidió permiso para abrir una tienda de lubricantes en Cid, 18.

Su hermano Tomás se casó con Cecilia Ferrándiz, natural de San Vicente. Fueron padres de Trinidad (1897) y Amelia (1900). Tomás era concejal en 1927, año en el que se casó su hija Amelia con el mecánico Pedro Gil.

Asunción Arques Payá contrajo matrimonio en 1929 con el comerciante Rogelio Martínez Alberola.

Antonia Arques Payá pidió permiso municipal en 1952 para vender car-bón al por menor en Reyes Católicos, 25.

Casimiro Arques Payá

Contrajo matrimonio el 27-10-1928 con María Iborra Foglietti. Ese mismo año y al siguiente pidió permiso para plantar la hoguera de la plaza Isabel II. En septiembre de 1929 nació su primer hijo. Fue concejal (1931-1934), teniente de alcalde (1934), y secretario y vicepresidente de la diputación (1938). Nombrado en 1936 vocal de la Junta de Obras del Puerto, fue elegido en 1938 vocal de la Liga Española de Derechos del Hombre. Tras la Guerra Civil se exilió en Argel.

Arques-Such

Hijo de Manuel y Josefa, José Arques Such (nacido el 29-5-1905) falleció en Melilla en diciembre de 1926, donde fue enviado como soldado de reemplazo.

Su hermano Manuel fue colaborador de *Diario de Alicante* (1926-1927) y *El Luchador* (1936-1938), y corresponsal de la revista valenciana *La Semana Gráfica* (1926). En 1944 abrió una destilería de plantas (Destilerías Levante) en Espronceda, 36.

Huerto de Arques

La finca que en 1716 poseía Benito Arques Núñez en San Blas siguió siendo conocida como Huerto de Arques con el paso del tiempo, pese a que sus propietarios posteriores no tenían este apellido. Por ejemplo, el 11-7-1871 publicaba *Eco de Alicante* la siguiente noticia: «El 1.º de Agosto entrante de 10 á 12 de su mañana tendrá efecto la venta en pública subasta ante el Juez municipal, del huerto denominado de Arques, término de San Blas de esta ciudad, compuesta de 148 tahullas, 1 octava y 13 brazas, valorado por los peritos en rvor. 247 500 de la propiedad de D. Juan Bautista Lafora, por débidos á la Hacienda». Y en 1943 se instaló (y en 1958 se amplió) una fábrica de juguetes en el Huerto de Arques, propiedad de Ismael Payá Rico primero y de Payá Hermanos S.A., después.

Ya en los años 2008-2010, el Huerto de Arques quedó dentro del PAU 1 (Programa de Actuación Urbanística) del Polígono de San Blas.

Estadísticas ARQUES

LUGAR	APELLIDO 1.º	APELLIDO 2.º	AMBOS APELLIDOS	TOTAL	% ESPAÑA	% PROVINCIA
ESPAÑA	2 447	2 397	14	4 858	100	-----
PROVINCIA ALICANTE	657	683	0	1 340	27,58	100
ALICANTE CIUDAD	284	233	0	517	10,64	38,58

Fuentes: INE y Ayto. Alicante

«Entré de aprendiz en una sastrería mientras esperaba para trabajar en el puerto, como mi padre y mi abuelo, pero ese momento nunca llegó»

Antonio Arques Campos nació el 5 de septiembre de 1956 en Alicante. Es el segundo hijo de Antonio Arques Guillén y Manuela Campos Quiñonero. El primer hijo, Óscar, falleció el 20-12-1994, a los 41 años. Casado con Piedad Fernández y padre de Leila, trabajó como soldador para la Junta de Obras del Puerto. Los padres nacieron en Alicante: Manuela el 6-2-1928 y Antonio el 30-3-1923.

«Mi padre entró con 14 años de aprendiz en el puerto, pero muy pronto empezó a trabajar como conductor de un camión cisterna. Fue chófer portuario durante 50 años, hasta que se jubiló. Murió el 30 de noviembre de 2007», dice Toni Arques, añadiendo con orgullo: «Tengo una colección de barcos de madera hechos por mi padre, de todos los tamaños, desde grandes galeones hasta miniaturas metidas en botellas».

«Mi abuelo paterno también fue portuario. Trabajó de guarda muelles. Estuvo en la guerra de Melilla. Murió en 1961», recuerda Toni. Rafael Arques Pérez era alicantino, como su esposa, Encarnación Guillén, que falleció en 1958. Tuvieron ocho hijos: Óscar (que murió siendo niño), Jaime, Antonio, Juan (que trabajó también en el puerto como chófer), Pepe, Manolo, Concha y Rafael (murió durante la Guerra Civil siendo marinero).

De sus bisabuelos paternos, Toni solo sabe que él se llamaba Jaime Arques Sanestanislao. Conserva una foto en la que aparece este con sus dos hijos: un niño (su abuelo) y una niña, Matilde, que creció, se casó y vivió en Madrid. Gracias al árbol genealógico que hemos construido de los Arques alicantinos desde el siglo XVI hasta finales del XIX, basándonos en los registros parroquiales, pudimos decirle a Toni quiénes fueron sus ancestros, remontándonos hasta el 12-2-1824, día en que Sebastián Arques, natural de Jijona y sombrerero, se casó en Santa María con la alicantina M.ª Teresa Pérez.

«Estudié en el colegio Don Varó, en Carolinas. Cuando tenía 14 años, mi madre me metió en una sastrería mientras esperaba para entrar a trabajar en el puerto, pero el momento de entrar nunca llegó», dice Toni.

Era la sastrería Esplá Hermanos, situada en la Rambla esquina Portal de Elche. En ella trabajó durante siete años. «Allí fue donde me forjé como hombre». También fue en esta sastrería donde empezó a hablar en valenciano. «Aunque mi padre hablaba valenciano, en casa solo hablaba castellano, y en el colegio el valenciano solo se usaba en las canciones y cuando nos castigaban. Fue en el trabajo donde empecé a hablar el valenciano con los compañeros y los clientes, muchos de los cuales venían de la provincia. Entonces todavía se hacían los trajes a medida, sobre todo en Navidad, y la Rambla era la principal vía comercial de la ciudad».

Impulsado por su inquietud reivindicativa, Toni ingresó en el sindicato vertical y poco después en Comisiones Obreras, aún en la clandestinidad. «El sindicato era correa de transmisión del PCE, por lo que enseguida entré en una de las células del partido».

En 1978, al acabar el servicio militar obligatorio (en La Coruña), Toni entró a trabajar en la empresa de suministros hoteleros de su futuro suegro. Dos años después se casó con M.ª Jesús Ponce Ferrer, «mi camarada fuerte del PCE». Se habían conocido en 1976 durante una entrega de carnés del partido que se llevó a cabo en el Camping Lucentum.

En 1992 abrió una fábrica de artículos de fiestas en San Vicente y en 1995, con dos socios, la agencia de mensajería y transportes MRW. En el 2000, Toni cerró la fábrica y se repartió con sus socios las sucursales de MRW, quedándose él con la que hay en el edificio Representantes.

Jugó al fútbol como aficionado y durante una década (1983-1993) fue entrenador de varios equipos de la categoría regional o tercera división, como el Alicante, el San Juan o el Rayo Ibense.

Entre 1999 y 2001 fue presidente de la Hoguera de San Nicolau de Bari y Benissaudet, consiguiendo que se implicaran importantes artistas e intelectuales del nacionalismo cultural alicantino. Por medio de algunos de ellos se vinculó al Bloc, partido al que se afilió en el 2000 y con el que fue candidato a la alcaldía en 2003 y 2007. En 2011 cerró la candidatura municipal de Compromís y en 2015 ocupó el cuarto puesto.

Toni y M.ª Jesús tienen dos hijas: Patricia (1981), que está soltera y vive en Irún, trabajando en una empresa de transporte internacional; y Carmen (1984), que trabaja en MRW y tiene dos hijos: Carme Chacón Arques, de siete años, y Joel García Arques, de ocho meses. *«Carme es la aixaneta de la Mucharanga Alacant»*, apunta Toni con radiante satisfacción.

ASENSI

HUMILDES Y DEPORTISTAS

Todo apunta a que el apellido Asensi es una corrupción de Asensio. En los libros de registros de las dos parroquias más antiguas de la ciudad de Alicante (Santa María y San Nicolás) aparecen varias alteraciones de este apellido: Sensi, Asenci, Assensi, Ascensi; si bien a partir del siglo XIX fueron desapareciendo. Del siglo XV solo tenemos noticia de la insaculación, el 24-5-1476, de Pedro y Domingo Asensi.

SIGLO XVI

El primer documento conservado en el que se menciona a un Asensi alicantino es un registro bautismal en Santa María, aunque alterado como Sensi: Josefa, hija de Jaime, fue bautizada el 23-2-1562.

En este siglo vivió el pescador Baltasar Asensi, que se casó en primeras nupcias con Catalina Pomares en 1568 y, en segundas, con Leonor García en 1584, ambas veces en Santa María. En esta misma iglesia bautizó a sus tres hijos: Angélica (1576) y Ana (1579), nacidos de Catalina, y Marcos (1585), de Leonor.

SIGLO XVII

El agricultor Juan Asensi bautizó en Santa María a los nueve hijos que tuvo con su esposa, Dorotea Antón: José (1606), Pedro (1608), Ana (1610), Gerónima (1613), Isabel (1616), Úrsula (1619), Antonio (1622), Francisco (1625) y Miguel (1628). Todos fueron registrados con el apellido Asensi, excepto Pedro (Asenci) y Antonio (Assensi), sin más motivo que el criterio del cura de turno bajo el influjo de la fonética perceptiva.

En 1690, el arrendador de la sisa de la carne en la ciudad se llamaba Gerónimo Asensi.

SIGLO XVIII

Gregorio Asensi era abogado. En 1714 fue nombrado de oficio promotor fiscal en un litigio y en 1721 ejerció de procurador en el caso de un recién nacido que apareció muerto en la ladera del Benacantil.

Damián Asensi era cerrajero. En 1720 fue denunciado por Carlos Castillo, a quien debía 15 de los 20 pesos por los que tenía arrendada anualmente la casa en la que vivía.

Francisco Asensi era maestro de obras. En 1739 presentó un presupuesto de 48 libras por los arreglos que debían realizarse en los Baños de Busot, pero el ayuntamiento decidió que fuese otro maestro de obras el que se hiciese cargo del trabajo, por presentar un presupuesto de 40 libras.

Amaro Asensi y su esposa, Teresa Sanz, nacieron en Elche. Allí se casaron y tuvieron a su hijo Cayetano. Vinieron a vivir a Alicante, donde Amaro trabajó de sereno. En la parroquia de Santa María bautizaron a sus otros dos hijos: Teresa (1787) y Amaro (1793). Casado con Josefa Negro, Cayetano también bautizó en Santa María a sus hijos Rafaela (1806), Francisco (1810), María (1812), Tomás (1814) y Francisca (1817).

SIGLO XIX

Francisco Asensi Negro (nieto del sereno Amaro Asensi) y su esposa, Carmen Fonseca, tuvieron un hijo en 1832: José.

En 1837, el *mutxamelero* José Asensi pidió certificado de buena conducta para poder avecindarse en Alicante. Quizá sea el mismo José Asensi que era concejal en 1851.

Nacido en San Juan, Francisco Asensi trabajó de carretero en Alicante. En Santa María bautizó a las dos hijas que tuvo con su esposa, Rosa Ferrer: Antonia (1851) y Rafaela (1853).

Francisco Asensi tenía en 1878 una confitería en San Francisco 75, que en 1900 había trasladado al 59 de la misma calle.

Un Pascual Asensi era empleado de una fábrica de fósforos en 1879; otro era pintor aficionado y socio del Círculo Católico de Obreros; y otro era espiritista, elegido en 1899 secretario de la Sociedad de Estudios Psicológicos. No parece que fueran la misma persona.

En 1897 también eran socios del Círculo Católico de Obreros Antonio Asensi, director de escena del teatro de dicho círculo (acusado ese mismo año de estafa) y Remedios Asensi, actriz aficionada.

En 1868, Victoriano Asensi Moreno estaba soltero, tenía 21 años, vivía en Teatinos, 14 y era tejedor, pero como no tenía trabajo aquí se fue a buscarlo a Valencia. Al cabo de dos meses regresó a Alicante, pero fue detenido e interrogado por hallarse indocumentado al haber perdido su cédula de vecindad.

José Asensi Ferrer, que era repartidor del periódico *La Unión Democrática*, se quedó en marzo de 1880 por traspaso con La Funeraria, sita en Labradores, 12. Le puso por nombre *La Última Verdad* y la reinauguró en 1883 en Labradores, 16. En 1898 anunciaba la funeraria en Labradores, 25, con cochera en Castaños, 46. Ese mismo año amplió el contrato que tenía firmado con la diputación para encargarse también de la conducción de cadáveres al cementerio desde las Casas de Beneficencia. Cerró la funeraria en 1905.

Vicente Asensi Pastor era alcalde pedáneo de El Rebolledo en 1872. Seguía siéndolo en 1886, año en el que reclamó al ayuntamiento los atrasos que se le debían por el alquiler de la casa donde estaba la escuela de dicha partida.

Otro Vicente Asensi tenía, en los últimos años de la década de 1870, una horchatería en el paseo de Méndez Núñez, junto a la posada de la Higuera. En 1897 abrió una tienda de ultramarinos en Riego, 13, donde vendía en los carnavales de 1900 «los conocidos "confetis" Asensi perfumados».

Juan Asensi García era maestro de obras. Entre 1884 y 1902 solicitó autorización municipal para realizar diversas obras particulares.

Manuel Asensi arrendó en abril de 1887 el arbitrio municipal sobre la construcción de las casetas para la feria de la Santa Faz, por el precio de 3 250 pesetas.

Villafranqueza

En proporción al número de habitantes, en Villafranqueza había censados en este siglo muchos más Asensi que en la ciudad de Alicante; y además eran más ricos.

Mientras en el padrón de bienes de 1806, en el entonces pueblo de Villafranqueza poseían bienes Jaime Asensi mayor, Jaime Asensi menor (también la sociedad Hermanos de Jaime Asensi), Bartolomé Asensi, Miguel Asensi de Miguel y Antonio Asensi; en el padrón de bienes de 1814 de la ciudad de Alicante no figura ningún Asensi.

Hasta la fusión del municipio de Villafranqueza con el de la capital alicantina (abril de 1932), fueron muchos los Asensi que ocuparon cargos en el ayuntamiento palamonero: desde Benito Asensi (concejal en 1812), hasta Juan Asensi Jover (concejal en 1909 y alcalde en 1882, 1900 y 1910), pasando por Juan Asensi Sánchez (concejal en 1882).

SIGLO XX

Rafael Asensi Sogorb tenía un huerto detrás de la plaza de toros. El 23-8-1900 se colaron dos jóvenes para robar higos. Rafael les hirió al dispararles con una escopeta de perdigones. En el juicio celebrado en mayo de 1901 fue absuelto. Peor suerte tuvo su sobrino Francisco Asensi Gozálvez, que fue encarcelado por robar y lesionar el 24-9-1909 en la Cantera a un súbdito inglés.

Pascual Asensi, exconcejal, consejero de la Caja de Ahorros y apoderado de clases pasivas, falleció en mayo de 1913. Su hija Consuelo había contraído matrimonio en San Nicolás el 7-10-1903 con Alfredo Javaloy, vicecónsul de Uruguay, y había sido madre el 26-4-1905 de una niña. Regina Javaloy Asensi abrió en 1946 una paquetería en plaza Camarada Maciá, 9, y pidió permiso en 1949 para albergar a tres huéspedes en su casa de Ángel Lozano 1, 1º.

Francisco Asensi Guijarro fue elegido en febrero de 1915 secretario de la sociedad de Canteros. El 9-1-1878 se había caído desde lo alto de la cantera, en la sierra San Julián, fracturándose la pierna izquierda.

José Asensi Galiana tenía 47 años cuando acabó la Guerra Civil, era peluquero y fue condenado a cinco años de inhabilitación por ser uno de los organizadores del PCE en Alicante. Su hermano Amadeo, barbero, fue condenado en un Consejo de Guerra por «adhesión a la rebelión» y fusilado en la madrugada del 11-4-1940.

Francisco Asensi Navarro nació en 1898, hijo del jijonenco José y la alicantina María. Contrajo matrimonio el 18-4-1921 en Santa María con Matilde Planelles, con quien tuvo una hija: María (1922). Era marinero. En la noche del 3-3-1916 fue detenido por contrabando de tabaco.

Nicolás Asensi Mayor era jornalero y su esposa, María Beviá, cigarrera. Vivían en la calle de la Fábrica cuando ella dio a luz en octubre de 1906 a cuatrillizos: Ramón, Pascual, Nicolás y Rafael. Pero no fueron sus únicos hijos: Juan Asensi Beviá murió el 22-5-1913, y Amelia Asensi Beviá era en 1934 inspectora de primera enseñanza en Madrid.

Juan Asensi García era carpintero. Entre 1906 y 1916 realizó numerosas obras particulares. Su hijo, Juan Asensi Ferrándiz, consiguió el puesto de oficial de Correos en mayo de 1916.

José M.ª Asensi Vilaplana obtuvo en septiembre de 1909 el título de propiedad de la mina de agua Asensi. En 1913 nació su hermana Josefina y en 1918 su hermano Rafael. Josefina fue operaria de la fábrica de sacos (1932) y Rafael fue camarero y militante del PCE, razón por la cual lo encarcelaron el 17-11-1944. Fue puesto en libertad dos días después, pero reingresó y quedó incomunicado el 25-11-1945. Salió en libertad el 1-1-1947.

Alfredo Miralles Asensi era redactor de *El Correo* (1910). Francisco Asensi, redactor de *Alicante Obrero*, fue denunciado por injurias en 1915.

Vicente Asensi Maluenda tenía una agencia de transporte y mudanzas en Bailén, 12. Fue secretario de la sociedad de dueños de carros (1908), vocal del Círculo de Unión Mercantil (1910) y de la Junta de Festejos (1916).

José Ramón Asensi era tejedor. Instaló en 1914 un electromotor en Ángeles, 20. Casado con Josefa Pomares, fue padre de un niño (1915) y una niña (1917). En 1929 era presidente de la hoguera del Mercado.

Dolores Asensi López era una prostituta que el 15-11-1913 fue detenida tras reñir en su casa (León, 11) con Antonio Sánchez. Por idéntico motivo fue detenida en febrero de 1916, esta vez en la calle Infanta y con Juan Pastor. Y lo mismo sucedió en enero de 1917, por pelearse con José Asensi Picó, alias el Rojo. Este era de oficio cochero, y en diciembre de 1915 había sido denunciado por ofrecer hospedaje a los viajeros que llegaban a la estación del ferrocarril con una vehemencia excesiva. En la plaza de la Constitución fue herido el 18-2-1920 con una navaja durante una discusión con otro cochero, apodado el Jorobado.

En 1917, Baldomero Asensi pidió permiso para instalar en el antiguo mercado de verduras Lucentum Park, un salón de variedades, cine y teatro.

El domingo 30-12-1923 se jugó un partido entre los equipos del Hércules F.C. y el Alicante F.C., en honor del jugador de este último, Vicente Asensi, que marchaba a cumplir el servicio militar a Cartagena. Entre 1925 y 1928 eran dos jugadores con este apellido, Asensi I y Asensi II, los que jugaban en el Alicante F.C. El segundo todavía estaba activo en la temporada 1930-1931.

En 1925, Juan Asensi Sánchez y Evaristo Buades Asensi instalaron una fábrica de ocres y almagres en Villafranqueza. El primero, en 1959, hizo construir un panteón en el cementerio alicantino para él, su esposa (Manuela Martínez) y sus hijos Juan, José, Miguel y Emilio Asensi Martínez.

Manuel Asensi González fue un constructor de obras municipales. Solo en 1933 le fueron concedidos por el ayuntamiento 42 trabajos diferentes.

Francisco Asensi Gozálvez construyó en 1933, por encargo del ayuntamiento, el mausoleo (diseñado por el escultor Vicente Bañuls) donde fueron trasladados los restos de los Mártires de la Libertad desde el viejo cementerio de San Blas.

Gabriel Penalva Asensi estudió Arquitectura en Madrid. Entre 1941 y 1965 dirigió al menos 159 obras en la ciudad.

Sebastián Asensi Navarro, panadero, estuvo encarcelado varios meses tras acabar la Guerra Civil. En 1942 fue condenado a un año y un mes de prisión por robar comestibles en una casa de Campello, propiedad de un cliente de su novia, que era prostituta. Y comoquiera que esta era menor de edad, también fue juzgado por corrupción de menores.

José Asensi Valls era mecánico. Tenía 24 años cuando, haciendo el servicio militar, fue acusado de un delito contra el honor militar y condenado en 1945 a seis de años de cárcel (estuvo 14 meses), por asistir vestido de uniforme a reuniones de homosexuales en la pensión Oriental.

Asensi-Marco

Enrique Asensi Marco, de 31 años y casado, fue condenado en diciembre de 1896 a siete meses de cárcel por delito de estafa en cantidad menor de cien pesetas y tentativa del mismo delito, con circunstancia de doble reincidencia. Además de pagar una multa de 125 pesetas, hubo de indemnizar a los Ayuntamientos de Santa Pola (30 pesetas), Tárbena (50) y Elda (20). No fue óbice esto para que, dos meses después de salir de la cárcel, ingresara en el Partido Liberal de la mano del diputado y exalcalde Rafael Terol.

Su hermano, Manuel Asensi Marco, fue destituido de celador de policía urbana en 1898, pero poco después reingresó en el ayuntamiento como inspector del alumbrado público. En septiembre de 1912 intentó agredir con un garrote al director del periódico El Popular.

En mayo de 1931, todo el personal de limpieza del ayuntamiento (del que Manuel Asensi era jefe), le denunció por abusos. Un año más tarde, la minoría socialista solicitó su suspensión de empleo y sueldo. Se le abrió expediente y se consideró que había cometido falta leve, pero en sesión celebrada el 22-6-1932 se decidió «dejar el expediente sobre la mesa».

Manuel tenía dos hijos: Carmen, que falleció el 22-10-1918, y José Asensi, que en 1928 también era funcionario del servicio municipal de limpieza.

Asensi-Brotons

Miguel Asensi Brotons, representante de una sociedad anónima, instaló en 1899 un cinematógrafo portátil en la avenida de Zorrilla, frente al Teatro Principal. En 1903 construyó una casa en la calle Torrijos y en 1909 fue trasladado a Murcia como oficial de Hacienda.

Manuel Asensi Brotons era funcionario municipal. Al final de la Guerra Civil ocupaba el puesto de fiel del repeso en el Mercado. Fue destituido por su ideología marxista. El 10-7-1939, con 68 años, se casó con la viuda Josefa Forner, de 57 años. Vivían de una pequeña renta que tenía ella, pues

Manuel no trabajaba, lo que originó reiteradas desavenencias que provocaron que él abandonase el hogar conyugal (Maestro Caballero, 29) el 25-8-1942. Josefa le denunció por escándalo público, al hacer vida marital con María Pérez Gil, de 35 años, en su casa de Nueva Alta, 49. En realidad, Manuel había alquilado una cama en casa de Mariano Pérez Butrón, aunque era verdad que comía en casa de María. Para cuando se celebró el juicio (10-12-1943), el matrimonio ya se había reconciliado y tanto Manuel como María fueron absueltos.

Mariana Asensi Brotons abrió en 1940 un bar en Bazán 38.

Asensi-Bernabeu

El cajero de notaría Enrique Asensi y Asunción Bernabeu (†1915) fueron padres de Enrique, Manuel y Carlos.

Carlos estudió Comercio (1905).

Enrique era ayudante catedrático de castellano y latín en 1901. En 1903 era redactor de *La Correspondencia de Alicante* y aprobó como oficial de Hacienda, siendo destinado en 1905 al Ministerio, en Madrid. En 1911 se marchó a Buenos Aires.

Manuel obtuvo el título de profesor mercantil en 1906. Al año siguiente se fue a Murcia para ocupar plaza de inspector de Hacienda. Al siguiente fue trasladado a Valencia, pero vino a Alicante para casarse, el 10-10-1908, en San Nicolás, con Amparo Álvarez. Sus hijos nacieron en Valencia.

Asensi-Ayela

Julio Asensi Ayela era un muchacho cuando, en octubre de 1899, una taza de café con leche muy caliente se le cayó en la cara, pecho y espalda, produciéndole quemaduras de primer y segundo grado. El 26-2-1920 contrajo matrimonio con Pepita Navarro. Y en 1934 era secretario de la hoguera del barrio de Santa Isabel.

Rosa Asensi Ayela se casó a principios de 1909 con Pascual López, con quien tuvo una hija el 11-3-1918.

Francisco Asensi Ayela abrió en 1939 una carnicería en plaza Hernán Cortés, 3, que reinauguró en 1951 como obrador de embutidos, y que traspasó cinco años más tarde a José Asensi Devesa, que en 1964 abrió una carnicería en San Francisco, 54. Una hermana de este, Ana Asensi Devesa, abrió en 1940 una pescadería en Navas, 24.

Soler-Asensi

El 17-2-1901, el médico Vicente Soler Asensi contrajo matrimonio en Villafranqueza con M.ª Josefa Aznar. Murió el 12-9-1924 en su finca palamonera de Garachico.

Su hermano Santiago fue concejal y presidente de la comisión de mercados de Alicante (1920), primer teniente de alcalde (1920-1921), alcalde accidental (1920 y 1922), vicecónsul de Bolivia (1927), presidente de la Cámara de la Propiedad Urbana (1928-1934) y diputado provincial (1931).

José Soler Asensi era guardia municipal en 1920.

Agulló-Asensi

Josefa Asensi Maruenda y su marido, Miguel Agulló Cano, fueron padres de Miguel (que murió en 1919, con 26 años), José, Vicente, Isabel y Santiago Agulló Asensi. Josefa falleció el 22-7-1934.

José Agulló Asensi, nacido el 28-3-1896, fue redactor de *El Luchador* (1921-1936), presidente del Club Natación Alicante (1923), médico, pedagogo, catedrático de Educación Física en un instituto de Calatayud (1928), profesor de otro instituto en Requena (1928), subdirector del Hospital Civil de Nador (1930) y facultativo del Hospital Provincial (1935). Acusado de ser masón y pertenecer a Izquierda Republicana, al finalizar la Guerra Civil fue condenado a tres años de inhabilitación, a pagar 3 000 pesetas de multa y al destierro a 250 kilómetros de Alicante.

Vicente Agulló Asensi era alférez de navío cuando fue condecorado en 1924 en Melilla con la Cruz Roja del Mérito Militar, por los servicios prestados en Mar Chica y en la toma de Nador, comandando una lancha. En 1928, siendo teniente de navío, ocupó plaza en el Estado Mayor del Ministerio de Marina, en Madrid. En 1932 fue destinado a Cartagena, como capitán de corbeta y jefe del Estado Mayor de la escuadrilla de submarinos. Al año siguiente pasó a Cádiz como capitán de fragata y comandante del destructor Alsedo. En 1935 fue nombrado jefe de sección del Estado Mayor Central de la Armada. Durante la Guerra Civil fue el jefe del Estado Mayor de las fuerzas navales republicanas en el Cantábrico.

Santiago Agulló Asensi estudió Medicina en Valladolid. En 1932, amplió estudios de Frenopatía en París y Núremberg. Dos años después fue nombrado médico del manicomio de Elda. Al acabar la guerra, el Tribunal de Responsabilidades Políticas de Valencia ordenó abrirle expediente sancionador.

Asensi-Ireni

Juan Asensi Ireni, nacido el 15-7-1908, era profesor en Agres antes de comenzar la Guerra Civil. Se afilió a la JSU y la UGT, y fue enviado a la Escuela Popular de Guerra, en Barcelona. En 1944 fue represaliado por considerársele izquierdista. En 1955 solicitó permiso para vender en la plaza Camarada Maciá, 9, esponjas pescadas en aguas de la provincia. En este mismo domicilio abrió en 1959 una gestoría administrativa.

Conchita Asensi Ireni se casó el 28-9-1930 con Miguel Asensi Guillén.

Rafael Asensi Ireni fue destituido como funcionario municipal en 1939 y recluido en la cárcel, por ser militante de la UGT y la JSU. Negó haber marchado voluntario al frente, pues fue destinado durante la guerra a la Jefatura de Obras de la Subsecretaría del Aire por el propio ayuntamiento. Fue readmitido en diciembre de 1954 como auxiliar técnico de vías y obras. En 1962 reparó como constructor la calzada de la plaza del Carmen.

Pascual Asensi Ireni abrió en 1941 una sastrería en Alfonso el Sabio, 3.

Luis Asensi Ireni abrió en 1956 un taller de prótesis dentales en Capitán Rueda, 19.

Todos ellos eran hijos de Rafael Asensi, apoderado de clases pasivas.

Luis Asensi Galiana

Entre 1962 y 1976 realizó numerosas obras municipales, además de la construcción de varios edificios en la calle de los Cincuenta (1970). Además de contratista de obras, fue campeón de España de natación 28 veces. Popularmente conocido como el Tragamillas, dirigió el Club de Natación Luis Asensi. En junio de 1980, tras más de veinte años sin celebrarse, organizó a petición del ayuntamiento la travesía a nado Tabarca-Alicante. La tradicional prueba de la vuelta a la escollera se unió a su nombre mediante el trofeo Luis Asensi. Falleció el 27-10-2006, a los 82 años.

DEMASIADO HUMILDES

Antonio Asensi pidió subvención municipal para lactancia de su hijo recién nacido en 1866. Lo mismo hizo Mariano Asensi Sirvent en 1886.

Jaime Antonio Asensi y Dolores Galiana bautizaron en Santa María a sus hijos Rafael (1883), María (1885), Juan (1888), Amadeo (1890) y Elisa (1896, registrada como Asenci), y en San Nicolás a José (1892) De ellos, solo tenemos noticias posteriores de Amadeo y José, que ingresaron en la Maternidad en enero de 1899, y de las represalias que sufrieron tras la Guerra Civil, ya conocidas.

En diciembre de 1886, M.ª Carmen Asensi estaba enferma. Era tan humilde, que no tenía cama donde yacer en la casa donde vivía (Valdés, 1). «Viendo la horrible miseria que reinaba en aquella casa», las siervas de la Caridad le llevaron un jergón, una manta, sábanas, carne para un cocido, leche y diez pesetas.

Pascual Asensi era cabrero, pero hubo de vender sus cabras para hacer frente a los gastos que originaba la enfermedad de su esposa. En el verano de 1902 se quedó sin recursos y viudo, «en la más terrible miseria», en palabras de un reportero de *La Correspondencia de Alicante*, que contaba cómo «en su desesperación, gastó sus últimos cuartos en un décimo y, necesitando algún dinero, vendió la mitad á una verdulera del barrio de San Antón». Le tocó uno de los premios gordos de la lotería y pudo recuperar sus cabras gracias a los mil duros que le correspondieron.

Vicente Asensi Gomis fue detenido el 31-10-1913 por robar en las iglesias a las feligresas, y también once días después por robar un pavo en la finca Gamberino, situada en la Condomina. En la tarde del 25-3-1936 (tenía 39 años) hurtó una bicicleta en la calle Triunfo, que vendió en un baratillo. Fue detenido, pero, a pesar de que ya había sido condenado anteriormente cinco veces por hurto y otra por resistencia, fue puesto en libertad provisional. Como no se presentó al juicio (28-9-1936), fue declarado en rebeldía y publicadas las oportunas requisitorias en el boletín oficial de la provincia, hasta noviembre de 1964, que se declaró extinguida la responsabilidad penal por prescripción del delito.

Manuel Asensi Benito, de 40 años y sin domicilio, fue asistido de inanición en la Casa de Socorro el 15-7-1926.

Roberto Asensi Carbonell, de 16 años, fue detenido el 26-4-1941 mientras intentaba robar sacos vacíos en la Lonja de frutas.

ACTUALIDAD

La provincia alicantina es la segunda en España con más Asensi censados, después de la valenciana.

José Asensi Sabater

Nació en Alicante el 19-4-1950. Profesor de Derecho Político de la UA desde 1972 y catedrático desde 1994.

Fue detenido en febrero de 1976 tras manifestarse por la muerte de un joven eldense durante una operación policial. Ingresó en el PSOE en 1978, siendo diputado autonómico entre 1982 y 1995.

Es colaborador habitual de *Información*.

Estadísticas ASENSI

LUGAR	APELLIDO 1.º	APELLIDO 2.º	AMBOS APELLIDOS	TOTAL	% ESPAÑA	% PROVINCIA
ESPAÑA	3 232	2 949	18	6 199	100	-----
PROVINCIA VALENCIA	1 562	1 484	7	3 053	49,24	
PROVINCIA ALICANTE	865	799	9	1 673	26,98	100
ALICANTE CIUDAD	527	496	2	1 025	16,53	61,26

Fuentes: INE y Ayto. Alicante

«Mi padre nos transmitió a mis hermanos y a mí su afición por el deporte»

Juan Manuel Asensi Ripoll nació en Alicante el 23-9-1949. Estudió en los Salesianos, donde jugaba al fútbol. Antes de cumplir los 15 años fue fichado por el Elche C.F. «Me llaman antiherculano porque no preferí al Hércules, pero es que cuando los directivos de este equipo se interesaron por mí, ya estaba jugando en los juveniles del Elche».

Debutó en primera división a los 17 años. «Iba y venía a Elche en autobús o me llevaba mi hermano Pepe en su lambretta».

Con 19 años fichó por el F.C. Barcelona, donde jugó durante once temporadas.

Formó parte de la selección nacional de fútbol juvenil, amateur, sub-21, olímpica y absoluta. Con esta última en 41 ocasiones. Jugó también con las selecciones europea (1976) y mundial (1979).

En 1981 se despidió como futbolista del Barça. Con este motivo se le hizo un partido homenaje, entre el equipo blaugrana y el Puebla mexicano, y se le concedió la Medalla de Oro al Mérito Deportivo. Pero no se retiró. Se fue a México, donde jugó con el Puebla durante dos temporadas y una con el Oaxtepec.

Al regresar a España siguió vinculado al F.C. Barcelona durante 18 años más, entrenando a equipos de fútbol base.

Casado dos veces, tiene cuatro hijos. Las dos mayores, Mireia y Lorena (esposa del exfutbolista Iván de la Peña), viven en Barcelona. Los dos menores, Pablo y Lucía, viven con él y su madre aquí, en Alicante, adonde regresó hace 12 años.

Sus padres eran alicantinos: Vicente Asensi Pascual y Dolores Ripoll Baeza, ambos fallecidos. Vicente nació en Villafranqueza, trabajó en la agencia de transportes de su padre y luego en una gestoría. Era un gran aficionado al deporte en general y al fútbol en particular. Fue uno de los jugadores-fundadores del Alicante F.C. (ya sabemos que en diciembre de 1923 jugó este equipo un partido contra el Hércules en su honor). «Vivíamos en José María Pi, 12, y recuerdo que todos los domingos iba con él al campo Bardín a ver jugar al Alicante mientras comíamos habas hervidas. Y muchos sábados por la tarde íbamos a la plaza de toros, a ver combates de lucha libre y boxeo».

De los siete hijos que tuvieron Vicente y Dolores, Juan Manuel es el benjamín. De los otros seis, cinco se casaron y tuvieron hijos (Vicente, Miguel, Paco, Loli y Antonio); solo Pepe, el tercero, sigue soltero. Antonio y Vicente han fallecido. Este último hace dos años. Estaba casado con Matilde Carratalá y una de sus hijas es la famosa escritora Matilde Asensi, autora de novelas superventas.

«Mi padre nos transmitió su afición por el deporte a mis hermanos y a mí. Casi todos hemos jugado al fútbol. Miguel lo hizo en el Hércules y el Alicante, y fue internacional juvenil. Antonio jugó con el Hércules y el Real Madrid juveniles y amateur. A Paco lo fichó el Barcelona y lo cedió al Condal. Vicente jugó en equipos aficionados de Alicante. El único que no ha jugado al fútbol es Pepe, pero es el más forofo y el que más entiende de este deporte».

De sus abuelos paternos, nuestro entrevistado solo sabe que nacieron y vivieron en El Palamó.

BAÑULS

LABRADORES DE BARRO Y PIEDRA

Apellido procedente del topónimo Banyuls, nombre de dos localidades del antiguo condado del Rosellón: Banyuls-des Aspres y Banyuls-sur-Mer. El étimo de Banyuls es el latín *balneolis* «baños».

Los primeros Banyuls o Bañuls llegaron al antiguo reino de Valencia durante su repoblación en el siglo XIII. Pero la primera constancia documental de la presencia de este apellido en la ciudad de Alicante se remonta hasta 1586. El 29 de noviembre de ese año, Francisco Bañuls contrajo matrimonio en la parroquia de San Nicolás con Ángela Moxina. En la misma iglesia, solo 15 días después, bautizaron a su hija Isabel. Su segundo hijo, Joaquín, fue bautizado el 21-7-1588.

En los registros de las dos parroquias alicantinas que existían entonces (Santa María y San Nicolás), no aparece ningún Bañuls desde el 24 de febrero de 1600 (bautizo de Matías, hijo de Vicente y Paula Orts) hasta el 7 de junio de 1714 (bautizo de Vicente, hijo de Salvador y Antonia Gosalbes). Es muy probable que durante este largo periodo de tiempo no hubiese ningún habitante de la ciudad que tuviese este apellido, aunque sí los había en poblaciones vecinas.

No es hasta bien entrada la segunda mitad del siglo XVIII que el apellido Bañuls empieza a tener una presencia continuada y creciente en los registros parroquiales. En 1772, Vicente Bañuls, natural de Mutxamel, se casó en San Nicolás con Antonia Riera; y su hermano José, nacido también en Mutxamel y casado con Antonia Soler, tuvo un hijo el 3 de abril de aquel año: Vicente.

RAMA SANJUANERA

Bañuls-Ortiz

Una de aquellas familias que contribuyeron a finales del Setecientos a que reapareciese con fuerza el apellido Bañuls en la ciudad de Alicante la crearon José (jornalero) y Felicia Ortiz, ambos naturales de San Juan. En la parroquia de San Nicolás bautizaron a sus hijos M.ª Josefa (nacida en 1777), Cristóbal (1780) y M.ª Manuela (1783), pero su primogénito, José, había nacido en San Juan.

Bañuls-Aracil

En 1792, José Bañuls Ortiz contrajo matrimonio en San Nicolás con Josefa Aracil, natural, como él, de San Juan. En 1814 vivían en una casa del barrio de San Antón valorada en 1 000 reales. Tuvieron ocho hijos: Juan Bautista, Nicolás (1794), Margarita (1798), Manuel (1800), Francisca (1806), José (1808), Josefa (1810) y José (1816). Los siete últimos fueron bautizados en San Nicolás.

Bañuls-Ferrándiz

Juan Bautista Bañuls Aracil se casó en 1813 con Bárbara Ferrándiz. Tuvieron diez hijos: José (1814), Cayetano (1817), M.ª Dolores (1819), M.ª Josefa (1822), Agustín (1824), José (1826), Juan (1829), Encarnación (1831), Manuel (1833) y Andrés (1836).

Bañuls-Bartual

José Bañuls Ferrándiz contrajo matrimonio en 1847 con M.ª Josefa Bartual. Él tenía 20 años y era tornero; ella tenía 21 y era natural de Valencia. Tuvieron tres hijos: Gaspar (1848), Encarnación (1850) y José (1853). Tras enviudar, José se casó en segundas nupcias con la viuda Concepción Manzanaro, en 1859.

Bañuls-Soler, dos

Gaspar Bañuls Bartual se casó con Clementina Soler. Tuvieron a Concepción (1871), José (1873), María (1875), Concepción (1878) y Alfredo (1880).

Un tío de Gaspar, Juan Bañuls Ferrándiz, también contrajo matrimonio con una Soler, Amalia, en 1854. Él tenía 25 años y ella 22. Tuvieron a Trino (1854), Manuel (1857), Isabel (1859), Bárbara (1861), María (1864), Juan (1866), M.ª Encarnación (1869) y Francisco (1872).

Bañuls-Alemañ

En 1898, Francisco Bañuls Soler contrajo matrimonio con Teresa Alemañ, natural de Santa Pola. Ambos tenían 26 años. Al año siguiente tuvieron a las mellizas Amalia y Teresa.

Francisco era tipógrafo de *El Liberal* cuando se casó, pero en 1905 ya era el gerente de la imprenta donde se imprimía *Diario de Alicante*, año en que su esposa dio a luz un niño. En 1921 tenía dos socios, Marín y Baeza, y la imprenta estaba en la plaza Isabel II, 13. Tres años después pidió permiso para instalar un electromotor en San Nicolás, 2. En 1939, finalizada la Guerra Civil, aparece como único propietario de la imprenta que abrió en plaza Gabriel Miró, 2. En 1950 seguía abierta y su dueño, el tipógrafo F. Bañuls, fue multado por el ayuntamiento con 200 pesetas por haber editado sin permiso, en el programa de las Hogueras, anuncios del bar Los Mariscos.

Teresa Bañuls Alemañ se casó en San Nicolás, el 1-1-1921, con Enrique Mayor Fuster.

RAMA *MUTXAMELERA*

Bañuls-Sellés

Vicente Bañuls Cortés se casó en Mutxamel con Rosa Sellés. Ambos eran naturales de esta población, donde tuvieron a su primer hijo, Vicente. Se vinieron a vivir a Alicante, a una casa de la calle San Vicente. Lo sabemos porque el 4 de marzo de 1823 Vicente dirigió una carta al ayuntamiento avisando de que estaba construyendo una casa en dicha calle, «a cuyo extremo se halla el desagüe de la Fuente de la Plaza de Sta. Teresa, con un receptáculo para abrevar las bestias, precisamente en el mismo punto donde debe abrir puerta de comunicacion con su dicha casa; y como quiera que la mencionada balsa ó abrevadero impide la continuacion de la obra y que sus aguas divertidas por el foso forman estanques que aprovechan las mugeres para lavar sus ropas, y por consiguiente perjudiciales á la salud pública», suplicaba el traslado del abrevadero a otro lugar. El 5 de agosto siguiente, desde el ayuntamiento le contestaron indicándole el sitio adonde podía cambiar la balseta, haciéndose cargo él de la obra.

Vicente y Rosa bautizaron en San Nicolás a sus hijos Salvador (1819), José (1821), Tomás (1822), María (1825), Josefa (1827), Francisco (1829), Carlos (1832) y Manuel (1835).

Bañuls-Alemañ

En 1831, Vicente Bañuls Sellés contrajo matrimonio con Manuela Alemañ. Tuvieron a Vicente (1832), José (1844), Francisco (1847) y Adela (1850).

Bañuls-Botella

Salvador Bañuls Sellés se casó, en 1836, con M.ª Francisca Mas. Tuvieron un hijo en 1837, Salvador Bañuls Mas, que en 1858 se casó con María Botella; él tenía 21 años y ella 19. Tuvieron nueve hijos: Josefa (1859), Bernabé (1861, nacido en Villacastín, provincia de Segovia), Francisco (1863), Filomena (1865), Guillermo (1867), José (1868), Remedios (1871), Mariana (1872) y Rosa Bañuls Botella (1875).

Bernabé Bañuls Botella desposó en 1881 a la mutxamelera Francisca Gozálbez, de 18 años. Tuvieron a M.ª Dolores Bañuls Gozálbez (1889). Tras enviudar el 22-2-1895, se casó en segundas nupcias y en ese mismo año con Amparo Pastor, con quien tuvo al año siguiente a Bernabé Bañuls Pastor.

Bañuls-Antón

José Bañuls Sellés contrajo matrimonio en 1855 con Margarita Antón. Él tenía 34 años y ella, que era natural de Elche, 28. Un año después tuvieron a su hijo Carlos.

Bañuls-Brian

Manuel Bañuls Sellés se casó con Concepción Brian en 1857. Él tenía 22 años y ella 19. Tuvieron a Julia (1858), Concepción (1859), M.ª Concepción (1862), Rafael (1863), Manuel (1866), Adela (1869), Rosa (1872), Luis (1873) y Margarita (1876).

Casado cuatro veces

Tomás Bañuls Sellés era labrador cuando en 1840, con 17 años, se casó en San Nicolás con M.ª Manuela Fríes. Tuvieron dos hijos: M.ª Francisca (1841) y Tomás (1843).

Tras enviudar, Tomás se casó en segundas nupcias con Concepción Samper, en 1847. Él tenía 25 años y era carretero; ella, 19. Tuvieron una hija, Concepción (1848).

Tomás volvió a enviudar y a casarse por tercera vez, en 1850, con Josefa Varó. Él tenía 29 años y seguía siendo carretero; ella, 37.

De nuevo enviudó y en cuartas nupcias se casó con Vicenta Aracil, natural de Albaida, con quien tuvo cinco hijos: José (1853), Tomás (1857), Manuel (1860), Carlos (1863) y Vicente Bañuls Aracil (1865).

Tomás Bañuls Sellés falleció el 24-6-1904 y Vicenta Aracil en junio de 1911.

Carlos Bañuls Aracil murió el 3-2-1926, siendo jefe de cartería jubilado.

Bañuls-Arenas

Manuel Bañuls Aracil contrajo matrimonio en Santa María con Micaela Arenas, en 1889. Él tenía 29 años y ella 26. Al año siguiente bautizaron en San Nicolás a su hija Carmen, en 1892 a M.ª Ángeles, y en 1895 a Gloria.

Carmen Bañuls Arenas se casó en Santa María, el 25-9-1915, con Antonio Castelló Gomis.

José Bañuls Aracil

Fue periodista y poeta. Colaboró durante 40 años con numerosas publicaciones alicantinas. Como crítico taurino firmaba con el seudónimo de Anillo.

Autor de varios libros, en junio de 1911 publicó *Semblanzas*, que estaba a la venta por dos pesetas el ejemplar «en la Encuadernación de la calle de Altamira (antes Princesa), número 3».En diciembre de 1916 fue elegido presidente de la Junta de Montepío de la Asociación de la Prensa. Contrajo matrimonio en 1882 con Teresa Gomis. Falleció el 12-1-1922, a los 66 años, en su casa de Navas, 46. Poco antes, los periodistas alicantinos le tributaron un homenaje.

Tomás Bañuls Aracil

El 1-9-1877, Tomás Bañuls Sellés inauguró con su socio, Francisco Seva, un servicio diario de coches que unían Alicante con los baños de Busot. La administración estaba en la posada de la Balseta, situada en la calle Calatrava. La empresa también contaba con un servicio de alquiler de coches. Al inicio de cada temporada de baños, este servicio de transporte se anunciaba en la prensa alicantina. Por ello sabemos que ya en mayo de 1883 la empresa estaba regentada únicamente por Tomás Bañuls. Cuatro años más tarde, el anuncio decía: «Coche-correo a los Baños de Busot, de Tomás Bañuls e Hijo». Este hijo era Tomás Bañuls Aracil, quien heredó el negocio en 1904. En 1899, el servicio de coches a los baños de Busot ya había sido trasladado a la Posada Nueva, situada en Gravina 8, propiedad de Tomás Bañuls Sellés.

Tomás Bañuls Aracil fue nombrado por el ayuntamiento inspector de carruajes (1897 y 1899). Contrajo matrimonio en 1880 con Teresa Belando. Tuvieron siete hijos: José (1882), Teresa (1884), Tomás (1886), Josefa (1888), bautizados en San Nicolás, y Ángel (1891), María del Carmen (1896; falleció en 1900) y María de los Ángeles (1900), bautizados en Santa María.

A las dos de la tarde del 29-11-1907, Tomás Bañuls Aracil sufrió un horrible accidente. Así lo contó *Diario de Alicante*: «(…) El coche de su propiedad que hace el viaje de esta ciudad á Jijona, se disponía a emprender su marcha. Los caballos se mostraban reacios á arrear. Tomás Bañuls cogió el caballo delantero de la diligencia para hacerlo andar, al propio tiempo que el mayoral empuñaba las bridas. Al mismo tiempo que hostigaba Bañuls al caballo, éste salía bruscamente arrastrando á nuestro buen amigo que cayó entre los pies del animal. Gracias á la pericia del conductor del carruaje y á los alaridos de la gente que se dio cuenta del atropello, pudieron ser detenidos los caballos inmediatamente, evitando que Tomás Bañuls alcanzara una muerte segura entre las ruedas del coche. No obstante, el desdichado amigo nuestro ha salido bastante mal librado del atropello (…)». Las heridas que sufrió en la cabeza fueron tan graves que murió unas horas más tarde. Tenía 50 años de edad. Fue enterrado el 30-11-1907.

García-Bañuls

Teresa Bañuls Belando se casó con Luis García Cremades, que era maquinista naval. Tuvieron tres hijos: Luis, Rafael y Ángel.

Luis García Bañuls nació el 26-10-1912. Estudió bachillerato en los Maristas y perteneció al Plan Profesional de Maestros de la República. Trabajó en una escuela de Orihuela desde 1934 hasta 1936. Al finalizar la Guerra Civil fue represaliado, abriéndosele tres expedientes. En el primero, la comisión depuradora de funcionarios le inhabilitó para ejercer su profesión. Trabajó como profesor de idiomas en algunas academias y como guía turístico en la cadena Meliá. Fue rehabilitado como maestro en mayo de 1975 y se jubiló en octubre de 1978. El segundo expediente corresponde a un consejo de guerra celebrado el 13-9-1939. Según la sentencia, pertenecía al PCE y a la FETE, era «ateo y furibundo marxista», tomó parte en la requisa de iglesias y conventos, antes de ingresar en la Escuela de Artillería de Lorca, ser promovido a teniente y participar en la guerra. Fue condenado a 30 años de reclusión, aunque consiguió la libertad condicional en diciembre de 1945. Estuvo en las cárceles de Cartagena, Murcia, Totana, Hellín y Alicante. El tercer expediente se debe a los 12 años de reclusión al que fue condenado por el Tribunal de Represión de la Masonería y el Comunismo. El Consejo de Ministros aceptó su recurso el 27-1-1950, absolviéndole.

Rafael García Bañuls tenía 21 años y trabajaba como administrativo en la sede del Banco Central de Elche, cuando estalló la Guerra Civil. Luchó en el Ejército Popular y se exilió a Francia, donde estuvo confinado en varios campos de concentración. Luego trabajó como minero y leñador, hasta que regresó a Alicante en 1952. Tuvo varios trabajos, el principal en la empresa Lloret y Llinares, primero como contable y luego como administrador. Se casó en 1960 con Emilia Meseguer, con quien tuvo un hijo.

Ángel García Bañuls pidió autorización municipal en 1960 para construir un edificio de planta baja y cuatro pisos en Gravina, 19; y en 1962 para otro edificio en la avenida Novelda, 59, donde dio de baja un taller de reparación de automóviles.

Vicente Bañuls Aracil

Nació el 19-11-1866. Estudió en la academia de Bellas Artes que fundó y dirigió Lorenzo Casanova. En 1884, con 19 años, publicaba en la primera página de *El Cullerot* un grabado con caricaturas. En 1887, ilustró con dibujos alegóricos un libro manuscrito de poesías de Adalmiro Montero Pérez.

A finales de 1893 era ya un reputado artista. En noviembre de ese año acabó el altar que fue instalado en el oratorio que Concha Pobil, viuda de Gallostra, había hecho construir en su quinta de la huerta.

En la Exposición de Bellas Artes que se celebró en Alicante en julio de 1894, fue premiado con la medalla de oro por su escultura *Busto de Jijonenca*. La misma condecoración obtuvo en la exposición celebrada en Murcia en 1900.

El 30-6-1896 se inauguró oficialmente su escultura de Eleuterio Maisonnave. El Gobierno premió al artista con el título de Caballero de la Real Orden de Isabel la Católica.

El 16-1-1897, tanto *El Liberal* como *La Correspondencia de Alicante* destacaron algunas de las obras que ya había realizado Bañuls: *Retrato de la baronesa de Mayals*, *Busto de Piedad Guardiola*, *Busto de Benito Pérez Galdós*, *Estatua de Benito Pérez Galdós*, *Alegoría de la Paz* y *Busto de Salmerón*. Muchos de estos trabajos los realizó con ayuda de su auxiliar Francisco Marín. Para hacer el bajorrelieve dedicado a la memoria de la baronesa de Mayals, había instalado previamente una pequeña fundición en su taller.

En febrero de 1898 terminó el monumental botijo con que la prensa de Alicante obsequió al periodista Mestre Martínez, inspirador del denominado «tren botijo».

En abril de 1897, la Diputación Provincial acordó pensionarle para que pudiese completar en Roma sus estudios artísticos. Marchó a Roma a finales de junio de 1898. En noviembre escribió una carta, publicada por *La Unión Democrática*, quejándose de la situación precaria en que estaba, debido a la reducida pensión que percibía. Regresó a mediados de julio de 1899, dejando una excelente impresión en Italia. Al año siguiente, el Gobierno de ese país le nombró miembro del jurado que habría de elegir el boceto para el mausoleo del rey Humberto; y en 1902 expuso en Roma cuatro cuadros y tres esculturas. Una de estas últimas era *Marianela*, inspirada en un personaje de Pérez Galdós, con la que ganaría la primera medalla en la Exposición de Bellas Artes de Madrid.

En junio de 1899, el ayuntamiento acordó encargarle una estatua de Castelar.

En 1900 terminó el busto que hizo de su maestro Lorenzo Casanova.

En 1905, reclamó al ayuntamiento 2 000 pesetas, «importe de la lápida que modeló del ilustre Cervantes, para conmemorar el tercer aniversario del *Quijote*». Este mismo año, el cabildo le encargó la escultura del monumento a los Mártires de la Libertad. Fue colocado en el paseo del mismo nombre el 8-3-1907 (a la altura de la calle Alberola Romero), y la estatua en la primera semana de septiembre. En reconocimiento a «la calidad artística del monumento realizado por el escultor Vicente Bañuls», el ayuntamiento acordó dar su nombre a una calle de la ciudad. En 1914, este monumento fue trasladado a la plaza de Joaquín Dicenta (actual plaza del Mar), un lugar más amplio que el anterior (tras la demolición del antiguo Mercado del Muelle), por lo que los concejales aprobaron «aumentar de tamaño el monumento, encargando a Bañuls otro boceto».

En noviembre de 1906, la Sociedad Económica de Amigos del País le encargó la dirección de la academia de Bellas Artes que acababa de inaugurar. A finales de 1919, unos anuncios de prensa avisaban de que Vicente Bañuls impartía clases de escultura y arte decorativo en la Academia del Círculo de Bellas Artes, «los miércoles y viernes de 7 y media a 9 noche».

El 7-11-1908 se dirigió por escrito al alcalde, pidiendo autorización para construir en un terreno de su propiedad «en la partida de los Ángeles, alineacion izquierda de la carretera de San Vicente y proximo al depósito de Aguas». Se le concedió el permiso el 14 siguiente. Vivía entonces en Castaños, 23. Construyó en aquel terreno un edificio sencillo pero amplio, en el que instaló su estudio.

El 3-9-1909 fue elegido delineante municipal por votación de los conce-jales, no por concurso oposición, lo que fue criticado por algunos periódicos, como *Heraldo de Alicante*, por considerar que había otros candidatos que tenían mejores historiales como delineantes.

En enero de 1910 fue premiado en la Exposición Regional de Valencia por su escultura *Ingratitud* y el retrato pictórico de su esposa, con sendas medallas de oro.

En enero de 1913, durante las fiestas por el segundo centenario del na-cimiento de Jorge Juan que organizó el Ayuntamiento de Novelda, fue in-augurada en esta población la estatua que Bañuls había hecho del eminente científico, por la que le dieron la cruz de segunda clase del Mérito Naval.

El 13-12-1914 fue inaugurado el monumento a Canalejas. La lápida en mármol dedicada a este mismo político, que le encargó el ayuntamiento para decorar el salón de sesiones, la acabó de hacer en febrero de 1928.

En 1917 talló en piedra el busto de Ramón de Campoamor, que fue ins-talado en el paseo de su nombre, y cuyo monumento renovó él mismo en el verano de 1925. En 1918 se inauguró la fuente de la plaza de Gabriel Miró, composición escultórica que está rematada por *La Aguadora* o *La moza del cántaro*. Le sirvió de modelo Susana Llaneras Rico, una joven de 17 años cuyo padre había trabajado en la canalización del agua.

El cabildo acordó el 12-7-1919 rotular una calle de la ciudad con el nom-bre de Carlos Arniches, a propuesta del Centro de Escritores y Artistas, que se encargó de costear la lápida de mármol que realizó Bañuls. En sesión ce-lebrada el 3-7-1921, el ayuntamiento le encomendó la confección del diseño de la Medalla de Alicante.

En octubre de 1929, la municipalidad aprobó el boceto que presentó para un pedestal y busto del compositor alicantino Ruperto Chapí, que se instalaría el año siguiente en la plaza que llevaba su nombre, por lo que percibió 3 000 pesetas. Por aquel entonces, tenía ya su domicilio y taller en la calle Aurelia-no Ibarra.

En 1933, diseñó el mausoleo construido por Francisco Asensi en el ce-menterio municipal, adonde fueron trasladados los restos de los Mártires de la Libertad. El mausoleo (ya desaparecido) recibió dichos restos el 8-3-1934.

Se casó en 1904 con Vicenta Martínez, hija de Vicente Martínez Bañuls. Tuvieron dos hijos: Rafael y Daniel Bañuls Martínez. Murió el 31-1-1934, a los 68 años, en su casa de Altozano. El 25-11-2011, el ayuntamiento le otorgó el título póstumo de Hijo Predilecto de la ciudad.

Daniel Bañuls Martínez

Hijo del anterior. Nació el 28-4-1905. En agosto de 1918, en la exposición del Círculo de Bellas Artes, se presentó una obra realizada conjuntamente por Vicente y Daniel Bañuls, en la que aparecían ambos abrazados. El busto del padre lo había modelado el hijo (que tenía 13 años), y el de este, el padre.

En 1930, fue colocado el monumento al doctor Rico, obra de Daniel, en una pinada del Tossal (castillo de San Fernando). El busto fue retirado en 1939 y recolocado en 1971.

También en 1930 fue inaugurada la fuente de la plaza de los Luceros, por la que le pagó el ayuntamiento 30 000 pesetas.

En 1941, cobró 30 000 pesetas de la Diputación Provincial por el monumento a los Caídos de la Vega Baja. Fue colocado en Agua Amarga.

El ayuntamiento acordó el 24-4-1943 erigir un monumento a Carlos Arniches en el parque de Canalejas, encargándoselo a Daniel Bañuls. El 3-11-1947 se decidió cambiar la ubicación, colocándolo «en el parque Ruiz de Alda», donde fue inaugurado el 20-7-1948. Por hallarse en un lugar expuesto al vandalismo, en 1952 fue reparado y trasladado al parque de Canalejas, pagando el ayuntamiento 1 200 pesetas.

Murió el 20-8-1947. El 30-4-1955, el ayuntamiento acordó poner a una calle el nombre de Calle Escultor Bañuls; y en 2011 se le concedió (como a su padre) el título póstumo de Hijo Predilecto de la ciudad.

Rafael Bañuls Martínez

Primogénito del escultor Vicente Bañuls. En la madrugada del 20-10-1933 fue herido de un balazo en el pecho. Se encontraba estudiando en su habitación, cuando oyó ruidos en la habitación contigua. Al principio creyó que sería su madre, que solía levantarse por las noches para atender a su padre, que estaba muy enfermo, pero al persistir los ruidos fue a ver qué pasaba. Al abrir la puerta de la otra habitación encontró la ventana abierta y a un individuo que, antes de saltar por la ventana (versión de *El Luchador*) o después de saltar por ella (*Diario de Alicante*), le disparó con una pistola. Rafael tenía 26 años y fue atendido en la Casa de Socorro de una herida en el pecho de escasa consideración. La policía no pudo averiguar nada sobre el supuesto ladrón.

Siendo funcionario municipal (auxiliar administrativo), el 12-7-1945 recibió 500 pesetas como premio de exaltación al trabajo. En 1959 hubo de ceder terrenos de su chalé, situado en el número 1 de la calle Aureliano Ibarra, para la alineación de esta calle. Tres años más tarde, pidió permiso municipal para construir en ese mismo lugar (esquina avenida de Alcoy, 171) un edificio compuesto de planta baja y cinco pisos, y otros dos edificios en avenida de Alcoy, 169-A y B, con semisótano, entresuelo y cuatro pisos. Durante los dos años siguientes (1963-1964) pidió autorización para construir dos edificios de planta baja y cuatro pisos en Aureliano Ibarra, 3, y otro edificio de planta baja y cuatro pisos en el Pasaje Bañuls, 4.

ACTUALIDAD

Después de la valenciana, la alicantina es la provincia española donde hay más personas censadas con el apellido Bañuls.

Estadísticas BAÑULS

LUGAR	APELLIDO 1.º	APELLIDO 2.º	AMBOS APELLIDOS	TOTAL	% ESPAÑA	% PROVINCIA
ESPAÑA	1 974	1 958	20	3 952	100	-----
PROVINCIA VALENCIA	1 032	1 037	15	2 084	52,73	-----
PROVINCIA ALICANTE	570	630	5	1 205	30,49	100
ALICANTE CIUDAD	163	124	0	287	7,26	23,81

Fuentes: INE y Ayto. Alicante

Una familia unida y republicana

Tomás Bañuls Ivorra nació en Alicante en 1954 y es asesor fiscal. En 1980, Tomás se casó con la alicantina Yolanda Arenillas, con quien ha tenido dos hijos: Andrés (nacido en 1983), que es diseñador gráfico, y David (1986), auxiliar de Enfermería. Ambos están solteros. «Pintan muy bien. Debe ser genético, porque a mi padre también se le daba muy bien el dibujo y la pintura», explica Tomás.

Tomás tiene un hermano, Vicente, que nació en 1958 y es comerciante. Casado con Francisca Marchori, tiene un hijo: Alberto Tomás, que nació en 1980.

Tomás y Vicente son hijos de José Bañuls Alcaraz y Vicenta Ivorra. Él nació en Alicante el 30-12-1919 y se casó con Vicenta, natural de La Nucía, en 1950. «Como decía, mi padre pintaba muy bien. El escultor Daniel Bañuls, que era su tío, se preocupó de que estudiara Bellas Artes, pero poco después estalló la Guerra Civil». En 1949, José abrió un taller de fundición de metales en Torres Quevedo, 19, que trasladó en 1955 a Javier Carratalá, 14. A partir de

1951 se asoció con su hermano Tomás para fabricar moldes de goma, primero en la calle Bernardo López García y después (1955) en Jaime Segarra, 2.

Tomás Bañuls Alcaraz nació en 1909. «Fue el fundador del primer equipo de baloncesto de Alicante y corredor de motos». Casado con Remedios Medina (fallecida el mes pasado), no tuvieron hijos. «Mi tío era republicano, como toda la familia. Fue teniente durante la guerra. Se exilió en Francia, donde estuvo dos años. Luego fue encarcelado durante otros dos en la Línea de la Concepción. La familia, que siempre ha estado muy unida, incluso entre primos-hermanos, se gastó mucho dinero para visitarle con regularidad y evitar que fuese fusilado. Cuando salió de la cárcel, regresó a Alicante».

Tomás y José eran hijos de Tomás Bañuls Belando y Aurora Alcaraz. «Mi abuelo era de la policía portuaria. Murió cinco o seis días después de caer herido en el puerto, durante un bombardeo en 1937 o 1938», recuerda nuestro entrevistado.

Tomás Bañuls Belando era uno de los siete hijos que tuvieron Tomás Bañuls Aracil (hermano del escultor Vicente Bañuls) y Teresa Belando.

Josefina Bañuls Belando contrajo matrimonio el 22-12-1913 con Jerónimo Blaya, cajero del Banco de Cartagena. Tuvieron dos hijos: Tomás, que fue taxista; y Jerónimo, que falleció durante la Guerra Civil. «Josefina posó para su tío Vicente como modelo, para la estatua titulada *Gratitud* que hay en el monumento a Canalejas».

Ángeles Bañuls Belando se casó con Rafael Esquembre Carratalá en Santa María, el 29-6-1929. Tuvieron tres hijos: Manuel, Rafael y M.ª Teresa Esquembre Bañuls. Manuel es periodista, se casó con Juana Lon y tienen seis hijos. Rafael es agente de la propiedad, está casado con Francisca Bas y tienen ocho hijos. M.ª Teresa tiene cinco hijos con su esposo, Enrique Pomata, que fuera dueño de la conocida cafetería Colón, ya desaparecida, que estaba en la avenida Constitución.

BAS

APELLIDO GUADIANA

El alicantino apellidado Bas más antiguo del que se tienen noticias era un fraile franciscano, de nombre Lucas, que pidió y consiguió del papa Clemente VII autorización para que las monjas clarisas del monasterio de la Santa Faz, allá por 1518, «pudieran celebrar fiesta del Rostro del Salvador, con rito de doble mayor, en el día 17 de Marzo», según el cronista Viravens.

En los libros de registros parroquiales aparecen bautizados en la iglesia de Santa María, entre los años 1554 y 1741, 67 niños apellidados Bas, y otros 74 en la iglesia de San Nicolás entre los años 1578 y 1759. En total, 141 (70 niños y 71 niñas), entre 1554 y 1759.

En cuanto a los matrimonios, en Santa María fueron celebradas once bodas entre los años 1589 y 1739, en las que el contrayente masculino se apellidaba Bas; y 14 en San Nicolás desde 1573 hasta 1758. En total, 25 bodas durante 185 años.

Eran, por lo general, personas humildes: pescadores, jornaleros o artesanos. Pero también hallamos un Antonio Balmis Bas que era cirujano, padre del célebre médico Francisco Javier Balmis Berenguer, bautizado en Santa María el 5 de diciembre de 1753.

Pero a partir de 1759 desaparece este apellido de los libros parroquiales hasta 1814. Es decir, durante más de medio siglo no hay en los archivos de la ciudad ningún documento (tampoco municipal) en el que figure el apellido Bas. Aunque resulta bastante improbable, diríase que desaparecieron de Alicante, que se trasladaron todos a otro lugar, puesto que 55 años son demasiados sin que haya huella documental alguna de su existencia en la ciudad. Ni un bautizo, ni una boda, ni un legajo municipal. Se ofrece este misterio ante el investigador como un reto que resolver, pero que debe esperar otro momento.

En cualquier caso, en el índice de bautismos de la parroquia de San Nicolás figura, ya en 1814, el bautismo de Rafael Bas, hijo de Salvador y Francisca Jordá. En cuanto a matrimonios, no es hasta 1859 que reaparece el apellido Bas, también en los registros de San Nicolás: Vicente Bas, hijo de Pascual e Inés Rubio, se casa con Manuela Marco.

RAMA BAS-MORÓ

Entre 1834 y 1844 fueron bautizados en la concatedral los siete hermanos Bas Moró, miembros de una familia que dejaría huella en los anales alicantinos y que ocuparían los cargos políticos más altos de la ciudad durante el siglo XIX.

José Bas Bellido

Nacido en Valencia en 1802, llegó a Alicante 1830, casado ya con Piedad Moró, con quien tenía una hija del mismo nombre. Se domiciliaron en una casa de la calle San Francisco, asistidos por tres criadas.

Comerciante al por mayor y menor, fue vocal de la Junta de Comercio, cónsul y prior del Tribunal de Comercio, y miembro del Gremio de Comerciantes Capitalistas.

En 1847 era el primer importador alicantino, con un valor de 4 821 710 reales. En 1839 era uno de los empresarios de la plaza de toros (una provisional de madera que había en la plaza del Barranquet, hoy del Teatro).

Con la desamortización de Mendizábal compró censos en Alicante por valor de 2 010 reales, y con la de Madoz obtuvo censos de los jesuitas por valor de 391 reales.

A mediados del siglo XIX era uno de los principales propietarios urbanos, con 17 484 reales en riqueza, siendo además dueño de tierras en Novelda y en la huerta alicantina, con una casa de campo en San Juan.

En 1847 pagó 1 821 reales de contribución, 2 713 en 1849 y 4 230 en 1851.

Fue miembro de las juntas para la construcción del ferrocarril Alicante-Almansa en 1850 y 1852, empresa en la que tenía un gran interés, puesto que había sido el principal importador y suministrador de material ferroviario en la construcción de la vía férrea entre Madrid y Aranjuez, y lo fue también para su prolongación hasta Alicante.

Concejal en 1839, 1840, 1848 y 1853, fue también miembro de la Junta de Gobierno en 1841 y 1854. Socio fundador del Casino (1851), fue banquero en 1862.

Tuvo siete hijos: Mariana (nacida en 1834), Federico (1835), María Piedad (1837), José (1839), Leandro (1842), Elvira (1843) y Rodolfo (1844). Murió en 1863.

Bas-Vasallo

Federico Bas Moró nació en 1835. Como su padre, fue comerciante, propietario y concesionario del proyecto de ferrocarril Alicante-Murcia.

Fue propietario y director de *El Constitucional* desde 1866 hasta 1889. Se casó el 19 de marzo de 1866, a los 31 años de edad, con la viuda Elisa Vasallo en el monasterio de la Santa Faz. Tuvieron dos hijos: Emilia, nacida en 1866, y Federico Carlos (1871).

Fue elegido diputado a Cortes en 1872 como monárquico-liberal, en 1876 como conservador, en 1879 como centralista, y en 1881 y 1886 como fusionista. Nombrado subdirector de Correos, entre 1889 y 1893 publicó varias obras de tema postal. Murió en Madrid el 25 de febrero de 1914, siendo inspector general del Cuerpo de Correos.

Su hijo, Federico Carlos Bas Vasallo, nació en Alicante (en la casa lindante con la Posada de la Unión, en la Rambla), pero desde muy niño vivió en Madrid, si bien prodigaba visitas a su ciudad natal, donde poseía varias casas heredadas de su padre. Impulsó la reforma de Correos como diputado y secretario de la comisión parlamentaria que proyectó tal reforma. Elegido senador por La Coruña, fue nombrado director general de la Deuda y Clases Pasivas en julio de 1914, y gobernador civil de Barcelona en mayo de 1920, cargo que ocupó solo durante seis meses. Cuatro años después fue contratado como abogado por la empresa Riegos de Levante, de la que llegó a ser consejero. En septiembre de 1930 fue nombrado gobernador del Banco de España. Ninguno de sus cuatro hijos nació en Alicante. El 29 de agosto de 1936 noticiaba *El Día* que, en Madrid, «han sido detenidos el ex gobernador de Barcelona Francisco Carlos Bas y su hijo Luis». Murió el 23 de diciembre de 1938.

Bas-Escalambre

Leandro Bas Moró (1842-1896) poseía una casa en la calle Teatinos, esquina Navas, y una casa de campo en San Vicente. Era socio con su hermano José en una empresa comercial que quebró. Se casó en San Nicolás el 28 de octubre de 1869 con Dolores Escalambre Bas. Según el cronista Viravens, ella era la propietaria en la partida de Bacarot de «una importante heredad que se titula "Les Dones", con notables plantaciones y muy anchurosa casa». También era la dueña en 1899 del edificio en el que estaba instalado el cuartel de la Guardia Civil y en 1905 de una casa en San Miguel, 5. Falleció en abril de 1920.

Dolores era hermana de Manuel Escalambre Bas, a quien le fue concedido el título de marqués de Escalambre el 18 de junio de 1872. Fue elegido diputado provincial en 1875 y se marchó con su familia a vivir a Madrid en el verano de 1886. Leandro y Dolores tuvieron seis hijos entre 1875 y 1890: Leandro, Dolores, Rafael, Trinidad, M.ª Piedad, y M.ª Consuelo.

Dolores Bas Escalambre se casó en abril de 1904 con Arturo Terol.

Rafael Bas Escalambre (1877-1929) fue administrador del periódico *El Graduador* en 1904 y redactor del *Diario de Alicante* en 1909. Se casó el 29 de noviembre de 1920 con M.ª Luisa Torderá.

M.ª Piedad Bas Escalambre se casó con el médico José Marí y tuvieron, entre 1915 y 1928, seis hijos. El primogénito, Luis, murió con 10 años a las once de la mañana del 19 de enero de 1925.

Procurador y concejal

Leandro Bas Escalambre nació en 1875. Con 22 años juró el cargo de procurador de los Tribunales y envió un besalamano a los periódicos anunciando la apertura de su despacho en la calle Cádiz, 1. Tres años más tarde (noviembre, 1900) remitió otro saluda avisando de que había trasladado su despacho a Bailén, 13. Dos meses atrás, el 1 de septiembre, se había casado en San Nicolás con Purificación Vidal.

En agosto de 1901 nació su primer hijo, al que pusieron el mismo nombre que su padre y abuelo paterno: Leandro.

En julio de 1904 mandó un nuevo besalamano para anunciar que había trasladado su despacho y domicilio a Torrijos, 28.

El segundo vástago, M.ª Dolores, nació el 4 de junio de 1905.

En diciembre de 1909 se presentó Leandro a concejal por el partido conservador y salió elegido. Cargo que todavía ostentaba nueve años después.

Volvió a trasladar su despacho de procurador en mayo de 1909, esta vez al segundo piso de Sagasta, 56 y 58. En 1920 solicitó permiso municipal para reformar su casa de la calle Sagasta, 8.

El 1 de abril de 1921, *El Luchador* publicaba la siguiente necrológica: «A las cinco de la tarde de ayer falleció el conocido procurador de los Tribunales y Comisario Jefe de la Guardia Urbana de esta ciudad, don Leandro Bas Escalambre».

Su hijo, Leandro Bas Vidal, estudió Comercio y en noviembre de 1925 tomó posesión de su cargo como auxiliar de la Tesorería Contaduría de Hacienda de la provincia de Alicante, tras venir trasladado desde Valencia, según *Diario de Alicante*. A las ocho de la mañana del 10 de diciembre de 1932 contrajo matrimonio en San Nicolás con la leonesa María de la Concepción Rodríguez, estando ya por entonces él destinado nuevamente en Valencia, como liquidador de la delegación de Hacienda.

Mingot-Bas

Elvira Bas Moró (1843-1918) se casó con Francisco Mingot Valls, con quien tuvo tres hijos: Francisco, que murió en 1885; Elvira, que se casó con su primo José Bas Carratalá; y Dolores Mingot Bas, que murió soltera. En el padrón de 1877 aparece el matrimonio censado en la calle San Fernando, 29, con sus dos primeros hijos y tres criados.

Un alcalde en quiebra

José Bas Moró nació en 1839. Como su padre, fue propietario y comerciante. De él heredó numerosos inmuebles, muchos de los cuales empezaron a amenazar ruina años después, tras la quiebra de la empresa que poseía con su hermano Leandro.

Durante el verano de 1869, el periódico *Eco de Alicante* publicó un anuncio de venta de una «casa con un huerto-jardín, situada en la calle Mayor de la Universidad de San Juan. La casa señalada con el número 10 es grande y con sus departamentos correspondientes, con cuadra y sitio para carruages. El huerto-jardín, de cabida de tres tahúllas, se halla cercado de pilares, con sus empalizadas; todo nuevo, y para su riego está dotado con 9 minutos y ½ de agua del Pantano de esta huerta, cada martaba [sic]. El encargado de su venta es D. José Bas».

Sobre las propiedades rústicas y fábricas de nuestro hombre, cuenta el cronista Viravens que desde 1874 poseía en Muchamiel una heredad llamada «Riera», que anteriormente había sido de Miguel Carratalá España, y en la que había instalado «la ya acreditada fábrica de San José, destinada á la elaboracion de saquerío de yute y lino. El edificio donde está situado tan famoso establecimiento fue construido *ad hoc* y forma un cuadrilátero de alguna extension, en cuyo centro se vé trazado un bonito huertecillo. La maquinaria y telares son movidos al vapor, pertenecen á los últimos adelantos en esta clase de industria y en sus trabajos se emplean diariamente diez hombres y unas cien mujeres.

«FLAMMA es el nombre de otra fábrica de cerillas fosfóricas, motor de vapor, sistema moderno, que el Sr. Bas y Moró ha creado tambien en tan grandioso edificio: en este otro establecimiento obtienen ocupación dos hombres y cincuenta mujeres, siendo admirable el órden que preside en los talleres, la exactitud hasta en sus menores detalles, la prevision que se advierte para librar los almacenes destinados á depósito de cerillas de los incendios á que están expuestos esta clase de establecimientos, y más que todo la facilidad y esmero con que se lleva á efecto el envase de los productos que se expiden para la Península y Ultramar».

Fue concejal en 1869 y alcalde entre 1875 y 1877.

El 28 de septiembre de 1877 presentó su dimisión como alcalde, aunque quedaba como concejal. El 5 de octubre la Comisaría de la Quiebra de D. José Bas y hermano previno, mediante un anuncio de prensa, a todos los poseedores de títulos y derechos sobre dicha empresa, para que se presentaran en la junta general que se celebraría el siguiente día 18.

En enero de 1879 el gobernador civil relevó a los hermanos José y Leandro Bas de sus cargos de concejales «por estar imposibilitados de ejercerlo por hallarse en estado de quiebra».

A partir de entonces, José Bas Moró se retiró de la política y de casi toda actividad social. Se había casado en 1865, a los 26 años, con Antonia Carratalá en el monasterio de la Santa Faz. Tuvieron tres hijos: Josefina, Arturo y José. Enviudó el 13 de septiembre de 1899 y murió el 9 de octubre de 1925.

Bas-Carratalá

José Bas Carratalá contrajo matrimonio en 1899 con su prima Elvira Mingot Bas. Tuvieron seis hijos. En 1927 vivían en López Torregrosa, 8.

Josefina Bas Carratalá se casó el 8 de agosto de 1902 con José Gabriel Américo Puccinelli, empleado de la Representación de Tabacos. Murió en Italia en julio de 1936.

Arturo Bas Carratalá heredó varios inmuebles ruinosos de su padre. En enero de 1911 publicó un anuncio en *Heraldo de Alicante* que publicitaba el «exquisito espumoso Anís Tropical. Punti y Deu. Barcelona. Representante en Alicante: Arturo Bas. Pídase en todos los establecimientos».

Bas-Mingot

Los seis hijos de los primos José y Elvira se llamaron: Francisco, M.ª Carmen, Antonio, Arturo, José Luis y Elvira Bas Mingot.

José Luis, que había nacido el 19 de julio de 1900, desposó a Carmela Higuera en 1927 y se marchó a vivir a Madrid en 1933. M.ª Carmen se casó el 2 de agosto de 1929 en San Nicolás con Rafael Olmos, inspector de primera enseñanza. Y Antonio, que era oficial de Aduanas, se casó en enero de 1935 con M.ª Puerto Rodríguez, hija de un teniente coronel de Infantería; según *El Día*, «los invitados fueron obsequiados con un buen servicio *lunch* en el Hotel Samper. Los nuevos señores de Bas embarcaron para realizar un largo viaje por Marruecos».

En febrero de 1943, Elvira Bas Mingot estaba soltera y era la vicesecretaria del Consejo Diocesano de las Mujeres.

Un periodista con calle

Francisco Bas Mingot fue elegido vocal de la junta directiva de la Asociación de la Prensa alicantina en enero de 1926, siendo redactor del diario *El Tiempo* desde hacía tres años. Entre 1927 y 1929 fue redactor-jefe del mismo periódico. En enero de este último año pasó a ser el administrador de *La Voz de Levante*.

En noviembre de 1932, cuando se casó con Luisa Millet, compaginaba sus labores periodísticas con su puesto de funcionario de los ferrocarriles E.S.A. En enero de 1936 volvió a formar parte de la junta directiva de la Asociación de Periodistas alicantinos, como bibliotecario.

En 1974, el Ayuntamiento de Alicante dedicó una calle (en el segundo sector de Juan XXIII) al periodista Francisco Bas Mingot.

OTRAS RAMAS

A lo largo de la segunda mitad del siglo XIX fueron brotando nuevas ramas del apellido Bas en la ciudad de Alicante. Tres ejemplos:

Buenaventura Bas (hijo de Manuel y Buenaventura Perri) se casó en 1863 con la viuda Juana Costa y tuvieron dos hijos: Manuel (nacido en 1864) y Genoveva (1867).

El matrimonio formado por Vicente Bas y Manuela Marco tuvo dos hijos: Manuel (nacido en 1860) y Agustín (1864), que llegaron a edad adulta y se desposaron con Carmen González (1898) e Inés Lledó (1890), respectivamente. Manuel y Carmen tuvieron a su vez su primer vástago en 1899, Carmen. Vicente fue bibliotecario del instituto de segunda enseñanza y murió el 2 de marzo de 1898. De su hijo Agustín hablaremos más adelante.

Antonio Bas (hijo de Tomás y Joaquina Doménech, naturales de Relleu) se casó en San Nicolás con M.ª Nieves Llorca en 1894 y bautizaron a su primer hijo ya en el siglo XX.

La Correspondencia de Alicante publicó el 11 de enero de 1899 un anuncio que decía: «D.ª Consuelo Bas. Profesora de francés. Enseñanza en breve tiempo. Clases en su casa y á domicilio. Bailén 6, pral.».

Siglo XX

También era natural de Relleu Antonio Bas Sirvent, quien solicitó ayuda económica al Ayuntamiento de Alicante para recomponer su casa, dañada por el bombardeo sufrido el 21 de noviembre de 1937. Su hermano Vicente abrió en 1948 una tienda de venta de vino en la calle Jazmín, 43.

En 1918, el administrador del hospicio (dependiente de la diputación) se llamaba José Bas.

Agustín Bas Marco, a quien ya conocemos (hijo de Vicente y Manuela, nacido en 1864) era comerciante. El 11 de mayo de 1905 se casó con Concepción García. Agustín tenía un almacén en la calle Foglietti y otro en Castaños, 13, donde se depositaban en 1925 los envíos que desde Jijona enviaban a la capital los propietarios de Chocolates Galiana. Tuvo dos hijas: María (nacida el 2 de agosto de 1909) y Encarna, que se casó el 12 de mayo de 1930 en Villafranqueza con el contratista de obras José Espuch, y dio a luz a su primera hija en enero de 1935.

Antonio Boix Bas anunciaba en febrero de 1929 en *El Día* su camisería, sita en López Torregrosa, 15.

En diciembre de 1933 *El Luchador* publicó un anuncio en el que se publicitaba un agente murciano de préstamos para el Banco Hipotecario de España, pero que tenía una sucursal en la alicantina calle de Belando, 30, 1.º, dirigida por Francisco Bas.

Otro Francisco Bas, industrial, casado con Julia Luis, fue el padrino de la boda de su hija María, quien se casó en la iglesia de Santa María con Manuel Álvarez el 7 de abril de 1935. Su primera hija fue bautizada en la iglesia de la Misericordia el domingo 2 de febrero del año siguiente. María Bas Luis abrió en 1948 una tienda de venta de leche fresca y bollería en la calle Taquígrafo Martí, 3. Su hermano Francisco había abierto ocho años antes una peluquería en San Carlos, 25, y abriría otra para señoras en la avenida de Alfonso el Sabio, 24, en 1955.

Otro Francisco Bas, alias el Rapa, con domicilio en la calle Virgen de Belén, fue denunciado en diciembre de 1927 ante el juzgado por causar lesiones a un individuo durante una riña, de las que hubo de ser asistido en la Casa de Socorro.

En el verano de 1928, el maestro Francisco Bas Vidal (hijo de José Bas Artola) se casó con la maestra Carmen López, con quien tuvo un niño en abril del año siguiente. En este mismo año, Francisca Bas Sanjuán tenía abierto en el Mercado Central el puesto n.º 222.

En septiembre de 1935 fue elegido Antonio Bas secretario de la Federación Cultura Deportiva Obrera.

Poco después de acabar la Guerra Civil (1939), Antonio Seva Bas abrió una barbería en la calle Alberola Romero, 3; y José Bas García una horchatería en la calle Monero Mollá, 1.

En 1949, Joaquín Bas Martínez abrió una lechería en la calle de las Monjas.

Francisco Bas Brotons obtuvo en 1957 el arrendamiento del servicio de transporte de pescado desde la lonja al Mercado Central.

En 1958, Rafael Bas Torderá construyó un mirador en los pisos primero y segundo de su casa en San Ildefonso, 5, y Jesús Lizón Bas abrió un obrador de talla de madera en Torres Quevedo, 32.

Antonio Bas Insa abrió en 1962 dos talleres de confección de artículos de plástico con electromotores, uno en Alcalá Galiano, 73, y el otro en Cánovas del Castillo, 36.

En 1963 abrió Andrés Macaries Bas un club musical en la calle Valdés, 10.

De ventero a sepulturero

El 5 de octubre de 1900 apareció en *La Correspondencia de Alicante* la siguiente noticia:

«Anoche á las nueve, fue conducido á la Casa de Socorro, Manuel Bas Vidal, dueño de uno de los ventorrillos que existen en la partida de San Blas. En dicho benéfico establecimiento, fue curado de una herida que presentaba en la sien derecha, motivada por disparo de arma de fuego. Interrogado el Manuel Bas, manifestó no conocía al autor de las heridas, añadiendo que hallábase detrás del mostrador, entraron dos individuos y sin que mediasen palabra alguna, uno de ellos le hizo el disparo, mientras el otro le amenazaba con una faca de grandes dimensiones. Del hecho se ha dado cuenta al Juzgado correspondiente».

En un suelto de *La Voz de Alicante* del 25 de septiembre de 1909 aparecen los matrimonios anotados en el Registro Civil en ese día. Entre ellos está el de Manuel Bas con Concepción Ramos.

En el Archivo Municipal se conserva el expediente personal de Manuel Bas Vidal, fechado en 1924, como consecuencia de haber sido aceptado como vigilante nocturno del cementerio municipal. En él se lee que era natural de Cartagena y que tenía a la sazón 56 años. Estaba casado «de estatura 1,695 metros, pelo algo canoso, ojos pardos, nariz recta, cara regular, color moreno». Tomó posesión del cargo el 1 de agosto, con permiso para llevar armas reglamentarias y tendría un haber anual de 1 500 pesetas. El 15 de enero de 1929 se le comunicó que su jornal pasaba a ser de cinco pesetas diarias; y el

15 de febrero de 1932 se suprimió el puesto de vigilante nocturno, por lo que pasó a desempeñar el de peón sepulturero, con un jornal diario de seis pesetas. Al día siguiente se le instó a que se presentase a trabajar o a que entregase el justificante médico de baja laboral, ya que llevaba desde el 2 de enero sin ir por el cementerio.

Pidió jubilarse por enfermedad, lo que se le concedió en octubre de aquel año de 1932, con derecho a percibir el 80 % de su sueldo.

Murió el 23 de febrero de 1933 y el ayuntamiento abonó a su viuda 260,25 pesetas para gastos del entierro.

En la actualidad

Hoy hay censadas en la ciudad de Alicante 337 personas apellidadas Bas: 178 con el primer apellido, 159 con el segundo y ninguna con ambos.

José Enrique Bas Amorós es profesor de Sociología en la UA; Ernesto Bas Esteve tiene consulta de Ginecología y Obstetricia en la Clínica Vistahermosa; Alejandro Bas Carratalá es abogado, exdiputado autonómico y exconcejal por el PSOE; y M.ª José Bas Matas, sobrina del anterior, es psicóloga.

TRES GENERACIONES DE BAS EN EL MERCADO CENTRAL

M.ª Jesús Bas Sellés nació en la calle Alcalde Suárez Llanos en 1972. Tiene un puesto de pescadería en el Mercado Central de Alicante. Antes que ella, lo regentaba su padre, Fernando Bas Sivent, hasta su fallecimiento en el año 2006. Fernando estaba casado con Manuela Sellés Gálvez y había nacido en Busot en 1938.

—Mi padre era muy conocido en el Mercado. Llevaba trabajando aquí desde los 14 años. Primero con su padre, mi abuelo, Francisco Bas Brotons, que también tenía una pescadería, y luego en su propio puesto.

El abuelo había nacido en Relleu y se casó con Francisca Sirvent.

—Así que son ya tres las generaciones de Bas que lleváis trabajando en el Mercado Central como pescaderos.

—Eso es.

—¿Habrá una cuarta? —M.ª Jesús está divorciada y tiene una hija adolescente, pero que no parece propensa a heredar el puesto de su madre.

—No creo. A mi hija no le gusta mi trabajo.

BERENGUER

PROLE NUMEROSA

El cronista Viravens dice que los Berenguer era una de las familias nobles que se hallaban instaladas en Alicante cuando le fue concedio el título de ciudad, en 1490. Pero para hallar la documentación en la que es mencionado el primer Berenguer alicantino hemos de adentrarnos en el siglo siguiente.

En su *Nobiliario Alicantino*, el Barón de Finestrat dice que el primer Berenguer del que se tiene noticias era Pedro Berenguer, casado con Juana Torrella, que había sido bautizada en la parroquia de Santa María en 1535, y con la que tuvo tres hijos. Como no menciona la fecha del enlace matrimonial, se deduce que este debió realizarse, como muy pronto, en la década de 1550. Los registros parroquiales más antiguos que se conservan comienzan el 12 de febrero de 1535 (bautismos de Santa María, siendo el primero precisamente el de Pedro Berenguer). El primer Berenguer bautizado en San Nicolás fue en 1570 (otro Pedro, hijo de Francisco y Beatriz López). El primer matrimonio de un Berenguer registrado en la parroquia de Santa María se celebró en 1567 entre Francisco y Beatriz Velluter; y el primero en San Nicolás tiene fecha de 1582, entre Luis y Josefa Planelles.

Pero en el Archivo Municipal se conserva documentación datada con anterioridad en la que se mencionan otros miembros de esta familia. Concretamente, existe una carta dotal, fechada el 9 de junio de 1511 por el notario Francisco Morales, en la que firman los cónyuges Violante Barreto y Juan Berenguer, hijo de Pedro e Isabel. Juan era labrador.

Un labrador adinerado

De fecha 27 de mayo de 1520 hay otro documento en el que consta que el pescador Francisco Berenguer y su esposa Beatriz (resulta muy improbable que sean los mismos que bautizaron a un hijo suyo en San Nicolás medio siglo después) vendieron al labrador Juan Berenguer por veinte libras un trozo de tierra en la huerta, en el «camí de la mar».

Este último labrador, Juan Berenguer, hijo de Pedro, compró cuatro años y medio más tarde (9-10-1524) otro trozo de tierra con arbolado y una viña por 21 libras; y el 8 de febrero de 1530, otras trece tahúllas de regadío en la huerta por 18 libras.

El 15 de octubre de 1539, este labrador recibió la mitad de la casa de su madre viuda, como pago por la deuda que había contraído con él para pagar el rescate de su nieto, Pedro Berenguer, cautivado por los moros años atrás.

El 1 de marzo de 1544, Juan pagó 155 libras al señor del lugar de Sorio, para saldar un censal de 255 libras que le había cargado en 1530, pero debió morir poco después, ya que el 20 de noviembre del año siguiente (1545), su viuda, Violante Barreto, renunció a la administración de sus bienes a favor de sus hijos Pedro, Andrés y Francisco, por una pensión de 20 libras.

Un Luis Berenguer, doctor en Derecho y con título de magnífico, casado con Josefa Martínez, bautizó en Santa María a cuatro hijos suyos entre 1561 y 1570. Un año después, un alicantino llamado Luis Berenguer (no sabemos si el mismo) participó en la batalla de Lepanto, volviendo sano. En 1590, micer Luis Berenguer (quizá la misma persona) formó parte como ciudadano de la comisión municipal que supervisó las obras del pantano de Tibi. Y en enero de 1594, Felipe II dividió el cargo de abogado fiscal y patrimonial en la Gobernación de Orihuela en dos personas, una en Alicante y otra en Orihuela, nombrando a Luis Berenguer para dicho cargo en Alicante.

SIGLO XVII

En julio de 1600 fue elegido jurado de Alicante por insaculación Pedro Juan Berenguer Morales, doctor en Teología y rector de la iglesia de Jijona, quien asistió a las reuniones de las Cortes celebradas en Valencia al año siguiente y en 1604. Escribió una obra titulada: *Universal explicación de los Misterios de nuestra Fe*.

Por esa época había en la ciudad dos caballeros médicos apellidados Berenguer: Francisco, casado con Leonor Ángela Berenguer, con quien tuvo un hijo (Francisco) en 1605; y Martín (nacido en 1561, hijo de Luis y Josefa Martínez), que se casó en 1603 con Gerónima Avellá y tuvo cuatro hijos: Josefa (1604), Nicolás (1605), Jaime (1608) y Ana María (1609). Jaime fue el heredero de Martín, quien fundó una obra pía tras recibir en 1609 una renta anual de 200 libras de su hermano Teófilo, jesuita.

Fundador de la Compañía de Jesús en Alicante

En 1613 el jesuita alicantino Teófilo Berenguer (bautizado el 17 de diciembre de 1565 en Santa María, hijo de Luis y Josefa Martínez) fundó una administración de su mayorazgo y herencia, con el propósito de establecer en la ciudad una residencia de la Compañía de Jesús.

Según Viravens, «los bienes de esta administracion consistían en una heredad de la partida de la Condomina, en algunos hilos de agua, en un huerto titulado de San Francisco en el distrito rural de la huerta de Sueca, y en los señoríos directos que tenía el fundador de la Universidad de San Juan y en otras haciendas del término Municipal de Alicante». En febrero de 1629 Teófilo Berenguer se alojó junto con otros jesuitas en la ermita de Nuestra Señora de la Esperanza, que estaba en la calle En Llop, y alquiló una casa aledaña a Pedro Juan Berenguer por 46 libras anuales, quedando constituida la primera residencia jesuítica alicantina el 15 de junio de 1635, con Teófilo como superior hasta finales de ese año.

La herencia de Teófilo Berenguer fue motivo de pleitos durante bastante tiempo (al menos hasta 1699), según se desprende de la documentación custodiada en el Archivo Municipal. Pleitos a los que no fue ajena la obra pía fundada por su hermano Martín, cuyos administradores todavía polemizaban con la Compañía de Jesús en 1721.

Ginés Berenguer se llamaba el primer director de una de las escuelas de Gramática que los jesuitas abrieron en 1640.

Fray Agustín Arqués, en su *Nobiliario Alicantino* (1678), escribió que «la Casa de los Berengueres es muy conocida en esta ciudad por las muchas familias que hay de ella, y con grande diferencia unos de otros». Y realmente tenía razón, por cuanto a fines del Setecientos los había de todas las condiciones sociales: nobles y vasallos, ricos y pobres. Había, por ejemplo, un Francisco Berenguer zapatero (casado en 1641 con Josefa Archiga y padre de Lorenza, nacida en 1648); un Francisco Berenguer cristiano nuevo que bautizó en Santa María a su hijo Francisco José el 26-4-1666; un médico, Onofre Berenguer (documentos fechados en 1672 y 1699); un sastre, Dionisio Berenguer (1681); un curador, Bautista Berenguer (1688); y un tonelero, Antonio Berenguer (1699 y 1717).

REGISTRO BAUTISMOS STA. MARÍA (con Berenguer de primer apellido)	
Período	**N.º Bautismos**
1535-1599	21
Siglo XVII	85
1700-1787	92

REGISTRO BAUTISMOS S. NICOLÁS (con Berenguer de primer apellido)	
Período	**N.º Bautismos**
1570-1599	16
Siglo XVII	138
Siglo XVIII	186
Siglo XIX	231

REGISTRO MATRIMONIOS STA. MARÍA (cónyuge masculino con primer apellido Berenguer)	
Período	**N.º Desposorios**
1567-1593	5
Siglo XVII	13
Siglo XVIII	9
Siglo XIX	24

REGISTRO MATRIMONIOS S. NICOLÁS (cónyuge masculino con primer apellido Berenguer)	
Período	**N.º Desposorios**
1582-1593	4
Siglo XVII	37
Siglo XVIII	48
Siglo XIX	53

SIGLO XVIII

Había en este siglo Berengueres pescadores, como José (casado en 1768 con Rita Verdú en Santa María, la misma iglesia donde bautizó a sus dos hijas en 1783 y 1786) y Lorenzo (casado en la misma parroquia con Antonia Crespo en 1779 y padre de Lorenza, bautizada en 1787).

Francisco Xavier Balmis Berenguer

Hijo del cirujano Antonio Balmis y Luisa Berenguer, Francisco Xavier fue bautizado en Santa María el 5 de diciembre de 1753. Era el segundo de nueve hermanos. Con 17 años aprobó el examen de acceso para una plaza de practicante en el Hospital Militar de Alicante.

Se casó el 30 de marzo de 1773 en Santa María con Josefa Mataix, ocho años mayor que él. Tuvieron en 1775 un hijo, Miguel José. En este mismo año embarcó en Cartagena en la expedición a Argel mandada por el conde de

O'Reilly, destinado en el hospital de campaña. La expedición regresó derrotada, pero nuestro hombre volvió sano.

Obtuvo el título de cirujano el 11 de julio de 1778 y al año siguiente fue destinado al regimiento de Zamora, que participó en el bloqueo de Gibraltar. Ascendido a cirujano del Ejército en abril de 1781, participó en varias acciones militares y fue destinado con su regimiento a América, sirviendo en hospitales de Jalapa y ciudad de México. En 1790 abandonó la milicia, dedicándose a partir de entonces al estudio de las plantas medicinales y a la vacunación contra la viruela.

De regreso a España, fue médico personal de Carlos IV, a quien convenció para que sufragase los gastos de una expedición a América y Filipinas con el objetivo de distribuir la vacuna contra la viruela en las colonias españolas. Conocida como Real Expedición Filantrópica de la Vacuna, se llevó a cabo entre 1803 y 1814. Murió en Madrid el 12 de febrero de 1819.

Berenguer de Marquina

Este apellido compuesto nació en Alicante en el siglo XVI. Todos los nobiliarios consultados dan como cierto que el primer Berenguer de Marquina fue Carlos, casado con Eugenia Ortiz (natural de Onil) y padre de cuatro hijos, sin especificar fechas excepto la del bautizo del benjamín, Ignacio (2-12-1642). Pero los libros de registros parroquiales ofrecen otros datos.

El primer Berenguer de Marquina que se menciona en los archivos parroquiales se llamaba Francisco, estaba casado con Leonor Ángela Berenguer y el 24 de abril de 1610 bautizaron en Santa María a su hijo Pedro, el cual fue registrado solo como Berenguer de primer apellido. Este matrimonio bautizó en la misma iglesia el 20 de diciembre de 1612 a otro hijo, Carlos, si bien esta vez el apellido que figura del padre es solo Berenguer, al igual que el recién bautizado. Pero de nuevo aparece el apellido compuesto del padre en el acta de bautismo del tercer hijo, José Jacinto Berenguer (17-8-1615). Como ocurre con casi todos los apellidos compuestos, al principio de su formación son registrados indistintamente con su forma sencilla.

Sigamos ahora la descendencia a partir del segundo de los hijos, el caballero Carlos Berenguer de Marquina y Berenguer, que en efecto se casó con Eugenia Ortiz, siendo padres de ocho hijos: Carlos (1637), Leonor (1638), María Josefa (1640), Teodoro (1641), Ana María (1645), Ignacio (1642), Marco Antonio (1644) y Cosme (1646). Solo tres de ellos (Teodoro, Ana María y Cosme) fueron registrados con el apellido compuesto, mientras que los otros cinco lo fueron con el sencillo. Carlos fue síndico de la ciudad en 1695.

Teodoro obtuvo el título de generoso y se casó con Margarita Berenguer, procreando a tres hijos: Francisco Carlos (1676), Manuel (1679) y Francisco Ignacio (1680), siendo registrados en el libro parroquial con el apellido compuesto los dos últimos.

Su hermano Marco Antonio, también generoso, miembro del concejo local en 1696 y casado en 1683 con Isabel Berenguer, fue padre de Antonia (1685), Josefa (1687), Francisco (1688), Pedro (1689) y Bernardo (1692), siendo registrado con el apellido compuesto solo Pedro.

Ignacio, hijo de Teodoro, fue también generoso y desposó a Mariana Pascual de Riquelme, siendo padres de Ignacio (1703, apellido compuesto), Margarita (nacida en Palma de Mallorca en 1710) y Carlos (1708, apellido simple).

Ignacio Berenguer de Marquina y Pascual de Riquelme se casó con María Fitz-Gerald y Estanton, natural de Irlanda, con quien tuvo tres hijos: Félix (1733), Nicolás (1734) y María Antonia (1737), los tres registrados ya con el apellido compuesto.

Carlos Berenguer de Marquina y Pascual de Riquelme se casó con Vicenta Vidal. Bautizaron en San Nicolás a María Rosario (1755), Juana (1759), Vicente (1772) y Micaela (1774).

Vicente Berenguer de Marquina y Vidal fue comisario municipal del vino en 1799. Casado con Felicia Gosálbez, bautizó en San Nicolás a dos hijas: M.ª Concepción (1793) y Rafaela (1798), siendo estos los últimos registros parroquiales y municipales en los que aparece el apellido Berenguer de Marquina en Alicante.

De todos los Berenguer de Marquina el más famoso fue Félix, hijo de Ignacio y María Fitz-Gerald. Bautizado el 24 de noviembre de 1733 en Santa María, ingresó en el Ejército en 1753 y en el Colegio Naval de Cádiz como guardiamarina al año siguiente. Fue profesor de Matemáticas en la escuela de Guardiamarinas, gobernador de Filipinas y caballero de la Orden de Santiago. Llegó destinado a finales de 1794 a México como virrey de Nueva España. En 1799 fue nombrado teniente general de la Armada. Contrajo nupcias en Cádiz (1760) con María Ansoátegui. Tuvieron dos hijos, que nacieron en Cádiz.

Pese a todo, no rompió el vínculo con su ciudad natal, donde seguía teniendo casa e intereses económicos. En 1820, por ejemplo, protestó ante el alcalde por las reformas que se estaban llevando a cabo en el terreno situado en la calle del Vall, heredado por él, y mandó construir una casa en la plaza de las Monjas. Murió en Alicante en 1826. Casi un siglo después, en agosto de 1927, el ayuntamiento sustituyó el nombre de la Travesía de Belando por el de calle Berenguer de Marquina.

SIGLO XIX

José Carratalá Berenguer fue presbítero y coadjutor de San Nicolás desde 1873 hasta su muerte, en 1883. El 25 de enero de 1878 participó en la plaza Alfonso XII (hoy Santísima Faz), en el sorteo público que se hizo de dos dotes de 125 pesetas cada una entre doncellas pobres, siendo una de las agraciadas la huérfana Dolores Berenguer Prieto.

En 1879 había un benedictino alicantino que se llamaba igual que el fundador de los jesuitas en la ciudad, Teófilo Berenguer, y que era procurador de una misión benedictina en Australia.

En la noche del 12 de marzo de 1883, los hermanos Jaime y Bautista Berenguer, alias «los Llanetas», marineros y residentes en el Arrabal Roig, riñeron detrás de la fonda del Vapor con otros dos hombres, uno de los cuales murió apuñalado. En el juicio celebrado en julio, «los Llanetas» aseguraron que se defendieron cuando se vieron atacados, pero el fiscal pidió la cadena perpetua para ambos. El juez condenó a Bautista a 14 años, 8 meses y un día de cárcel, y a Jaime a tres meses de arresto.

Bautista Brotons Berenguer era un niño de 13 años que, el 25 de abril de 1897, guardó en su chaquetilla la pólvora que había cogido en una casa de la falda del Benacantil. Poco después quiso quemarla en una plazuela, pero se le prendieron las ropas y se quemó el cuerpo, falleciendo en el hospital al día siguiente.

Una maestra reivindicadora

Vicenta Berenguer Soriano ocupó plaza de maestra de escuela pública de niñas en 1860. Al año siguiente alquiló un local para escuela y en 1872 reclamó al ayuntamiento 675 reales que se le debían por el material escolar que ella misma había comprado.

En 1879 trasladó la escuela a otro local de la calle de las Bóvedas, en 1881 pidió un crédito para el alquiler de la nueva escuela, dos años después aumentó un segundo piso su casa de la calle Riego, 3, y en 1893 volvió a pedir al ayuntamiento que le pagaran las 250 pesetas que se le debían en atrasos.

El 7 de abril de 1899, la Junta Local de Primera Enseñanza, atendiendo las quejas de Vicenta, dirigió un oficio al gobernador civil, «rogándole muy encarecidamente ordene la traslación á otro punto de la casa de lenocinio que existe frente a la referida escuela con grave daño de la moral y en beneficio de las niñas» (*La Correspondencia Alicantina*).

En noviembre de 1897 murió su hermana Francisca, que trabajaba en su escuela también como maestra.

Se jubiló en mayo de 1904, en noviembre del mismo año reclamó ante el Consistorio el pago de 2 400 pesetas por alquileres atrasados de la escuela que había dirigido, y en abril de 1906 solicitó una pensión vitalicia.

Maestro, periodista y político

En 1883, el joven José Berenguer Escobedo era maestro en un colegio público y daba lecciones a domicilio o en su casa, situada en Virgen de Belén, 15, 3.º. Pero también era redactor del semanario *Las Germanías*, revista federalista que dirigió a finales del año siguiente.

También dirigió *La Coalición* (1884), órgano de la Juventud Democrática; el diario federal *El Porvenir* (1886); el semanario *El Federalista* (1889-1890); y el periódico *El Escándalo* (1889-1891). Fue el editor del periódico republicano *La Federación* (1896-1908) y también redactor del semanario *El Cullerot* (1884-1895).

Hizo frente a numerosas demandas por injurias, como la que le enfrentó en 1889 con el ayuntamiento, con sentencia absolutoria.

Afiliado al partido republicano federal, en diciembre de 1897 ocupó una de las secretarías del comité local. En diciembre de 1898 falleció su madre, Rosa Escobedo, y en febrero de 1906 enviudó de Emilia Fayos. Su hija, Rosalía Berenguer Fayos, se casó el 4 de agosto de 1906 con Francisco Beviá. Murió el 6 de marzo de 1909.

Concejal y procurador

Julio Corona Berenguer, oficial del Gobierno Civil, se casó en diciembre de 1883 con Isabel García. Era hijo de José Corona, empleado de la diputación, y de Matilde Berenguer.

En febrero de 1887, Julio fue destinado al subgobierno de Mahón, pero un año más tarde tomó posesión en Alicante del cargo de procurador de los tribunales, abriendo despacho en Villavieja, 11. Cuando falleció su madre en junio de 1895, Julio ya era concejal y, como su padre, socio del Círculo Católico de Obreros.

Acusado de falsedad y estafa por una empresa para la que trabajó después de dejar la concejalía, el 7 de febrero de 1901 fue absuelto.

SIGLO XX

La Hojalatería Berenguer, sita en San Fernando, 20, se anunciaba en la prensa en la década de 1910. Era propiedad de José Berenguer Verdú, quien había sucedido a su hermano Francisco (casado el 27-2-1904 con Faustina Ripoll y fallecido el 4-7-1913) al frente del negocio, el cual amplió como lampistería instalando un electromotor en la planta baja de Torrijos, 20, en 1916. Conchita Berenguer, hija de José, se casó en marzo de 1935 con Manuel Lorente, sargento de Asalto, dando a luz a su primera hija en abril del año siguiente.

Francisco Ayela Berenguer, propietario de La Exportadora de Levante, abrió en 1940 una fábrica de conservas en Moratín, 1; una oficina como consignatario en tránsito en avenida Juan Bautista Lafora, 3, en 1944, que amplió con un almacén para carga y descarga en 1948, y otro almacén de materiales en la plaza del Remedio, 5, en 1950; y un depósito de abonos en Pintor Cabrera, esquina General Lacy en 1955. Su padre, Francisco también, había sido capataz de la Transmediterránea y su hermana Soledad estaba casada con José Tur, oficial de Telégrafos.

En 1940, Francés y Berenguer Hermanos, S. L., presentó en el ayuntamiento un proyecto de ampliación de sus talleres en la calle General Zurbano. En la avenida General Mola, 8, en 1944, esta empresa abrió unos talleres de construcción de maquinaria y accesorios de molinería y panadería. Una de las socias, Milagros Francés Berenguer, construyó en 1961 un edificio de cinco pisos en Plus Ultra, 88.

En 1960, Enrique Berenguer Espasa pidió autorización para construir un grupo de casas de cinco pisos, para 40 viviendas y locales comerciales, en la calle Virgen del Socorro. Al año siguiente construyó un edifico de ocho pisos en avenida de Dénia, 3. En 1962, construyó otros dos edificios de cinco pisos en Virgen del Socorro, 143 y San Cayetano, 10; y un garaje en avenida de Dénia, 7-15.

El supuesto secuestro de una joven

Diario de Alicante organizó una campaña en julio de 1912 con la intención de aclarar lo sucedido con Francisca Berenguer Coloma, una joven de 21 años (menor de edad), que había abandonado la prostitución para vivir en casa de una amiga, en la calle San Agustín.

Pero el 26 de mayo fue sacada a la fuerza de la casa en la que vivía por Alejandro Rico y dos policías, quienes la llevaron al convento de las oblatas en los Ángeles.

Alejandro y Francisca eran hijos adoptivos de Antonio Bernabéu, de Jijona, de cuya casa ella se había escapado tiempo atrás. Su hermana biológica, Asunción, había recurrido al Patronato de Represión de la Trata de Blancas, cuya presidenta, Concepción Torderá, acudió al juzgado y consiguió el permiso para que Francisca fuese enclaustrada.

Pero Francisca contrató al abogado José M. Alfonseti, quien interpuso una denuncia por secuestro, y además estaba embarazada, razón por la cual la superiora de las oblatas no quiso albergarla en su convento.

Francisca fue trasladada a otro convento de Murcia, donde fue visitada por un juez, al que manifestó su deseo de recuperar su libertad y volver a Alicante. Pero unos días después se desdijo por escrito. La razón se la explicó entre sollozos a un reportero de *Diario de Alicante* que fue a verla: «La verdad es esta, señor: yo soy una desgraciada; todo el mundo quiere abusar de mí porque estoy sola. Mis hermanos los primeros. Además le tengo miedo a mi hermano, que me ha amenazado de muerte si salgo de aquí».

A mediados de julio regresó a Alicante, alojándose en la Casa de Beneficencia por disposición del juzgado y deseo de ella.

Isidro Albert Berenguer

Nació en Pinoso el 15-5-1896. Licenciado en Filosofía y Letras, fue ordenado sacerdote y cantó su primera misa el 6-6-1920 en la iglesia de las Capuchinas de Alicante.

Fue capellán del colegio Jesús y María de Alicante, y del Regimiento de la Princesa n.º 4, participando durante seis meses en la campaña de Marruecos. En 1927 fue capellán del convento de las Capuchinas de Alicante.

Miembro de la Comisión Provincial de Monumentos de Alicante (1928), censor eclesiástico de *La Voz de Levante* (1928-1931), subdirector del *Boletín Oficial del Obispado* (1930), rector del colegio de Santo Domingo de Orihuela (1932), archivero y conservador del Tesoro Artístico Diocesano (1933), fue nombrado ecónomo de la parroquia de Santa María de Alicante el 25-1-1934.

Ingresó mediante oposición el 25-2-1935 en el Cuerpo Facultativo de Archiveros, Bibliotecarios y Arqueólogos del Estado, ocupando cargos de director de bibliotecas y museos en Albacete y Murcia, antes de hacerse cargo de la dirección de la Biblioteca Pública de Alicante el 9-10-1944.

Autor de numerosos artículos y libros, fue nombrado profesor de Religión del Instituto de Enseñanza Media de Alicante el 15-11-1944.

Actualidad

Hoy hay censadas en la ciudad 1 447 personas llamadas Berenguer: 756 con el primer apellido, 681 con el segundo y 10 con ambos.

«Mi abuelo instaló el gen jurídico en la familia»

Luis Berenguer Giménez nació en Alicante en 1969. Licenciado en Derecho por la Universidad Complutense de Madrid en 1992, tiene varios másteres y ha ejercido como abogado especializado en propiedad industrial. Fue profesor de la división de Derecho Mercantil de la UMH entre 1999 y 2014. Desde este último año es jefe del Servicio de Comunicaciones y Portavoz de la OAMI (Oficina de Armonización del Mercado Interior), con sede en Alicante.

«Mi bisabuelo, Luis Berenguer Briones, nació en Callosa d'Ensarriá, pero vino a Alicante con su madre siendo niño. Ella le puso sus apellidos porque era madre soltera. De modo que por esa rama tuve tatarabuela, pero no tatarabuelo. Fue *maître* del hotel Victoria, que estaba en la Explanada».

Luis Berenguer Briones tuvo un único hijo: Luis Berenguer Sos, que nació en Alicante en 1912, se licenció en Derecho y fue decano del Colegio de Abogados. Militante de Izquierda Republicana durante la República, fue capitán jurídico del Ejército Republicano y depurado tras la guerra, pasando una larga temporada en un campo de concentración. Recuperada la democracia, fue teniente de alcalde por la UCD. Tuvo cuatro hijos con su esposa, Concha Fuster, que tiene 95 años y a quien dejó viuda en 1987.

«Mi abuelo era especialmente inteligente. Antes de la Guerra Civil se licenció en Derecho en solo tres años y por libre, estudiando en la academia de Pérez Mirete, que estaba detrás del ayuntamiento. Sus dos hijos y cuatro de sus nietos somos también abogados. Él fue quien instaló el gen jurídico en la familia».

Carmen, la hija mayor de Luis Berenguer Sos y Concha Fuster, ya ha fallecido. Una de sus hijas es abogada. Los otros tres hijos son Luis, Concha (fue Bellea del foc) y José (es abogado, al igual que uno de sus hijos).

Luis Berenguer Fuster nació en Alicante en 1946. Licenciado en Derecho, fue diputado nacional por la UCD y por el PSOE, conseller de Administración Pública, diputado autonómico y europeo, y primer presidente de la Comisión Nacional de la Competencia. Casado con Reme Giménez, tienen dos hijos, ambos abogados: Ana y Luis.

Ana Berenguer Giménez vive en Nueva York. Trabaja para *The Economist* y tiene dos hijos, nacidos en Estados Unidos.

Su hermano Luis es nuestro entrevistado. Está casado con la alcoyana Inés Abad y tienen dos hijas, nacidas en Alicante: Aitana, de 9 años, e Inés, de 6.

«Soy el cuarto Luis Berenguer de mi familia. Recuerdo que, cuando vivía mi abuelo, para diferenciarnos nos llamaban don Luis, Luis (mi padre) y Luisito».

BLASCO

GENTE LLANA

Aunque el origen de este apellido es dudoso (se dice que es patronímico, derivado del nombre propio Blas), se tiene como seguro que es aragonés, y más concretamente de la montaña oscense, ya que mosén Jaume Febrer menciona en sus *Trovas* a Gelacian de Blasco, que vino desde Huesca a la conquista del Reino de Valencia y fue premiado por Jaime I con tierras en Ontinyent.

En la ciudad de Alicante, el primer documento conservado en el que se cita a un Blasco está fechado el 16 de mayo de 1538. Se trata de un registro en la parroquia de Santa María en el que consta que aquel día fue bautizado Miguel Juan, hijo de Benito Blasco.

Pero es en los registros parroquiales de San Nicolás donde encontramos, también en el siglo XVI, a la primera familia Blasco numerosa. La fundaron Antonio Blasco y Sebastiana Nadal contrayendo matrimonio en 1585. Sus hijos fueron bautizados en 1586 (José), 1588 (Antonio), 1590 (Ana), 1593 (Josefa), 1594 (Francisco), 1596 (Bernardo), 1599 (Juan Bautista), 1601 (Pedro) y 1604 (Gerónima).

SIGLO XVII

Antonio Blasco, tras enviudar, se casó en segundas nupcias en 1611 con Damiana Torregrosa, con quien tuvo seis hijos más: Nicolás (1612), Mariana (1615), Josefa (1618), Francisco (1621), Francisca (1624) y Catalina Blasco Torregrosa (1626).

José Blasco Nadal contrajo matrimonio en San Nicolás con la viuda Isabel Guilabert en 1611. Bautizaron en esta misma iglesia a sus hijos Antonio (1612), Sebastiana (1613) e Isabel (1616).

Antonio Blasco Nadal, que era pescador, se casó en 1613 con Isabel Guill, en San Nicolás. Tuvieron seis hijos: Antonio (1613), Pedro (1616), Damiana (1617), Antonio (1620), Esperanza (1622) y Pedro (1625).

Juan Blasco Nadal contrajo matrimonio en San Nicolás con Verónica Martínez en 1624. Bautizaron en esta misma parroquia a sus hijos Josefa

(1625), Bartolomé (1628), Juan Bautista (1634), Ana María (1637), Bartolomé (1640) y Francisco (1644).

Pedro Blasco Nadal se casó tres veces en San Nicolás: en 1625 con Josefa Torregrosa; en 1638 con la viuda Josefa Barceló; y en 1650 con Ana Pujazo. Solo tuvo descendencia en su primer matrimonio: Sebastiana (1626), Pedro (1629), Isabel (1630), Pedro (1633) y Ana María Blasco Torregrosa (1635).

En los registros de la otra parroquia, la de Santa María, también encontramos en este siglo una familia numerosa: la formada por Pedro Blasco y Vicenta Rodrigo. Sus hijos fueron bautizados el 15-9-1603 (Pedro Juan Crisóstomo), el 4-10-1606 (Salvador y Francisco, gemelos), el 1-11-1609 (Juan Bautista), el 2-2-1612 (Pedro Juan Antonio), el 18-1-1615 (Ana Luisa) y el 13-11-1617 (José Diego).

SIGLO XVIII

Matías Blasco era maestro cirujano en 1715.

Jaime Blasco arrendó al ayuntamiento el 22-7-1721 una casa (conocida como de Ana Castilla), situada en la calle Balseta del arrabal de San Francisco, por 30 libras y 10 sueldos anuales. Dos años después fue denunciado por deber 45 libras en atrasos.

El 23-4-1729, el ayuntamiento le devolvió a José Blasco Cano los depósitos que había entregado el año anterior para participar en los dos concursos (124 libras y 6 sueldos el 15 de junio; 186 libras y 10 sueldos el 15 de octubre) por el arrendamiento de la sisa de carne, que al final ganó otro postor.

Honorato Blasco era un mercader de 34 años con tienda abierta en 1729. El año anterior, para pagar unas deudas que tenía con Gaspar Welter y los Herederos de Enrique Elver, les endosó un crédito de 430 libras, 12 sueldos y 4 dineros que decía tener con Andrés La Palma, de Villena. Pero este reconoció un crédito de 100 libras menos. Welter y los Herederos de Enrique Elver le reclamaron la diferencia, pero Honorato negó ante el juez tener más deudas con ellos.

SIGLO XIX

Según el padrón de propiedades, valores y rentas de 1814, María Blasco, viuda de José Ramos, poseía en la calle de los Santos Médicos una casa valorada en 7 000 reales. Pero tres años antes, «deseosa de fabricar una casa en el terreno» que el ayuntamiento vendía desde el baluarte de San Carlos hasta el muelle, pidió que se desmarcase parte de dicho terreno. Así lo hizo el 19-12-

1811 el arquitecto municipal, Antonio Jover, quien delineó los límites de un terreno «de treinta palmos de longitud que hace frente á la Plaza de las Barcas y calle de la Mar, y cinquenta y ocho palmos de anchura por ambos lados; y que su valor es de doscientos setenta pesos», precio que abonó María dos días después, al ser la única postora en la subasta pública.

En el mismo padrón de 1814 aparece Juan de la Cruz Blasco como propietario de una casa en la calle Mayor por valor de 30 000 reales.

Miguel Mora Blasco era marinero en la falúa de Sanidad del puerto en 1876.

Francisco Blasco Alonso era en 1878 oficial de la secretaría de la junta de Instrucción Pública.

Francisco Blasco Álamo fue vicepresidente (1897) y presidente (1898) del Casino, y administrador del Teatro Principal (1897-1899).

Pascual Blasco Torres

Natural de Elche, estudió la carrera de Magisterio en calidad de alumno interno, pensionado por su ciudad natal, en la Escuela Normal de Alicante desde 1844 a 1846. Obtuvo el título de profesor de instrucción primaria sacando sobresaliente en todas las asignaturas.

Ganó la oposición para profesor encargado de la Escuela Superior de Alicante el 23-12-1846 (inaugurada el 1-5-1847), tomando posesión del cargo el 1-1-1847 de manera interina, hasta que el 12 de octubre del año siguiente se le otorgó el nombramiento definitivo.

El 1-1-1862 se hizo cargo de la dirección de la primera escuela nocturna de adultos de la ciudad.

En 1860 fue premiado por la junta provincial de Instrucción Pública por su elevada distinción en el cumplimiento de su deber. En agosto de 1878 y marzo de 1886 recibió sendos premios de 500 pesetas por ser el profesor más antiguo de la ciudad.

Ejerció el magisterio durante 55 años, siendo el maestro de tres generaciones de alicantinos.

Militó en el partido liberal.

Falleció en su casa de Gerona 6 el 17-7-1901. El cabildo municipal se hizo cargo de los gastos de su entierro y sepultura provisional.

En el sexto aniversario de su muerte, el ayuntamiento organizó un homenaje en su recuerdo. Se creó una comisión para la recaudación de fondos mediante donación popular y en la tarde del 17-7-1907 se celebró una procesión cívica encabezada por el gobernador civil hasta el cementerio de San Blas, donde se celebró una ceremonia con la colocación en su sepultura definitiva de una lápida conmemorativa. Con las 442,50 pesetas recaudadas se pagó la lápida y el resto se distribuyó entre las familias más pobres de la ciudad.

El ayuntamiento puso su nombre a una calle en el centro, que hasta entonces estaba dedicada a Blasco de Garay.

Su hijo, Pascual Blasco Bellver, era abogado y se fue a vivir a Madrid. Colaboró con varios periódicos alicantinos, como *El Ateneo* (1896-1897), *La Correspondencia de Alicante* (1899) y *El Graduador* (1900).

Agentes del orden

Francisco Javaloyes Blasco era cabo de orden público en 1874.

Antonio Juan Blasco era sereno. Una noche de invierno de 1873 pereció en la calle tiroteado. Cuatro años después, su madre, Sebastiana Blasco Soler, reclamó al ayuntamiento los haberes atrasados correspondientes a dos meses y cuatro días que se le debían del sueldo de su hijo, lo que se le pagó en mensualidades a partir de diciembre de 1877.

Un hermano de Antonio, José, fue también cabo de serenos entre 1875 y 1903. Durante este tiempo intervino en numerosas operaciones de seguridad, impidiendo robos y arrestando a delincuentes. Una de sus intervenciones más peculiares fue quizá la que protagonizó el 14-11-1877, según relataba al día siguiente un reportero de *El Graduador*:

«(…) Unos gritos atronadores que se oían desde una casa de la calle de San Fernando, nos hizo acudir á ella, y nos encontramos con el dueño de las fieras que en dicha calle existen, pidiendo socorro, pues una hiena que pocos momentos antes había llegado de Marruecos, intentaba salirse de la jaula, mostrando ya fuera de ella una pierna y su enorme cabeza. Tres agentes de órden público que acudieron á tiempo, mostrando gran valor, se colocaron delante de la fiera y dispararon diez y nueve tiros, sin poderla matar. En esta brega espantosa, el cabo de serenos, José Juan Blasco, cogió un chuzo y la atravesó el corazon. El cabo de municipales ayudó tambien á los dueños de la casa y agentes de órden público á concluir con la hiena».

Quebrantadores del orden

Los hermanos José y Antonio Blasco fueron detenidos el 25-2-1898 por escándalo en la vía pública.

Año y medio más tarde, a las nueve de la noche del 8-9-1899, se hallaban ambos hermanos en el barrio de Benalúa, frente a la estación del tranvía, en compañía de Manuel Nadal. José estaba tocando la guitarra y canturreando, pero al parecer le molestó a Nadal lo que decía el cantante, pues de repente se abalanzó sobre él y, sin mediar palabra, le propinó varios golpes en la cabeza con una piedra. Intervino entonces Antonio en auxilio de su hermano, hiriendo a Nadal con una navaja, y huyendo en cuanto le vio caer al suelo, desangrándose. Ambos heridos fueron llevados por unos vecinos a la Casa de Socorro, donde fueron curados. José fue encarcelado a continuación y a Nadal lo trasladaron al hospital. A las cinco de la madrugada, en el llamado puesto de las Balsas, fue detenido Antonio Blasco por una pareja de la guardia municipal de caballería, siendo ingresado en la cárcel.

Francisco Javier Blasco Medina

Nació en Valencia en 1857. En 1871, terminados sus estudios en el conservatorio de Madrid, vino a instalarse en Alicante, obteniendo la dirección de la Sociedad de Conciertos y la plaza de profesor de música de las Escuelas de Artesanos. Muy celebrados eran a finales de siglo los conciertos que organizaba y dirigía con la Orquesta de Alicante en el Teatro Circo. Compositor, maestro de orquesta y pianista reputado a nivel nacional, fue autor de varias composiciones de carácter popular y del libro *Prontuario de Instrumentación*.

SIGLO XX

Ángel Blasco Pastor tenía a principio de este siglo una sastrería en Bazán, 48.

Agustín Bazán Blasco trabajaba en la Aduana. Fue ascendido y destinado a la provincia de Orense, pero venía a menudo a Alicante. En la mañana del 10-2-1908 se encontraba en la galería del balneario Diana. Al apoyarse en la barandilla le molestó la pistola que guardaba en el bolsillo de su americana. Al tratar de cambiarla de bolsillo, se le disparó y el balazo fue a darle en el pecho. Pero el proyectil resbaló en una costilla y, tras atravesar solo tejidos blandos, fue a incrustarse en una tabla de madera. Fue atendido en la Casa de Socorro, donde llegó con la ayuda de varias personas, aunque por su propio pie.

El barbero Vicente Blasco Paenal fue elegido el 17-1-1913 vocal de la recién constituida junta de delegados del Centro Obrero.

José Blasco Blasco fue elegido el 10-8-1916 secretario de la sociedad de obreros La Resistencia.

Emilia Blasco abrió en 1930 una abacería en Valencia, 1.

Adelfa Blasco era taquillera de la estación de Murcia (1931) y una controvertida activista republicana y anticlerical. Fue miembro de la sociedad benéfica Socorro de la República (1934).

Francisco Blasco Martínez fue nombrado practicante honorario de la Casa de Socorro el 28-12-1918. Tres años después pidió autorización para construir una casa en la calle Sevilla. En 1950 solicitó permiso para abrir una zanja e instalar una tubería de agua en la finca La Horteta, de Villafranqueza.

Primitivo Blasco Martínez era oficial de notarías (1927), pero su verdadera vocación era la música. Violinista y compositor, vivía en una casa que construyó en 1925 en la calle General Pinto. Fue presidente de la Asociación de Profesores de Orquesta (1931). En abril de 1936 fue acusado de estafa por el director de la sociedad Berkel, al haber abonado solo 92 de las 890 pesetas que costaba la balanza que le había vendido a plazos, pero en agosto se sobreseyó provisionalmente la causa en el juzgado. Tras la Guerra Civil fue represaliado, siendo condenado a prisión en el reformatorio de Alicante. Hallándose preso compuso la letra del himno de la Santa Faz (la música era de otro preso, José Rodríguez Marcos), que el director del reformatorio remitió al alcalde en diciembre de 1941, y este a la abadesa del monasterio de la Santa Faz unos meses después.

Francisco Blasco Payá fue represaliado por la comisión depuradora municipal tras la Guerra Civil, siendo destituido como guardia de la circulación por haber estado afiliado a la UGT y haber ingresado voluntario en el Cuerpo de Asalto.

Pascual Blasco Blasco, nacido el 26-10-1890, fue deportado al comienzo de la Segunda Guerra Mundial a los campos de concentración nazis. Murió el 31-7-1941 en el de Gusen (Austria).

Abilio Blasco Pastor era en 1949 representante de Radio Borne, sita en la Rambla. Al año siguiente abrió una tienda de aparatos de radio en San Francisco, 15.

María Vicenta Blasco Alberola abrió en 1950 una tienda de baratijas y caramelos en Calderón de la Barca, 17, que convirtió en heladería en 1955. Tres años después abrió una tienda de comestibles en General Mola, que amplió en 1962, y otra en avenida Novelda 6, en 1965.

También una tienda de comestibles abrió en 1954 Cipriano Blasco Corbatón, en Benito Pérez Galdós, 50, que amplió y convirtió en supermercado en 1964.

José Blasco Robles firmó como arquitecto la construcción en Agua Amarga de dos depósitos de agua (1957) y un almacén de bombonas (1965), para la factoría de Butano S.A.

Salustiano Blasco Asensi abrió en 1961 un taller eléctrico y para automóviles en San Agatángelo, 4. Tres años antes pidió permiso para construir un panteón para él y sus hermanas María y Berta.

Otro taller de automóviles fue abierto en 1964 por Rafael Blasco González, en Santa María Mazarello, 14.

Una autopsia con suspense

José Blasco Vicente vivía en la partida de El Rebolledo, donde tenía prósperos negocios agrícolas. Era rico y estaba casado, aunque llevaba varios meses separado de su esposa cuando en los primeros meses de 1912 decidió trasladarse con su madre a la Posada Nueva, situada en el paseo Gadea, regentada por su hermana Josefa y su cuñado Jacinto Candela Bañuls.

José se hallaba enfermo desde hacía algún tiempo. Sufría ataques de ciática y quiso someterse al tratamiento de los mejores médicos, si bien en su desesperación consultó también a alguna curandera.

Su esposa vino a verle varias veces, hasta que a mediados de julio se reconciliaron. No obstante, ella regresó a El Rebolledo, adonde volvería él en cuanto se recuperase de su dolencia. Pero al día siguiente empeoró repentinamente. Empezó a sufrir dolorosísimos retortijones y alarmantes convulsiones que hicieron suponer al médico que le atendió en un posible envenenamiento con estricnina. Los remedios fueron inútiles y José falleció entre horribles sufrimientos.

El médico se negó a certificar tan extraña muerte y el juez ordenó el traslado del cadáver al cementerio, para que se le practicara la autopsia.

Lógicamente, los periódicos alicantinos dieron la noticia. Algunos se emplearon a fondo, como *Diario de Alicante*, cuyo reportero, que firmaba con el seudónimo de Murciélago, se esmeró en la investigación de los hechos: Que si el fenecido compraba las medicinas que le recetaban los facultativos en persona y se las tomaba sin ayuda ajena; que si el día anterior a su muerte se había gastado 1 500 pesetas… La descripción detallada de la horrible agonía y del cadáver con la cara horriblemente desfigurada que ofreció a sus lectores ocupó buena parte de su artículo del 22-7-1912. Durante dos semanas informó casi a diario sobre la espera de los resultados de la autopsia realizada por los doctores Pascual Pérez y Ladislao Ayela, y el posterior análisis de las vísceras llevado a cabo por el doctor Ferret en el Laboratorio Municipal. Al final, en una noticia breve publicada el 8 de agosto, informó (con cierto tono de decepción) de que «no hubo envenenamiento como se sospechaba».

Juan Bautista Albert Blasco

Entre 1912 y 1934 publicó con frecuencia anuncios en la prensa alicantina en los que ofertaba los servicios de su clínica médico-quirúrgica, situada en Canalejas, 1, bajos, derecha. A partir de 1927 avisaba en los anuncios que contaba con Rayos X.

Fue profesor auxiliar de la Escuela Normal del Magisterio Primario y de la Escuela de Trabajo, y colaboró con *El periódico para todos*.

Además de médico también fue político. En 1931 era presidente de la Comisión de Propaganda del Partido Republicano Radical Socialista.

Murió el 24-4-1936.

Rafael Blasco García

Nació en Orihuela, pero residió en Alicante durante la mayor parte de su vida.

Abogado y funcionario de Hacienda, contrajo matrimonio con la hija de Francisco Ballesteros, que había sido alcalde de Orihuela y presidente de la diputación. Tuvieron dos hijos: Rafael y Francisco. Paquito Blasco Ballesteros falleció el 10-8-1918 con un año de edad y poco después murió su madre.

El padre de Rafael, Juan Blasco, que era teniente coronel de Infantería y tío del ilustre novelista Vicente Blasco Ibáñez, falleció el 17-1-1923 en Orihuela, donde vivía desde hacía muchos años. El 30 de ese mismo mes, Rafael se casó en segundas nupcias en Murcia, naciendo su hijo Sigfredo en Alicante el 23 de noviembre.

El 14-7-1923 fue nombrado delegado regio de Primera Enseñanza. Fue el último en ocupar dicho cargo, puesto que se suprimió mediante decreto en noviembre de ese mismo año.

En 1928 daba clases de Economía Política y Derechos Administrativo, Mercantil y Penal, en la Academia Politécnica Muro, situada en Alfonso el Sabio, 22, entresuelo. El 26 de mayo de dicho año dio una conferencia sobre su primo Vicente Blasco Ibáñez (muerto el 28 de enero anterior) en el Círculo Republicano de Benalúa.

Fue elegido presidente del Círculo de Alianza Republicana de Alicante el 20-1-1929 y vocal del Comité Ejecutivo Provincial el 8-4-1930. Al año siguiente, fue elegido vicepresidente del Círculo Republicano Radical (que sustituyó al de Alianza Republicana). En 1933 era presidente de la junta municipal del Partido Republicano Radical y en 1934 cofundó en Alicante el Partido Unión Republicana.

En las elecciones de 1931 fue elegido concejal; en 1932 era teniente de alcalde y en octubre de 1933 fue nombrado vocal del Tribunal de Garantías Constitucionales.

Fue redactor de *El Luchador* (firmando las noticias de la sección de Tribunales con el seudónimo de Tito Livio) y presidente de la Asociación de la Prensa (1931-1932) y del Consejo de Administración de *Diario de Alicante* (1932).

Murió el 11-5-1935 en su casa de avenida Gadea 6, 2.º.

Su hijo Rafael Blasco Ballesteros estudió en la Escuela de Ingenieros de Madrid.

Problemas con la justicia

Ramón Blasco Figuerola fue detenido por reñir con otro individuo el 17-1-1913 en la plaza de la Constitución (Portal de Elche). El 5-4-1918 fue denunciado por el dueño de una agencia situada en plaza Isabel II 4, de donde era dependiente, por haber desaparecido llevándose 128 pesetas del negocio. Fue detenido cuatro días después. Su hermano Rafael tenía 23 años cuando, el 4-11-1914, desapareció también de su trabajo de carretero, llevándose las 49 pesetas con las que debía de haber pagado el pienso de la caballería de su jefe. El 4-10-1916 fue arrestado por mofarse de un guardia urbano. Se casó el 21-1-1918 con Magdalena Pérez y en 1949 abrió una cuadra en General Espartero, 42.

José Blasco Cores, con varias causas pendientes por robo, se fugó de la cárcel el 4-12-1917 y fue detenido por la Guardia Civil en Villajoyosa el 27 de junio siguiente.

Juan Blasco Beviá, alias Torero, fue absuelto el 31-10-1919 del delito de parricidio. El 13-6-1925, trabajando en el puerto, se fracturó la mano izquierda. El 30-8-1927 fue denunciado por promover escándalo junto con otro individuo en la calle Primo de Rivera; y el 21-4-1934 fue detenido por reñir con otros dos, usando un cuchillo, en Capitán Hernández Mira, 13. En esta misma dirección y también con un cuchillo hirió el 9-8-1937 a Vicente Crespo, quien previamente había pegado un puñetazo a Pura, hermana de Juan. Este tenía 50 años y fue condenado a 8 meses y 21 días de prisión, y a indemnizar a Crespo con 1 090 pesetas.

Antonio Mingot Blasco contaba en 1957 con un largo historial de delitos menores. Encausado por robos cometidos en 1939, 1940, 1943 (dos veces), 1944 (tres veces) y 1947, y por hurtos en 1940 (dos veces) y 1942, fue sentenciado a penas de prisión de entre un mes y 5 años.

ACTUALIDAD

La alicantina es la quinta provincia española donde hay más Blasco censados, por detrás de la valenciana, zaragozana, barcelonesa y madrileña.

Arcadio Blasco Pastor murió hace tres años en un hospital madrileño. Nacido en Mutxamel en 1928, fue un escultor de reconocido prestigio nacional e internacional. Muchas de sus obras están expuestas en museos europeos y americanos, y algunas adornan nuestra ciudad, como el *Monumento a la Constitución* (1986).

Miriam Blasco Soto nació en Valladolid el 12-12-1963, pero a los 18 años se vino a vivir a Alicante, donde estudió Magisterio y practicó yudo. Entre 1989 y 1994 ganó una medalla de oro y otra de bronce en campeonatos mundiales de yudo, y dos de oro, una de plata y cuatro de bronce en campeonatos europeos. Pero su mayor logro fue la medalla de oro en las Olimpiadas de Barcelona 92. En 1996 abrió su primer club de yudo. Ha sido senadora por el PP entre 2000 y 2011. Hay en la Albufereta una avenida con su nombre.

María Antonia Blasco Marhuenda nació en Verdegás en 1965. Estudió Biología en la Universidad Autónoma de Madrid, obteniendo el doctorado en Bioquímica y Biología Molecular en 1993. Trabajó en el Cold Spring Harbor Laboratory de Nueva York entre 1993 y 1997. En este último año se incorporó al Centro Nacional de Biotecnología de Madrid y en 2003 al Centro Nacional de Investigaciones Oncológicas (CNIO), que dirige desde junio de 2011. Miembro de varios comités científicos y autora de más de 200 artículos, ha recibido numerosos premios internacionales. Reside en Madrid. El 3-5-2007 se puso su nombre a una calle de la pedanía alicantina donde nació.

Estadísticas BLASCO

LUGAR	APELLIDO 1.º	APELLIDO 2.º	AMBOS APELLIDOS	TOTAL	% ESPAÑA	% PROVINCIA
ESPAÑA	25 564	25 711	427	51 702	100	-----
PROVINCIA ALICANTE	2 290	2 438	55	4 783	9,25	100
ALICANTE CIUDAD	653	619	7	1 279	2,47	26,74

Fuentes: INE y Ayto. Alicante

BAUTIMOS Y MATRIMONIOS (ss. XVI-XIX)

SIGLO	BAUTISMOS BLASCO PRIMER APELLIDO			MATRIMONIOS VARÓN BLASCO		
	STA. MARÍA	S. NICOLÁS	TOTAL	STA. MARÍA	S. NICOLÁS	TOTAL
XVI	1	10	11	0	2	2
XVII	17	70	87	3	18	21
XVIII	24	54	78	2	19	21
XIX	28	183	211	6	39	45

«Mi padre, mi abuelo y mi bisabuelo eran conocidos con el apodo de Maño»

José Luis Blasco Sabater es un hombre llano, en el mejor sentido del adjetivo: accesible y sin pretensión. Es, además, un hombre afable, tranquilo y trabajador.

Nació el 14 de octubre de 1961 en El Altet, pero aún no había cumplido cuatro años cuando vino con su familia a vivir a la ciudad de Alicante, concretamente al barrio de la Florida. Con 17 años empezó a trabajar en un almacén de muebles de baños y en agosto de 1982 entró en el ayuntamiento como auxiliar administrativo. Desde entonces ha trabajado en la Concejalía de Servicios y Mantenimiento.

El 13 de junio de 1987 contrajo matrimonio con Ana Isabel Cortés Estela, nacida en Alicante el 12 de agosto de 1964. Anabel es funcionaria de la diputación. Vivían en la plaza de la Viña. El 19 de octubre de 1989 nació su hija, Elena, en la clínica Vistahermosa. «Dos días después, cuando nos llevamos a casa a Elena, coincidió que fue inaugurada oficialmente la plaza de la Viña por el alcalde Lassaletta», recuerda José Luis. Elena tiene ahora 26 años, está soltera, graduada en Magisterio y trabaja en el colegio de los Salesianos. Vive con sus padres en una urbanización del Cabo de las Huertas desde hace 18 años.

Los padres de nuestro entrevistado nacieron en El Altet: José Blasco Gadea (16-1-1931) y Josefa Sabater Menéndez (13-7-1933). Además de José Luis, tuvieron a Carlos Salvador, nacido también en El Altet el 4-11-1965. Es profesor en un instituto de Jávea y está casado con M.ª Jesús Blasco, que tiene el mismo apellido pero que es nacida en Asturias y criada en Bélgica.

El padre de José Luis fue albañil y funcionario del ayuntamiento alicantino desde junio de 1982 hasta 1986, que se jubiló como oficial de brigadas. Falleció el pasado 18 de abril.

El abuelo de nuestro entrevistado se llamaba igual que su padre: José Blasco Gadea, porque se casó con una prima suya: Luisa Gadea Picó. Ambos nacieron en El Altet. Él trabajó en la fábrica Cross de Alicante. «A mi abuelo le apodaban el Maño, heredado de su padre, mi bisabuelo, que se llamaba Francisco Blasco Calvo y que, al parecer, nació en Aragón». José Luis no sabe más de su bisabuelo porque «la rama paterna de mi familia está formada por gente muy discreta».

José y Luisa tuvieron cuatro hijos: José, Luisa, Francisco y Francisca. Los cuatro nacieron en El Altet, donde son conocidos con el apodo de Maño.

BUADES

HUMILDES Y LABORIOSOS

Como sucede con otros apellidos, en los registros parroquiales aparecen variantes que nacen de la arbitrariedad del escribiente de turno (coincidente la mayor parte de las veces con el propio cura que ha oficiado el sacramento). En este caso, la variante más repetida es la de Boades. Existen varias familias en las que hay hermanos registrados de ambas formas: Buades y Boades.

Cronológicamente, el primer documento que se conserva en la ciudad de Alicante en el que se menciona este apellido es un libro parroquial de Santa María, correspondiente al bautismo, en 1549, de Lorenza Gerónima, hija del botero Esteban Buades. No se menciona a la madre. Como tampoco se menciona en los registros de los demás hijos de este botero: Isabel Juana (1555), Pedro José (1559), Juana Ángela (1561) y Francisco Juan (1563), todos ellos bautizados en la iglesia de Santa María.

Aunque no se conserva su registro bautismal (seguramente porque nació antes de 1549, o porque fue bautizado en la parroquia de San Nicolás, cuyo primer registro de un Buades es de 1570), el botero Esteban Buades tuvo otro hijo al que puso su mismo nombre, y que también se dedicó al mismo oficio. En el registro de su matrimonio con Mariana Sánchez, celebrado en San Nicolás en 1574, sí que aparece el nombre de su madre: Isabel Roca.

Esteban Buades Roca y Mariana Sánchez bautizaron en Santa María a cinco hijos: Isabel Juana (1575), Esteban Juan (1576), Francisco Juan (1578), Isabel Juana (1588) y Francisco Lucas (1590).

Un recuerdo de la batalla de Lepanto

Josefa Buades contrajo matrimonio con Antonio Venrell, uno de los cuatro alicantinos que participaron en la célebre batalla naval de Lepanto (1572) y que regresaron vivos. Según el cronista Viravens, Venrell «invocó a la Sma. Faz cuando en aquel memorable combate vio comprometida su vida, así que regresó a su patria, mandó pintar en un lienzo la situación difícil en que se vio en aquella famosa refriega, cuadro que el devoto alicantino depositó en la iglesia de Santa Verónica como testimonio de su gratitud a la sagrada Reliquia».

Pero nada más se sabe de este cuadro. Ni quién lo pintó ni lo que pasó con él (no se le ha vuelto a mencionar entre las obras conservadas o perdidas del camarín de la Santa Faz).

Antonio y Josefa tuvieron dos hijos, que fueron bautizados en la iglesia de Santa María: Antonio (1576) y Francisco Venrell Buades (1579).

Fundador de la Escuela de Cristo

Antonio Buades Avellá fue bautizado en San Nicolás el 27-12-1593. Sus padres, Antonio e Isabel, se habían desposado en el mismo templo en 1586. Además de Antonio, tuvieron cinco hijos más: Úrsula (1588), Nicolás (1591), Isabel (1596), Francisco (1598) y Margarita (1600).

Viravens incluye en su relación de *Alicantinos ilustres en santidad* al doctor Antonio Buades, «sacerdote de mucha virtud, que ejerció doce años la cátedra de Hebreo en la Universidad de Valencia. Fue Confesor de don Luis Crespí, Obispo de Orihuela; y aunque este prelado y otras personas ilustres quisieron tenerle á su lado para edificarse en los ejemplos de su gran santidad y obtener el consejo de su saber, nuestro paisano prefirió retirarse á Alicante, para ejercer aquí las altas cualidades con que le dotó el cielo (…).Fundó en esta Ciudad la Escuela de Cristo, que estableció en su propia casa; despues la trasladó al Santuario de San Roque, y luego á la iglesia del Carmen que es donde nosotros la hemos conocido. El doctor Buades vivió ochenta y cinco años, muriendo en opinion y fama de santidad el 23 de Mayo de 1668 (…)».

En honor a este sacerdote, el ayuntamiento puso por nombre Doctor Buades a una calle del barrio de Carolinas, que anteriormente se llamaba Jericó.

Un mercader deudor

Francisco Buades era un mercader que tenía tierras cultivables en la Universidad de San Juan a finales del siglo XVII y principios del siguiente. Lo sabemos por varios documentos custodiados en el Archivo Municipal de Alicante. Gracias a ellos podemos deducir que debía poseer bastantes bienes, y también no pocas deudas.

Así, el 24-7-1694 fue instado por el notario arrendador de los derechos de sisa mayor y pesca, a pagar una deuda de 60 libras en un plazo de dos días, so pena de sufrir exilio. Pero como estos cargos municipales eran trienales, en 1699 era Francisco Buades, como arrendador de la imposición de saladura y tabaco, quien reclamaba al mercader Antonio Puigcerver el pago de impuestos correspondientes a 135 barriles de tabaco cortado.

En 1703, Buades se querelló con el síndico de la ciudad por el precio del trigo; y en 1710 fue él el demandado, por José Marco, porque «anda jactándose de que le debo 150 libras, siendo falso».

SIGLO XIX

Josefa Buades, viuda de Joaquín García, poseía en 1814 una casa en la calle Villavieja, por valor de 2 000 reales.

Alejandro Buades Giner obtuvo el título de maestro de primera enseñanza en junio de 1890. En agosto de 1894 fue nombrado comisionado de ventas de la provincia, cargo en el que cesó el 4 de febrero del año siguiente. Su hermana Vicenta falleció el 17-3-1897. Era esposa del profesor Rosendo Calatayud y, según *El Nuevo Alicantino*, dejó «cuatro hijos en infantil edad».

El 31-3-1897 fue adjudicado por la Dirección General de Propiedades y Derechos del Estado, el monte de 26 hectáreas denominado «Mojón y Buenavista», situado en el término municipal de Agost, a Juan Lledó Buades, vecino de Alicante, por 294 pesetas. Como se ignoraba su domicilio, varios periódicos alicantinos publicaron la noticia los días 5 y 6 de mayo, avisándole de que tenía «un plazo de quince días para presentarse a formalizar el pago». No hemos logrado averiguar si al final Juan Lledó Buades se quedó con aquel monte. Sin embargo, sabemos que el año anterior pidió permiso municipal para proceder a la apertura de un hueco en su casa de la plaza Santa Teresa, 30.

Buades-Bellvert

Alejandro Buades Bellvert era herrero y contratista de obras. A finales de 1882 construyó una obra aisladora del fuego en el Teatro Principal. Vivía en San Francisco, 29. A consecuencia de un fuerte temporal ocurrido los días 9 y 10 de febrero de 1886, fueron destruidas tres casetas de peones camineros que Alejandro había construido en la carretera de Silla a Alicante (actual avenida de Villajoyosa), por lo que se dirigió al Gobierno Civil en solicitud de indemnización.

En febrero de 1887, le fue adjudicada por 6 100 reales la reparación de la caseta de carabineros que había en Pilar de la Horadada. Y en este mismo año anunciaba en la prensa alicantina la tienda-almacén que tenía en Mayor, 33, dedicada a la venta de «camas de hierro inglesas, sommiers, hornillas económicas, butacas-camas de reconocida utilidad para los enfermos convalecientes...». Murió el 17-2-1904.

Salvador Buades Bellvert fue elegido el jueves 2-2-1882 vocal de la nueva junta directiva del Colegio Profesional Agronómico. En julio de ese mismo año fue nombrado perito supernumerario de la riqueza rústica con destino a la Administración de Contribuciones y Rentas.

SIGLO XX

En los primeros años de este siglo había un guardia municipal llamado José Buades.

Francisco Buades era concejal del Ayuntamiento de Villafranqueza en 1909.

Francisco Buades Poveda era operario del almacén que Julio Pillet tenía en la calle San Fernando. El 22-6-1915 sufrió un accidente laboral, por el que fue atendido en la Casa de Socorro de una fractura del cuarto metacarpiano izquierdo.

Rosa Buades Berenguer abrió en 1939 una churrería en Pelayo, 2.

Santiago Tito Buades era maestro nacional. En 1936 organizó una colonia infantil para niños refugiados en Villajoyosa y durante la Guerra Civil fue comandante del batallón Alicante Rojo. Detenido el 1-4-1939 en el puerto de Alicante, un tribunal militar le sentenció el 8 de julio siguiente a pena de muerte, pero quedó libre el 10-10-1943, aunque inhabilitado durante cinco años. Su hermano José abrió en 1954 un local de impermeabilización de trajes de lona en Enriqueta Ortega, 17.

Francisco Buades González (hijo de Miguel y Francisca, casados en 1897) abrió en 1948 una cabrería en Garbinet, 78 y un puesto de venta de leche en Dangiol, 10.

Vicente Buades Jordán pidió permiso municipal en 1950 para instalar un compresor de aire en las calles Italia y Arzobispo Loaces. En 1956 abrió un taller de chapistería en Reyes Católicos. Y en 1961 aumentó un piso en República Argentina, 22.

Alfonso Buades Iborra abrió en 1960 un taller eléctrico en avenida Jijona, 54.

Carmen Buades Pomares abrió en 1961 una cacharrería en Carlos Arniches, 8.

Ramón Buades Guijarro abrió en 1963 una droguería en plaza Navarro Rodrigo, 6.

Bernardo Pérez Buades

Hijo de Bernardo y Emilia, nació el lunes 9-1-1888.

Licenciado en Química, a mediados de 1919 dirigía en el colegio de San Luis Gonzaga el curso preparatorio para las carreras universitarias de Medicina y Farmacia.

En 1925 solicitó autorización para construir una casa en la calle Foglietti esquina con la de Alberola.

Fue secretario (1929) y director (1932) de la Escuela de Trabajo de Alicante; y jefe de la Residencia de Estudiantes (1931), antiguo colegio San Luis Gonzaga, anexa al Instituto de Segunda Enseñanza.

En 1933 pidió permiso para construir un panteón en el cementerio, y al año siguiente una casa de planta baja y dos pisos en la calle Médico Pascual Pérez.

Presidente del gremio de albañiles

José Martínez Buades vivía en Trafalgar, 32 y era presidente de la Sociedad de Albañiles de la ciudad. El 13-2-1902 dirigió, junto con el presidente de la sociedad de canteros, un escrito al alcalde, firmado además por otros 123 profesionales de la construcción, quejándose «de la conducta del Sr. Arquitecto Municipal, en lo que se refiere al despacho de los expedientes de reparos y edificación (…), por el retraso que estos sufren en su departamento, así como la torcida y tiránica interpretación que suele dar á las ordenanzas vigentes». En la carta se lamentaban de que tales retrasos ocasionaban «perjuicios de gran consideracion no solo á los firmantes de la presente, á quien les priva de los jornales de que tanto necesitamos para atender á nuestras cotidianas necesidades, sino tambien á los Sres. propietarios que muchas veces se retraen de emprender obras por no luchar con las dificultades que dicho Señor funcionario les opone á cada paso con pretestos injustificados».

La Comisión de Ornato del Ayuntamiento abrió un expediente el 17 de febrero y, tras escuchar la declaración del arquitecto Enrique Sánchez Sedeño, dictaminó que la denuncia presentada por Martínez Buades y demás albañiles y canteros no tenía «otro alcance que obtener del ayuntamiento que las licencias para toda clase de obras se tramiten con gran diligencia para evitar perjuicios a la clase obrera y que la casi totalidad de los que la firman lo han hecho por espíritu de clase», y dado que la tramitación de los expedientes por parte del arquitecto municipal «ha seguido la marcha ordinaria», desestimó la reclamación.

José Buades Pérez

Abrió su consulta de oculista en Bilbao 4, 1.º, en diciembre de 1913. También atendía «gratis á los pobres en el Dispensario de la Cruz Roja» (*La Unión Democrática*, 25-12-1913).

El 30-6-1916 se le nombró médico oculista del Cuerpo de Beneficencia Municipal con carácter honorífico y gratuito, para servir la consulta de oftalmología de la Casa de Socorro.

El 8-6-1917 fue provista en propiedad, mediante concurso público, la plaza de médico oculista de la Beneficencia Municipal. Buades se presentó a este concurso y fue propuesto por la comisión correspondiente en el primer puesto, pero el alcalde (Ricardo Pascual del Pobil) eligió al concursante José Gadea Beneyto, que figuraba en segundo lugar. Buades hubo de conformarse con un reconocimiento público por su «brillantez y generosidad», continuando su labor como sustituto de manera gratuita.

En 1919 se anunciaba en la prensa como «Miembro de la Sociedad Oftalmológica Hispano Americana. Curación de las enfermedades de los Ojos, Párpados y vías lagrimales. Graduación de la vista por procedimientos modernos. Consulta de 10 a 1 en la calle de Bilbao núm. 4. Al lado de la "Isleña Marítima"».

En 1929 trasladó su consulta privada a San Fernando 34, y comenzó a pasar «consultas públicas y gratuitas» en el Hospital Provincial.

En abril de 1935 se le designó en propiedad la plaza de oftalmólogo de la Beneficencia Municipal.

Buades-Ramos

En Bilbao 4, en el mismo sitio donde el doctor Buades había tenido abierta su consulta de oculista, en 1935 tenía abierta una camisaría Vicente Buades Ramos. Lo sabemos porque en la noche del 5 al 6 de abril de dicho año, le robaron «cuatro camisas de popelín, dos listadas y dos lisas, ignorando quienes puedan ser los autores del hecho» (*El Día*, 6-4-1935). En 1962, Vicente Buades Ramos solicitó permiso para construir un panteón en el cementerio para él y su esposa, Josefa Rosa Riefa Orguín.

En este mismo local situado en Bilbao, 4, Aurora Buades Ramos abrió en 1946 un taller de modista. El año anterior había abierto un establecimiento para lavado y planchado de ropa en San Francisco, 30; y en 1949 abrió otro taller de planchado con motor en Gerona, 10.

Ramón Buades Ramos abrió en 1940 un bodegón en Doctor Just, 25, que en 1954 amplió en el número 27 de la misma calle, para venta de vinos y aguardientes. En 1957 dio de baja la taberna en Doctor Just, 25 y la abrió un año después en el número 27.

Ripoll-Buades

En ese mismo año de 1957, y en ese mismo edificio de Doctor Just, 25, Ricardo Ripoll Buades pidió permiso municipal para construir dos pisos más. Y en 1961, Ricardo, José y Aurora Ripoll Buades aumentaron un piso en Doctor Just, 27.

Ricardo Ripoll Buades fue presidente en 1950 de la barraca «*Che quin fum fa*», situada en la avenida Poeta Carmelo Calvo (entre las calles Padre Mariana y Capitán Segarra), y en 1962 pidió permiso junto con su esposa, Gloria Gadea Planelles, para construir un panteón.

Evaristo Buades Asensi

En la tarde del domingo 19 de septiembre de 1915, los aficionados salieron de la plaza de toros de Alicante muy enfadados con la gestión del presidente de la lidia, Pedro Olmedo. Tan enfurecidos estaban que, al ver en una tartana a un hombre que creyeron identificar como el tal Olmedo, se dedicaron a apedrear el vehículo, ocupado por seis hombres. Resultó que eran dependientes de los Almacenes del Águila, que venían de pasar un día de campo en Villafranqueza. Para cuando los enfurecidos aficionados taurinos se dieron cuenta del error, algunos de aquellos inocentes dependientes estaban bastante magullados, sobre todo el que vestía un traje parecido al que llevaba el presidente de la corrida, llamado Evaristo Buades, quien debió ser atendido en la Casa de Socorro.

Evaristo contrajo matrimonio con Teresa Torrent el 12 de septiembre de 1918. Tuvieron una hija, Teresa, que celebró su primera comunión en la capilla de las Carmelitas el 12-5-1931.

El 10 de julio de 1925, Evaristo Buades Asensi y su socio, Juan Asensi Sánchez, solicitaron permiso para instalar un electromotor en la finca El Molino, situada en el camino de la Balsa Nueva, en Villafranqueza, donde tenían un almacén de depósito y lavado de minerales. El electromotor serviría para convertir el depósito en fábrica de ocres y almagres. Tenían su despacho en Alfonso el Sabio, 40. Antes de concederles la autorización, el ayuntamiento palamonero hizo que se publicase la solicitud en el Boletín Oficial de la provincia (11-7-1925), dando un plazo de 15 días para la recepción de reclamaciones. Estas no se hicieron esperar, y el 18 de julio 55 vecinos firmaron una carta en la que protestaban por la apertura de la fábrica, ya que «forzosamente tiene que producir por la especial naturaleza de los expresados minerales y polvos que de ellos se desprende un tinte de color amarillento en edificios, camino, árboles y tierras colindantes y próximas». El 23 de octubre giraron una visita de inspección el alcalde y el inspector municipal de Sanidad, levantando la correspondiente acta, en la que se decía que la fábrica «se halla ajustada su instalación a las condiciones de las modernas industrias, por haberse colocado potentes aparatos inspiradores que absorben el polvo producido no permitiendo que este salga constantemente al exterior, cumpliéndose así los requerimientos exigidos por el señor delegado del Gobierno Civil». Como consecuencia de ello, el Ayuntamiento de Villafranqueza concedió el permiso el 28 de diciembre. Cuatro meses más tarde, 18 vecinos volvieron a solicitar el cierre de la fábrica porque, en su opinión, constituía «un inminente peligro para la salud pública» y porque, además, Buades y Asensi habían construido un horno para la cremación de los minerales. La Comisión Municipal Permanente desestimó la instancia el 3 de mayo; así como una nueva reclamación vecinal, presentada siete días después.

En septiembre de 1930, Evaristo Buades se anunciaba en prensa como delegado para la provincia de Alicante del Banco Hispano de Edificación, con oficina en Alfonso el Sabio, 44.

Tenía dos hermanas: Luisa, que murió en Villafranqueza el 28-5-1931; y Josefa, que falleció el 7-4-1934.

Muñoz-Buades

Francisco, Rafael y Guillermo Muñoz Buades eran sobrinos del anterior (hijos de Luisa Buades Asensi).

Francisco Muñoz Buades era profesor mercantil y contable del Banco de Vizcaya. Se casó en agosto de 1925 con Manuela Marco. Fueron padres de María Luisa, que murió siendo niña el 1-7-1930. A mediados de 1933 era interventor de Campsa, siendo destinado a Guadalajara como gerente de dicha empresa. En su ejemplar del 11-1-1935, *El Día* informaba de que la expendeduría de carnes y embutidos que Francisco Muñoz Buades poseía en el barrio de San Blas (Doctor Santaolalla, 16) había sido cerrada por orden de la Inspección Municipal Veterinaria, «por no existir las mínimas condiciones exigidas». Al finalizar la Guerra Civil, fue detenido por haber tenido «una actuación favorable a los rojos». Juzgado por un Consejo de Guerra, fue absuelto. Se le consideraba «persona de orden, pero no afecto a la Causa Nacional». En 1956 y 1957 pidió permiso municipal, como presidente de la barraca Los Gorilas, para instalarla en la plaza Ruperto Chapí, «en la pared del Teatro».

Rafael Muñoz Buades estudió en la Escuela Superior de Comercio. Contrajo matrimonio el 18-12-1927 con María de las Mercedes Girón, en la iglesia de San Francisco, celebrando el banquete en el Hotel Reina Victoria. En agosto de 1928 fue nombrado inspector provincial del Banco Hispano de Edificación. Fue detenido el 9 de mayo de 1939 por haber pertenecido al PCE. Fue condenado a pagar una multa y al embargo de sus bienes, pero en abril de 1940 se levantó la orden de embargo. En 1950 pidió permiso municipal, como presidente de la barraca Los Gorilas, para instalarla en el cruce de la avenida Alfonso el Sabio con las calles General Primo de Rivera y San Vicente.

Guillermo Muñoz Buades fue maestro nacional y periodista: redactor-jefe del semanario *Rebeldes* (1933); redactor del semanario *Rebeldía* (1931) y de *Diario de Alicante*; y colaborador habitual de la revista *Juventud* (1930). Fue vicepresidente de la junta provincial del Partido Radical. Se casó el 2-11-1934 con Milagros Sagasta.

Manuel Buades Climent

Contratista de obras que realizó numerosos trabajos en la ciudad entre los años 1920 y 1965. En 1960 abrió en San Vicente, 19 una oficina a nombre de Seguros Vértice, S.A. En enero de 1964 fue nombrado concejal en representación sindical. En 1965 pidió permiso para edificar en terrenos de la playa de San Juan.

Buades-Terol

José Buades Terol fue agricultor y alcalde pedáneo de Orgegia y la Albufereta desde el reinado de Alfonso XIII hasta los primeros años de la dictadura franquista. Fue también síndico y vicepresidente del Sindicato de Riegos de la Huerta. En 1923 fue multado con 25 pesetas por vender leche de cabra de mala calidad a la fábrica de helados La Ibense. Durante la Guerra Civil protegió en su casa a personas perseguidas por su ideología, sin importarle su filiación política. Falleció el 12-2-1942 en Torre Santiago (Diana, 30). A propuesta de Alicante Vivo, el ayuntamiento puso su nombre en mayo de 2012 al parque situado en la confluencia de las calles Tridente y Curricán, en Cabo de las Huertas.

Manuel Buades Terol solicitó autorización municipal en 1949 para la construcción de tres casas de planta baja en la calle Doctor Sapena.

Asunción Buades Terol pidió permiso para construir un panteón en 1953, un mirador en San Vicente, 30, y un edificio compuesto de planta baja, entresuelo comercial y ocho pisos en San Vicente, 28-30, en 1961.

Baeza-Buades

Antonio Baeza Buades era concejal en 1935. Abrió en 1941 un almacén y oficinas de exportación de pescado en Ramón y Cajal, 8; y una bodega en San Vicente, 20, en 1950.

José Baeza Buades construyó en 1947 un chalé en la playa de San Juan; un edificio de diez viviendas en la avenida de Dénia, en 1958; y otro de cuatro plantas en Jazmín, 21, en 1958. Pidió permiso para construir en 1960 otro edificio en la playa de San Juan a nombre de Constructora del Sudeste, S.A.

Luis Baeza Buades solicitó autorización en 1954, junto con dos socios, para construir cinco edificios de planta baja y cuatro pisos en la calle Barcelona.

Víctima del bombardeo del 25 de mayo de 1938

Durante la Guerra Civil, Mariano Buades Hernández presidió la Sección de Camareros de la UGT, fue miembro de un Tribunal Popular y agente del SIM (Servicio de Inteligencia Militar). El 9 de abril de 1941 fue condenado a la pena de muerte, pero le fue conmutada a 30 años de cárcel y luego a 12. Salió del Reformatorio de Adultos el 2 de noviembre de 1943 en libertad condicional.

En 1949 vivía en Juan de Herrera 52, 2.º. El 10 de junio de aquel año envió una carta al alcalde solicitando se le concediera gratuitamente el derecho a perpetuidad del nicho en el que estaba enterrada su hija.

María Buades Pérez tenía 17 años cuando falleció en el Banco Internacional, víctima del bombardeo que sufrió Alicante por parte de la aviación fascista el 25-5-1938. Fue enterrada tres días después en el nicho 2 230, grupo 149, andana 1, del cementerio municipal. Su padre había pagado el arrendamiento de diez años y, transcurrido este tiempo, recibió un aviso para que abonara 250 pesetas si quería prorrogarlo.

El alcalde pidió informes a la Asesoría Jurídica, al jefe de la Policía Urbana y al jefe del negociado de Cementerios. Al mismo tiempo, Mariano Buades compareció en la secretaría del ayuntamiento para entregar el certificado de defunción firmado por el médico Eduardo Lafuente, en el que decía que había atendido a María Buades el 25-5-1938 de una perforación intestinal, producida por herida de metralla, con orificio de entrada en región glútea, pero que había fallecido el día 27.

Los informes municipales confirmaron los hechos, si bien determinaron que María Buades no «era merecedora de la calificación de "Caída por Dios y por la Patria"» y, por tanto, no podía accederse a lo solicitado por su padre, ya que la exención de tasas y concesión a perpetuidad de la sepultura, únicamente estaba aprobada para cadáveres de personas asesinadas por los rojos. Así lo dictaminó el Letrado Consistorial: «(…) murió a consecuencia de bombardeo, pero no asesinada por los rojos, condición precisa para que se le eximiese al interesado del abono de arrendamiento».

El 18-8-1949, el secretario municipal, Enrique Ferré, comunicó a Mariano Buades que el alcalde había desestimado su petición.

Estadísticas BUADES

LUGAR	APELLIDO 1.º	APELLIDO 2.º	AMBOS APELLIDOS	TOTAL	% ESPAÑA	% PROVINCIA
ESPAÑA	1 140	1 173	12	2 325	100	----
PROVINCIA BALEARES	570	545	0	1 115	47,95	----
PROVINCIA ALICANTE	300	369	7	676	29,07	100
ALICANTE CIUDAD	180	203	3	386	16,60	57,10

Fuentes: INE y Ayto. Alicante.

BAUTIMOS Y MATRIMONIOS (ss. XVI-XIX)

SIGLO	BAUTISMOS BUADES PRIMER APELLIDO			MATRIMONIOS VARÓN BUADES		
	STA. MARÍA	S. NICOLÁS	TOTAL	STA. MARÍA	S. NICOLÁS	TOTAL
XVI	24	34	58	4	10	14
XVII	14	62	76	2	16	18
XVIII	16	104	120	2	21	23
XIX	4	50	54	0	19	19

«Soy el primer universitario de mi familia»

Vicente Buades Navarro nació y vive en el barrio de la Florida. Cuando vino al mundo, el 6-10-1957, sus padres vivían en la calle República Argentina, 22.

«Estudié hasta los diez años en el colegio José Antonio, luego en los Maristas. Mis tíos maternos eran los dueños de los tres cines del barrio. Eran conocidos como los cines del tío Quito. Uno estaba justo enfrente de mi casa, en el edificio donde ahora está la central telefónica. Era de invierno. Otro, de verano, estaba anexo al campo de fútbol de la Viña. Y el otro estaba cerca de la plaza Ciudad de Asís. Todos los fines de semana me los pasaba en los cines cuando era niño».

Estudió los tres primeros cursos de Derecho en el CEU alicantino, y los siguientes en la Universidad de Valencia. Se licenció en 1982. «Soy el primer universitario de mi familia. Mi abuelo paterno se dedicaba a cuidar a los caballos, y mi padre a cuidar a los coches».

Trabajó como pasante en el bufete de Juan Carlos Tur Ayela hasta 1984, después tuvo despacho en la Gestoría Amat hasta 1992. Abrió su propio despacho en 1993, en La Vega, 5, que trasladó en 1999 a San Fernando, 53, donde continúa actualmente.

Militó en los dos partidos que fundó Adolfo Suárez: en Unión de Centro Democrático (UCD) hasta 1982; y en Centro Democrático y Social (CDS) desde 1985 hasta que desapareció.

«Soy el primero de mi familia que se interesó por la política; y también el primero que recogió datos sobre mis antepasados».

Se casó en Gijón con la asturiana Concepción Carreño Fuego el 8-8-1986. Tienen dos hijos, nacidos ambos en Alicante: Beatriz (24-9-1989), soltera, licenciada en Derecho y que prepara oposición para judicatura; y Vicente (28-1-1991), soltero, enfermero y actual concejal por Ciudadanos.

El padre de nuestro entrevistado se llamaba Vicente Buades Jordán. Nació el 17 de mayo de 1925 en el conocido como Callejón del barrio de San Antón. «Le llamaban el Manitas. Era chapista. Hacia 1945, abrió con unos primos suyos que eran pintores, un taller en Arzobispo Loaces, 4, que unos años después trasladaron a Reyes Católicos, 44 y luego a la calle Pérez Medina». Contrajo matrimonio el 24-10-1956 con Elena Navarro Aliaga, que había nacido en Alicante en 1935 y era modista. Además de Vicente, tuvieron una hija, Elena, en 1965, que se casó con José Manuel Abegón y es madre de dos chicas: Elena y Lorena.

Vicente Buades Jordán falleció en 1992. Era hijo de Antonio Buades Mira y Teresa Jordán Pérez. Él era natural de San Juan y ella alicantina. «Mi abuelo era guarnicionero. Tenía cerca de los Franciscanos una tienda con artículos para caballerizas. No tengo recuerdos de mis abuelos paternos porque murieron siendo yo muy niño. Él, en 1958; ella, en 1960».

Además de Vicente, Antonio Buades y Teresa Jordán tuvieron dos hijos más: Alfonso, que era administrativo, casado y sin hijos; y Antonio, que era fontanero, casado y padre de Teresa.

CAMPOS

ABOGADOS, PERIODISTAS Y POLÍTICOS

Se dice que los primeros Campos que llegaron a la ciudad de Alicante, procedentes de Aragón, lo hicieron durante la repoblación que ordenó Jaime II a finales del siglo XIII. Pero el documento más antiguo que se conserva, en el que se menciona este apellido, es el libro parroquial de San Nicolás donde se registró el bautismo de Francisco Campos Llagostera el 20-9-1569.

A finales del siglo XVI, la familia con este apellido más numerosa en nuestra ciudad estaba formada por el matrimonio Bernardo Campos y Ángela Vallebrera (casados en San Nicolás el 18-11-1582) y sus hijos, todos ellos bautizados en Santa María: Serafina (13-11-1583), Ana Lucía (13-12-1585), Gerónima (19-4-1588) y Cosme Damián (28-9-1592).

Por diferentes documentos sabemos que, en el siglo XVII, había un Guillermo López Campos que era arquitecto (1677), un Andrés Campos que era mercader (1680) y un Bartolomé Campos, labrador (1692). También había un Francisco Campos que era secretario municipal (1681-1690) y clavero (1703).

Dos hermanas muy ricas y generosas

Sin embargo, las personas apellidadas Campos más influyentes en la ciudad durante la segunda mitad del Setecientos debieron de ser dos mujeres: Luisa y Esperanza Campos. La primera, especialmente, debió de poseer una enorme fortuna, puesto que su herencia generó un buen número de cesiones y pleitos a lo largo de la primera mitad del siglo siguiente.

Viuda en segundas nupcias del mercader Mateo Blanch, Luisa Campos firmó entre 1681 y 1688 varios codicilos ante el notario Victoriano Tredós, en los que fundó una obra pía y varios vínculos con mayorazgos que debían ser sustentados por sus rentas y los muchos censos que tenía a cargo de particulares y poblaciones de la provincia (solo contra la ciudad de Alicante tenía uno de 20 427 libras).

Como administradores de la hacienda de dicha obra pía nombró a tres hombres: Tomás Fabián, deán de San Nicolás; Juan Bautista Galbis, prior del convento de Nuestra Señora del Rosario y calificador del Santo Oficio (sustituido posteriormente por fray Francisco Zaragoza); y su sobrino Gaspar Castillo.

Entre los herederos que Luisa Campos mencionó en sus codicilos se encontraban sus sobrinos: Gaspar Castillo y el matrimonio formado por Francisco Campos (el notario antes citado) y Ana Morató, a cuyas hijas y nietas concedió dotes de 300 libras, a entregar el día de su boda o ingreso en un convento. Al matrimonio cedió, además, la propiedad de una casa en el arrabal de San Francisco. También José Antón recibió en propiedad la casa que ocupaba en la plaza de las Barcas.

La obra de Luisa Campos tardó en extinguirse, ya que en 1745 todavía se concedió (con retraso) una dote de 300 libras a Crescencia Berenguer Campos, nieta de Francisco Campos y Ana Morató, por haberse casado con Gregorio Simó el 22-4-1736. Y lo mismo sucedió con una hija de Gaspar Castillo, en 1748.

Luisa fundó algunos de aquellos vínculos conjuntamente con su hermana Esperanza, si bien esta también creó otros propios que perduraron hasta 1753 (dote de 500 libras a una descendiente de Gaspar Castillo, sor Rosa María Castillo, a su ingreso en el monasterio de la Santa Faz).

SIGLO XVIII

José Campos construyó en 1701 la verja de hierro con adornos de estilo plateresco de la capilla de San Nicolás, en el templo del mismo nombre. Otro José Campos era fabriquero de la iglesia de Santa María en 1732.

Miguel Campos era, en 1710, un maestro cordonero de 33 años de edad.

Rosa María Campos, viuda de Antonio Pelegrín de Borgoñón, fue nombrada oficialmente tutora y administradora de los bienes de sus hijos el 8-2-1720.

Juan Bautista Campos fue escribano, secretario y notario municipal entre 1721 y 1764.

Vicenta Campos se casó en 1728 con el viudo y platero Bartolomé Amérigo. Entre 1729 y 1752 tuvieron once hijos. Bartolomé Amérigo Campos, nacido en 1739, fue también platero. Francisco Amérigo Campos, nacido en 1749, contrajo matrimonio en 1771 con Josefa Campos, con quien tuvo al menos 14 hijos entre 1773 y 1798.

SIGLO XIX

En el padrón de bienes de 1806 aparecen cuatro Campos alicantinos: Francisco, con una casa en la calle Mayor valorada en 1 957 reales y otra en plaza de Elche y Barranquet (6 743 reales); Gregorio, con casa en la calle Vall (3 014 reales); Mariana, plaza de Elche y Barranquet (6 743); y Vicente, plaza de las Barcas (2 290).

En el padrón de propiedades de 1814 son seis los Campos que figuran: Carlos, con casas en las calles del Santo Cristo (12 000 reales de valor), San Ginés (2 500), Espalda de Rovira (6 000) y Santos Médicos (9 000); Francisco, con dos casas y almacén en plaza de las Barcas (55 000), casa y almacén en calle Vall (30 000), casas en calles Desamparados (2 000) y del Babel (3 000), cuatro casitas en calle de Lorito (8 000) y casa en Portal de los Capuchinos (15 000); Herederos de Gregorio Campos, con casa y almacén en calle Vall (30 000); Rita, con casa en calle San Francisco (22 500); Ignacia, viuda, con casa en calle Correo Viejo (22 000); y el escribano municipal Juan Bautista Campos, con casa y cuatro accesorias en calle del Lobo (20 000).

Vicente Campos Mingot fue administrador de fincas del Estado y en 1856 era comisionado para la venta de Bienes Nacionales. Socio fundador del Casino (1851) y capitán de la Milicia nacional (1855), en 1851 pagó por contribuciones directas 481 reales. Fue concejal en 1840, 1843, 1844 (durante la rebelión de Boné) y 1855 (bienio progresista). Teniente de alcalde en 1881 y 1883. Murió en 1890.

Antonio Campos Rodrigo solicitó en 1859 al ayuntamiento su admisión como editor, siendo secretario de redacción del semanario *El Vapor*. Era concejal en 1875 y 1898.

Antonio Campos Vicent era contratista de obras. Entre 1864 y 1913 pidió varios permisos municipales para construir casas en diferentes calles de la ciudad.

Campos-Domenech

Antonio Campos Gil nació en 1786. Encabezaba en 1836 la lista de electores de mayores contribuyentes, con una cuota de 1 200 reales. Como propietario urbano ocupaba el puesto 4.º entre 1847 y 1850, con una riqueza de 27 840 reales. Fundó la sociedad Antonio Campos e Hijos, que en 1847 ocupaba el puesto 19.º entre los principales importadores de bacalao (750 quintales, por valor de 67 200 reales), y el primero en el *ranking* de importadores de productos coloniales en 1843. En la lista de principales importadores (en general), ocupaba en 1847 el tercer lugar, con un valor de las importaciones de 1 503 886 reales.

Contrajo matrimonio en 1806 con la alcoyana Vicenta Domenech, con quien tuvo diez hijos: Antonio (1808), Teresa (1810), Rosa (1812), José

(1813), Ramón (1817), Guillermo (1819), Luis (1821), Isidoro (1823), Anselmo (1826) y Clementina (1828). Anselmo no llegó a la edad adulta.

En la década de 1840 vivían en una casa de la calle Barranquet lo suficientemente grande como para que cupiese toda la familia, más algunos parientes (cuñados y sobrinos) y dos criadas. En 1850 construyó una casa en la calle Aparicio.

José Campos Domenech se casó en 1857 con Dolores Fernández, y su hermano Isidoro con M.ª Concepción García, en 1884.

Antonio Campos Domenech

Nació el 18-9-1808. Como heredero de su padre, fue uno de los comerciantes alicantinos más destacados en la importación de bacalao y salazones.

En 1851 pagó 1 030 reales por contribuciones directas.

Era propietario de tierras en la huerta y de una casa de recreo conocida como Manzaneta en el término de San Juan (Lloixa). Por parte de la familia de su esposa, heredó la casa que los Carreras habían poseído desde el siglo anterior en la plaza de la Constitución (actual Portal de Elche) y que en 1806 era la más valorada de la zona, con 24 238 reales. Con la desamortización de Mendizábal compró tierras en Almoradí por valor de 81 340 reales, y con la de Madoz compró censos pertenecientes a las monjas de la Santa Faz por 1 129 reales, a las monjas de San Agustín de Mutxamel por 1 129 reales y a los frailes dominicos por 150 reales.

Fue capitán (1854) y comandante (1855-1856) de la Milicia nacional. No obstante, cuando en agosto de 1836 fueron movilizados los solteros y viudos pertenecientes a la milicia, de entre 18 y 40 años, para realizar una ofensiva contra el carlismo, quedó exento del servicio mediante el pago de 4 000 reales.

En mayo de 1852 se incorporó a la comisión que se había creado el mes anterior para traer el ferrocarril desde Almansa. En 1854 participó en una reunión para tratar sobre la mejora del puerto. El 26-2-1855 participó en la reunión que el gobernador civil convocó en su despacho (a la que asistieron una comisión municipal y 42 comerciantes), para discutir acerca del posible incremento de impuestos. En este último año era miembro del Gremio de Comerciantes Capitalistas.

Fue alcalde 2.º y presidente de la Junta de Beneficencia en 1840-1841, y alcalde accidental en 1840 y 1842. Diputado provincial en 1856 (tras el golpe de Estado de O'Donnell). Candidato a las elecciones a Cortes en 1865 por Unión Liberal. Presidente de la diputación en 1875, 1877, 1879-1882 y 1884.

Financió la publicación de *El Eco de la Provincia* entre 1877 y 1884, siendo en estos años jefe local del partido conservador.

Fue uno de los promotores de la construcción del Teatro Principal, miembro de la Real Sociedad Económica de Amigos del País, fundador y presidente de la Cámara de Comercio, y administrador de la sucursal del Banco de España desde 1877.

En 1840, contrajo matrimonio en San Nicolás con Juana Carreras, bautizando en la misma iglesia a sus hijos: Antonio (1840), Ricardo (1842), Juana (1847), Guillermo (1852), y las gemelas Guillermina y Clementina (1855).

Vivieron primero en casa de los padres de él, pero en el padrón de 1846 ya aparecen domiciliados en Balseta, 2, con dos sirvientes.

Falleció el 8-8-1887, un lustro más tarde que su esposa.

Ramón Campos Domenech

Se licenció en Derecho en la Universidad de Valencia. En 1854 era capitán de la Milicia nacional, pero, como su hermano Antonio, en 1836, cuando fue movilizado para luchar contra los carlistas, obtuvo la redención del servicio previo pago de 4 000 reales.

Fue elegido concejal en 1849. Teniente de alcalde y alcalde accidental en 1852. Diputado provincial en 1851. Por aquel entonces tenía una riqueza urbana (incluyendo edificios rústicos) de 9 600 reales y pagaba por contribuciones directas 482 reales.

Secretario de la Junta de Gobierno en 1854 y diputado a Cortes por el partido Progresista en 1854, y por el partido Conservador en 1876.

Impulsó la construcción del ferrocarril de Alicante-Murcia, junto con su hermano Luis. En 1876 fue nombrado decano del Colegio de Abogados.

En 1871 se casó con M.ª del Pilar Puig. En 1882 hizo construir una casa en plaza de Ramiro, 2. Falleció el 16-12-1889.

Guillermo Campos Domenech

Subteniente de la Milicia nacional en 1837. Hacia 1875 construyó una casa en el huerto que poseía en el caserío de la Santa Faz. Su lujo interior llamaba la atención, según el cronista Viravens, pero sobre todo «por el bellísimo jardín que la hermosea. Este huerto de recreación que se conoce con el título de Quita-pesares, produce delicadísimas flores, y hay en él algunos jaulones con diferentes clases de pajarillos, cuadros formados de yerbas finas y olorosas, espaciosos corredores con pedestales y macetas, un hermoso cenador cubierto de jazmines y enredaderas, y gran número de árboles frutales, ofreciendo el todo un amenísimo conjunto».

Luis Campos Domenech

Fue abogado y periodista. En 1851 pagó 482 reales por contribuciones directas.

Fue teniente de alcalde en 1854, tras la revolución progresista. Presidió la Diputación Provincial entre 1868 y 1870, y fue su vicepresidente en 1871, por Unión Liberal, partido que dirigió en Alicante desde 1856.

Fundó el diario *La Unión Liberal* (1856) e impulsó la creación del semanario *La Nave*, que dirigió en 1848. Fue redactor de *La Revista del Teatro* y de *El Alicantino*. También colaboró con *El Diario de Alicante* y *La Tertulia de Alicante*. Fundó y dirigió *El Constitucional* (1866), siendo jefe del partido del mismo nombre hasta su muerte en 1874.De su matrimonio con Teresa Vicedo nació el 29-10-1853 su hijo Luis. En segundas nupcias se casó en 1865 con Juana Barrera.

Luis Campos Vicedo contrajo matrimonio en 1877 con Ludgarda Martínez.

Antonio Campos Carreras

Hijo de Antonio Campos Domenech, nació el 9-11-1840. Fue poeta y periodista. Colaboró habitualmente con El *Comercio de Alicante* (aparecido en 1858), *Álbum Literario* (1863) y *El Lucentino* (1866). A partir de 1868 redactó durante la temporada de baños *Crónica de los Baños de Busot*, un periódico manuscrito con varias copias.

Fundó y dirigió *El Semanario Católico*, un periódico conservador, portavoz oficioso de la iglesia, con la redacción y administración situadas en Labradores, 19, cuyo primer número apareció el 6-8-1870. Falleció el 16-10-1870, a los 30 años de edad, víctima de una epidemia de fiebre amarilla.

Campos-Vasallo

Eduardo Campos Sereix era comerciante. Entre 1847 y 1850 estaba en el puesto 18.º en la lista de principales propietarios urbanos, con una riqueza valorada en 14 620 reales. En 1856 reformó la fachada de una de sus casas, situada en la calle Navas, y reconstruyó otra en la calle Colón. También enlució las fachadas de sus casas en las calles Infanta (1862) y Mayor (1864). En

1882 exigió al ayuntamiento se le indemnizara con el justiprecio de la casa que le fue expropiada en Méndez Núñez, 22.

Fue concejal y vocal de la Junta de Beneficencia (1856), y en 1859 asumió los gastos de reparación de la capilla de los Desamparados, de la iglesia de Gracia. Contrajo matrimonio en 1846 con M.ª Josefa Vasallo (hija de Agustín y nieta de Juan Bautista Vasallo, mercader nacido en Génova). Tuvieron cinco hijos: Manuel (1847), Rafael (1849), Eduardo (1852), Nicolás (1854) y José (1856).

Eduardo Campos Vasallo desposó en 1882 a Carmen Cutayar.

José Campos Vasallo reformó en 1881 la fachada de la casa situada en Valdés 2 y encargó al arquitecto Nadal Cantó la edificación de otra casa en la calle Alcoy. También era el propietario del edificio situado en Padilla, 2.

Rafael Campos Vasallo

Nació el 24-10-1849.

Fue poeta y periodista.

Con 18 años era corresponsal del periódico madrileño *La Iberia*. También fue corresponsal de varias revistas extranjeras. Colaboró con casi todas las publicaciones alicantinas de la época: *El Progreso Literario, El Derecho y el Deber* (del que fue redactor), *El Pollo* (semanario que dirigió en 1869), *La Educación, Álbum Poético, Palos y Plumas, La Péñola, El Bello Sexo, El Álbum, El Ateneo, Boletín de la Sociedad Económica de Amigos del País de Alicante, El Correo del Amor, El Eco de la Provincia, El Graduador, La Libertad, La Miscelánea, Revista de Instrucción Pública, La Velada*. En 1877 fundó y dirigió el diario *La Correspondencia de Alicante*.

Autor de varias obras de teatro. Obtuvo el premio de una lira de plata en los Juegos Florales de 1876, por su oda titulada *A Alicante*, en la que define la ciudad como «centro de luz, de aromas y de colores». Catedrático de la Escuela Superior de Comercio y secretario de la Sociedad Económica de Amigos del País.

En 1878, contrajo matrimonio con Luisa de Loma. Murió el 20-9-1902. El ayuntamiento le homenajeó poniendo el nombre de Poeta Campos Vasallo a una calle próxima al Mercado Central.

SIGLO XX

En 1940, Eduardo y Rafael Campos de Loma, y M.ª Carmen Campos Fajardo, herederos de José Campos Vasallo, recibieron 20 518,87 pesetas por la expropiación de la casa situada en Padilla, 2, que fue derribada para abrir la Rambla hacia el sur. Eduardo había sido concejal en 1925, colaborador de la *Revista de Instrucción Pública*, y redactor y director de *El Correo*. Su hijo, Julio Campos de España, también fue redactor de este último periódico.

Norberto Campos era, en 1925, jefe del negociado de Gobernación del ayuntamiento. Vivía en Diluvio, 25. Manuel García Campos, que abrió en 1940 un taller de reparación de radios en Mayor, 31, fue acusado al año siguiente de robar uno de esos aparatos, y condenado a cinco meses de prisión.

Antonia Campos Muñoz, de 18 años e hija del jornalero Francisco Campos Mulero, fue acusada y absuelta en 1942 del delito de tentativa de suicidio, al ingerir matarratas en su domicilio de Sirio, 21. Tanto ella como su padre aseguraron que fue un accidente, porque «los polvos de matarratas cayeron en el bote del café».

José Campos Ortiz, que abrió una carbonería en 1947 (Relleu, 4) y un taller eléctrico en 1958 (plaza Hermanos Pascual, 1), fue concejal por el tercio familiar entre 1958 y 1961.

Fueron contratados por el ayuntamiento para realizar trabajos puntuales el topógrafo Guillermo Campos Arias (1961) y el carpintero Eusebio Campos (1965).

Guillermo Campos Carreras

Hijo de Antonio Campos Domenech, continuó dirigiendo el negocio familiar de comercio del bacalao.

En 1884 enlució su casa de Teatinos, 5. En 1886 contrató al arquitecto José Guardiola Picó para que construyera otra casa en Bailén, 12 y en 1900 al arquitecto Enrique Sánchez Sedeño para que edificara en el solar que tenía en Castaños, 16. En este último año fue denunciado por tener su casa de Labradores, 1 en ruinas, por lo que la derribó al año siguiente. En 1908 edificó una casa en la plaza Abad Penalva. Al año siguiente hizo construir un edificio en la calle Empecinado, donde instaló una cocina económica. En 1912 pidió permiso para construir un almacén de salazón en la calle prolongación a la del Molino; y en 1932 levantó un panteón en el cementerio. Heredó de su padre la finca Manzaneta.

Cofundó en 1892 con Hugo Prytz una empresa de suministro eléctrico con oficinas en la calle Navas. El 14-4-1892, Prytz y Campos inauguraron el alumbrado eléctrico en Alicante. Cinco años más tarde ampliaron su fábrica con una nueva máquina de 200 c.v., capaz de accionar una dinamo de 120 kilovatios y permitiendo así el suministro de hasta 6 000 lámparas de 16 bujías. En 1911, la mercantil estaba en fase de liquidación.

Fue presidente del Partido Conservador, concejal y presidente de la Junta de Obras del Puerto (1902-1905) y presidió la Cámara de Comercio durante 15 años.

En 1876 se casó con Clementina Saludes, con quien tuvo tres hijos: Guillermo (que falleció poco después de nacer, en 1879), Guillermo (1880) y Guillermina Campos Saludes. Esta, en 1956, pidió permiso municipal para ampliar con cinco viviendas el edificio sito en Alfonso el Sabio, 27-29.

En 1940, la sociedad Hijo de Guillermo Campos solicitó permiso municipal para instalar cámaras frigoríficas en la avenida Maisonnave, 10 y, en 1953, para construir un almacén de salazones en el número 14 de la misma vía, que fue cerrado en 1960.

Ramón Campos Puig

Hijo de Ramón Campos Domenech, nació en 1876. Se licenció en Derecho en 1895 por la Universidad de Valencia. En 1901 era vicesecretario del Partido Conservador en Alicante. Fue elegido concejal en 1911. Durante su mandato como alcalde (1913-1915) se inauguró el primer tramo (Alicante-Altea) del ferrocarril de vía estrecha de la Marina, hubo de hacer frente a las manifestaciones populares por la carestía de alimentos e inauguró el monumento a Canalejas. Dimitió de la alcaldía en mayo de 1915 y fue relevado el 4 de junio siguiente, quedando paralizada con su salida la construcción del nuevo cementerio.

Fue destituido como presidente del Colegio de Abogados en julio de 1936.

Fue miembro del Consejo de Administración de la Caja de Ahorros de Alicante durante unos años, antes de morir. Falleció en 1942.

Campos-Saavedra

Álvaro Campos Saavedra era hijo de Antonio Campos Aznar (colaborador de *La Revista* a finales del siglo anterior). El 16-8-1919 empezó a ejercer como médico en la Casa de Socorro. En 1939, antes de acabar la Guerra Civil, era jefe de sección del Instituto de Higiene y Laboratorio Municipal. Al finalizar la guerra fue destituido por su ideología izquierdista. En 1943 fue detenido por masón y enjuiciado en Madrid. Condenado a 6 años de cárcel, fue puesto en libertad el 18-1-1944. Según el cronista Cutillas, aunque fue acusado de practicar abortos, en realidad se trataba de una caza de sospechosos.

Su hermano Antonio era arquitecto y, en su propio nombre y en el de la compañía Hijo de Campos Aznar, construyó en 1940 un almacén de almendra en Alemania 24-26. En 1956, con sus socios Antonio Erades y Juan Ivars, construyó un edificio de siete plantas en Médico Pascual Pérez, 8.

ACTUALIDAD

En la ciudad hay censadas un total de 1 757 personas apellidadas Campos: 912 con el primer apellido, 818 con el segundo y 27 con ambos.

El ingeniero municipal Sergio Campos Ferrera proyectó en 1973 la construcción de un paseo marítimo entre Alicante y la Albufereta. En 1982 era presidente del Colegio de Ingenieros de Caminos, Canales y Puertos, y presidente de la Autoridad Portuaria. Al año siguiente fue nombrado director provincial del Ministerio de Obras Públicas y Urbanismo. En 2007 volvió a ser nombrado presidente de la Autoridad Portuaria. Es autor de libro *Historia gráfica del puerto de Alicante* (2007). Está jubilado.

BAUTIMOS Y MATRIMONIOS (ss. XVI-XIX)

SIGLO	BAUTISMOS CAMPOS PRIMER APELLIDO			MATRIMONIOS VARÓN CAMPOS		
	STA. MARÍA	S. NICOLÁS	TOTAL	STA. MARÍA	S. NICOLÁS	TOTAL
XVI	5	1	6	2	0	2
XVII	19	63	82	3	19	22
XVIII	72	16	88	3	31	34
XIX	52	208	260	10	50	60

Cinco generaciones de Ramón Campos abogados

Ramón Campos Campos nació el 9 de octubre de 1944 en la calle Teatro (entonces General Goded) n.º 10, donde ahora tiene su bufete. Estudió en los Maristas y en la Universidad de Valencia, licenciándose en Derecho en 1970.

Empezó a trabajar en Madrid, en el bufete de Antonio Perrol Ruiz, pero se volvió a Alicante para trabajar con su padre, que estaba enfermo, y que tenía el bufete en el mismo sitio donde sigue hoy (Teatro, 10).

Ha sido secretario del Colegio de Abogados de Alicante durante ocho años; vicepresidente del Hércules C.F. «en la época mala, cuando bajó a 3.ª División y nadie quería hacerse cargo del club»; presidente del Casino; el último gerente del Teatro Principal (durante cinco años), antes de su municipalización; y presidente de la Barraca Los Gorilas y de la Hoguera de Chapí.

Contrajo matrimonio el 15 de septiembre de 1971 con Julieta Isabel García Cervantes, a quien conoció paseando una tarde por la Explanada. Ella nació en

1949 en México D. F.; su madre era mexicana y su padre un exiliado alicantino. Han tenido cinco hijos, nacidos todos en Alicante: Isabel, abogada y casada con Manuel Martínez, con quien tiene dos hijas; M.ª Luisa, técnico de prevención de riesgos laborales, casada con Jorge Crespo y madre de dos hijos; Julieta, maestra, casada con Faustino Box y con dos hijos; Helena, maestra, esposa de Enrique García y madre de dos hijas; y Ramón, empleado, casado con Bárbara Álvarez, con quien tiene un hijo: Ramón.

Nuestro entrevistado es hijo de Ramón Campos Carratalá y M.ª Luisa Campos Cutayar; ambos nacidos en Alicante. No eran parientes pese a tener el mismo apellido: «En el siglo XIX los Campos alicantinos se dividían entre las ramas del Azúcar y del Bacalao (familias que comerciaban con estos productos). Mi padre procedía de la del Bacalao y mi madre de la del Azúcar», explica. M.ª Luisa era sobrina-nieta de Eleuterio Maisonnave Cutayar. «Tengo una bomba desactivada que cayó en la playa durante el bombardeo del Cantonalismo y que le regalaron a Maisonnave». M.ª Luisa era compositora y concertista de piano. Entre otras obras, compuso el pasodoble *Juego de Niños*, que la Banda Municipal sigue tocando cada día de Reyes. «Falleció en 1972, de un infarto».

Ramón Campos Carratalá nació en 1912. Fue secretario del Colegio de Abogados. Heredó el bufete de su padre, que estaba en la plaza del ayuntamiento: «Lo que ahora es la Audiencia, entonces era la casa de los Campos». El bufete lo trasladó primero a Gadea, 10 y luego a Teatro, 10. «Fue el defensor de los funcionarios de la cárcel acusados de un supuesto intento de fuga de José Antonio Primo de Rivera. Quedaron absueltos».

Además de nuestro entrevistado, Ramón y M.ª Luisa fueron padres de Consuelo, nacida en Alicante el 4-12-1942, que está soltera.

Los abuelos paternos fueron Ramón Campos Puig y Remedios Carratalá García, alicantinos ambos. Tuvieron siete hijos: Remedios, Pilar, Josefina, Isabel, Ramón, Juan (fue comisario de Policía) y Luis (notario en Madrid).

Como ya sabemos, Ramón Campos Puig fue alcalde de Alicante. «La actual mesa de la alcaldía la compró él por 200 reales. Dimitió para desafiar en un duelo al jefe de la oposición, que le acusó de enriquecerse cuando compró los terrenos para el actual cementerio. Pero este se disculpó y no llegaron a batirse. Dijo que le había acusado para que dimitiera». En 1936 fue asignado abogado defensor de Primo de Rivera, pero renunció porque este quiso defenderse a sí mismo.

Falleció en 1942, «trabajando, sentado en su despacho. En el mío tengo el sillón donde murió», dice su nieto.

El bisabuelo paterno de nuestro entrevistado fue Ramón Campos Domenech. «Soy el quinto con el mismo nombre, apellido y profesión de la familia en línea directa».

CARRATALÁ

GENTE LETRADA

En la actualidad hay censadas en la ciudad de Alicante 1 085 personas apellidadas Carratalá: 577 con el primer apellido, 506 con el segundo y 2 con ambos. Siempre han sido bastante numerosos los Carratalá que han vivido en Alicante.

Del primero que se tiene constancia documental es de un Gaspar, que bautizó en la iglesia de Santa María a su hijo Francisco Juan el 18 de septiembre de 1552. Después tenemos a un Francisco que bautizó en el mismo templo a su hija Juana el 16 de junio de 1561.

En la iglesia de San Nicolás, Antonio Carratalá se casó en 1567 con Luisa Amat. Un año después, el 21 de septiembre, Pedro Carratalá y su esposa Andolsa bautizaron en el mismo templo a su hijo Mateo. Medio año más tarde, el 22 de marzo de 1569, en el mismo baptisterio, el matrimonio formado por Juan Carratalá y Leonor Pérez bautizaron a su hijo José.

Gaspar Carratalá, hijo de Gaspar y Juana, se casó con Juana Ros en Santa María el 22 de enero de 1570. Ginés Carratalá e Isabel Juan bautizaron en San Nicolás el 19 de julio de 1570 a su hija Melchora. Y el 26 de octubre del mismo año, pero en Santa María, Juan Carratalá y Ángela Rosa bautizaron a su hijo Gaspar.

Los registros parroquiales de bautismos y matrimonios más antiguos que se conservan en la ciudad de Alicante son de la década de 1530. Desde entonces, hasta final del siglo XVI, se registraron un total de 69 bautizos de niños y niñas con Carratalá de primer apellido y se desposaron 12 varones con idéntico apellido.

Durante el siglo siguiente (XVII) fueron bautizados 290 Carratalá y 60 los hombres con este apellido que se casaron.

En el último tercio de este siglo XVII encontramos al primer Carratalá impresor, de nombre Nicolás.

SIGLO XVIII

Durante el siglo XVIII fueron 689 los niños y niñas bautizados en Alicante con Carratalá de primer apellido y 137 los varones que se casaron.

En 1705, el impresor Nicolás Carratalá ocupaba un cargo municipal.

El 10 de marzo de 1716, el rey permitió que Pedro y Tomás Carratalá, primos hermanos, compartieran con otros dos alicantinos «el amerador del paraje del Porquet», cediendo, además, a Pedro una franja en la orilla de mar de 110 pasos de largo «y de ancho desde el camino que vá á los balsares hasta la misma mar». El precio que debían pagar, cada día de San Miguel, era de un sueldo y seis dineros (Tomás) y cuatro sueldos y seis duros (Pedro).

En 1744 había un Bautista Carratalá tiple; en 1766 otro con el mismo nombre que era barrendero; y otro en 1799 que era confitero.

En 1770 se fugó de la cárcel Antonio Carratalá, que había defraudado a la Real Hacienda.

Un labrador con muchas deudas

José Carratalá de José vivía en Alicante pero tenía una casita labriega y terrenos cultivados en San Juan. En el Archivo Municipal se conservan varios legajos que nos hablan de sus numerosas deudas y pleitos, comenzando en 1695 contra el síndico de la ciudad por arrendamientos. En 1711 debía 237 libras y 17 sueldos por obras a dos constructores, y tres años más tarde debía 300 libras a Francisco Rochefort.

En este último año de 1714, José, que tenía 50 años, fue denunciado por el apoderado de su hermana, Francisco Hernández, ya que ella vivía en Murcia. ¿El motivo? Deudas, naturalmente.

El representante de Estacia Carratalá presentó ante el alcalde mayor y juez de la ciudad, Francisco Esteban Zamora y Cánovas, dos cartas firmadas por José, fechadas el 9 de diciembre de 1709 y el 9 de julio de 1710, respectivamente. En la primera, este le pedía a su hermana que desempeñara, en su nombre y por nueve doblones, a la esclava que tenía como prenda por una deuda la marquesa de Torrepacheco. En la segunda, además de quejarse de tener que pedir «pescado para poder comer, que si lo vieras te lastimarías de mí», reconoce no haber podido pagarle todavía los nueve doblones que le debía por desempeñar a la esclava.

Además, el apoderado de Estacia presentó dos documentos más: el recibo de haber pagado los nueve doblones a la marquesa de Torrepacheco para desempeñar a la esclava (lo hizo Cristóbal Antonio de Bustos y Carrasco, señor de Cotillas, en nombre de Estacia), y la «Memoria de la plata que tengo entregado a mi hermano Joseph Carratala por prendas de quatro doblones que medió quando murió mi marido», y cuya devolución ahora le reclamaba.

José reconoció como suyas ante el juez las firmas de ambas cartas, pero dijo no saber nada del recibo ni de la memoria, «ni se acuerda que dicha Estacia Carratalá le aya dado por enpeño de los quatro doblones, que supone, las prendas de plata, que expresan dicha memoria, en quanto á los nuebe doblones, que se acuerda los pagó por el declarante dicha Estacia Carratalá», pero que ella se quedó con la esclava.

BAUTISMOS DE NIÑOS CON CARRATALÁ DE PRIMER APELLIDO			
	SANTA MARÍA	SAN NICOLÁS	TOTAL
SIGLO XVI	27	42	69
SIGLO XVII	240	50	290
SIGLO XVIII	333	356	689

MATRIMONIOS DE VARONES CON CARRATALÁ DE PRIMER APELLIDO			
	SANTA MARÍA	SAN NICOLÁS	TOTAL
SIGLO XVI	5	7	12
SIGLO XVII	29	31	60
SIGLO XVIII	64	73	137

SIGLO XIX

El carpintero Antonio Carratalá Chorro hizo las obras de aprovechamiento de sobrantes del manantial de La Goteta en 1841 (del que tuvo a partir de entonces derecho al uso de agua) y reparó en 1844 el conducto de agua en Santa Ana.

Soledad Carratalá España mandó edificar una casa en la calle del Foso en 1851. Su hermano Miguel reedificó en 1848 la fachada de una casa situada en el número 1 de la plaza San Cristóbal y la de otra casa en la calle San Ginés en 1854; compró un solar en la plaza del Progreso en 1855, donde construyó una casa tres años después; y hacia 1875 poseía en Muchamiel una quinta de recreo llamada Riera.

En febrero de 1851, Francisco Carratalá, chocolatero domiciliado en el barrio de San Antón, abandonó a su esposa e hijos, fugándose con Antonia Llobregat, soltera. La esposa, Rafaela Troca, acudió al alcalde para denunciar el abandono. Este ordenó al comisario de Protección y Seguridad Pública que averiguase el paradero de los amantes fugados. Como se supo que habían marchado a Murcia, se envió un oficio al alcalde de esta localidad el 22 de marzo, quien respondió seis días después informando de «que el 13 del corriente se presentaron en esta Ciudad Francisco Carratalá y Antonia Llobregat, y refrendaron sus pasaportes para Cartagena». En consecuencia, el alcalde alicantino remitió otro oficio a su colega cartagenero, expresándole el motivo de la búsqueda: el chocolatero se había ido con su amante y había abandonado a su esposa, «sin dejarle recursos ningunos para alimentar á sus dos hijos de menor edad». Pero al cabo de cuatro días (5 de abril), el alcalde de Cartagena contestó diciendo que el 17 de marzo se habían refrendado los pasaportes de los amantes con destino a Albacete. Al final, perdida la pista de los huidos, el alcalde alicantino ordenó que se le entregase a la atribulada esposa los únicos bienes que aquellos habían dejado en la ciudad: un cofre lleno de ropa vieja.

Gregorio Carratalá reedificó la fachada de una casa en la calle Lucentum en 1855 y construyó una casa en la calle Matadero en 1859. Manuel Carratalá reedificó la fachada de una casa en la calle Cienfuegos en 1855 y otra en la calle del Carmen en 1856; solicitó al ayuntamiento indemnización por unos terrenos en 1856 y permiso para construir una casa y cercar un terreno en el Arrabal Roig, en 1859.

Eran funcionarios municipales Antonio Carratalá (practicante, 1855), Antonio Dols Carratalá (veedor de pescado, 1856) y Micaela Galvañ Carratalá (matrona, 1856).

Antonia Carratalá se casó en 1865 con el que fuera alcalde José Bas Moró, de cuya descendencia ya hablamos cuando tratamos el apellido Bas.

A finales de 1877, José Carratalá Blanes consiguió permiso municipal para construir un depósito de petróleo frente al contramuelle, «en el edificio que posee en la Esplanada del Varadero». Poseía además en la partida de Orgegia una quinta de recreo llamada Alcaraz.

Antonio Carratalá Dessia también tenía una quinta de recreo en la Cañada del Fenollar.

Teniente general y ministro de la Guerra

José Carratalá Martínez nació en Alicante el 14 de diciembre de 1781, hijo de Manuel y Josefa. Ingresó siendo niño en el seminario de San Miguel de Orihuela, donde estudió tres años de Filosofía. Después estudió Derecho en la Universidad de Valencia, licenciándose el 14 de marzo de 1808.

Formó parte de la Junta de Salvación que se formó en Alicante al inicio de la Guerra de la Independencia, salvando la vida de muchos franceses domiciliados en la ciudad. Encargado del alistamiento de reclutas, formó un regimiento con 1 700 solteros con el que marchó el 1 de junio hasta Almansa, ocupando el empleo de subteniente.

Fue ascendido a teniente el 18 de julio de 1808 y participó en la batalla de Tudela (23 noviembre), durante la cual sufrió tres graves heridas.

Participó en el segundo sitio de Zaragoza, siendo ascendido a capitán (17-1-1809) y teniente coronel (9-3-1809). Tras la capitulación fue llevado con los demás prisioneros a Pamplona, de cuyo hospital logró fugarse.

Adscrito al segundo batallón de Saboya, estuvo en varias acciones bajo las órdenes del general Enrique O'Donnell. Cayó nuevamente herido y prisionero tras el sitio de Tortosa en 1811, pero volvió a evadirse del hospital zaragozano.

Estuvo presente en la batalla de Vitoria del 21 de junio de 1813.

Fue destinado a América en febrero de 1815. Participó en la reconquista de la isla Margarita y fue ascendido a coronel el 30 de julio de 1816. Durante los nueve años siguientes estuvo destinado en Perú, interviniendo en numerosas acciones bélicas, por las que se le dio el empleo de brigadier en 1822 y de mariscal de campo al año siguiente.

Cayó prisionero junto con el virrey del Perú y otros cuatro generales en la batalla de Ayacucho. Tras pasar un tiempo encerrado en pontones, fue enviado a la Península en 1825.

Fue nombrado jefe de Estado Mayor del ejército que acabó con la sublevación de Cataluña en 1827 y posteriormente comandante general de las Provincias Vascongadas. Pasó luego a las capitanías generales de Extremadura, y de Valencia y Murcia. Nombrado capitán general de Castilla la Vieja en diciembre de 1837, no llegó a ocupar este cargo al confiarle el rey, el 17 de enero siguiente, el Ministerio de la Guerra. Pero fue ministro solo durante dos meses, quedando luego en Madrid.

Promovido a teniente general (8-11-1838), fue nombrado al año siguiente capitán general de Andalucía, pasando a ocupar el mismo cargo en Castilla la Vieja el 24 de noviembre de 1840.

En 1844 regresó a Madrid, donde falleció en 1855, siendo senador vitalicio. Entre las muchas condecoraciones que poseía, destacan las cruces de San Fernando y San Hermenegildo. El Ayuntamiento de Alicante le dedicó una calle del barrio de San Antón.

Impresores, periodistas y políticos

Nicolás Carratalá seguía teniendo su imprenta en 1813, aunque entonces firmaba sus trabajos como Nicolás Carratalá e Hijos. En ella se imprimieron varios periódicos, como *El Imparcial* (1814) o *Diario de Alicante* (1816).

El impresor Nicolás Carratalá Martínez ocupaba, además, el cargo de regidor en 1825. También fueron regidores Gaspar Carratalá (1814), Eduardo Carratalá (teniente alcalde en 1872) y Vicente Carratalá Mena (1835), que además fue alcalde de partidas (1856).

Impresor, periodista y político fue Francisco Javier Carratalá Utrilla. Nacido en Alicante el 3 de diciembre de 1830, trabajó como tipógrafo y como periodista en diarios como *La Flor*, *Diario de Alicante* y *El Boletín Comercial y de Anuncios*, y fundó *La Unión Liberal* y *El Eco de Alicante*. Fue ayudante del gobernador civil González de Quijano durante la epidemia de cólera de 1854, por lo que se le concedió la cruz de primera clase de la Orden Civil de Beneficencia. En 1865 fue elegido jefe local del Partido Progresista. Desterrado a Fernando Poo en 1866, regresó el año siguiente a Madrid, donde colaboró en la fundación del periódico *La Iberia*. Durante la revolución de 1868 formó parte de la Junta Revolucionaria Interina. Elegido un año más tarde diputado por Alicante, fue secretario del Congreso de los Diputados hasta su muerte, acaecida en Madrid en 1870. Hay una calle con su nombre en Campoamor.

En 1849 había cinco impresores en Alicante. Uno de ellos, Juan José Carratalá, también fue elegido concejal en varias ocasiones, teniente de alcalde y alcalde accidental (1853). Durante la Restauración, fue uno de los dirigentes más destacados del Partido Liberal Conservador, de Cánovas del Castillo. En su imprenta y litografía, premiada con medalla de oro, se imprimió en 1863 la *Reseña Histórica de la ciudad de Alicante*, de Nicasio Camilo Jover.

La otra gran crónica alicantina decimonónica, la de Viravens (1876) fue impresa en los talleres de Carratalá y Gadea, «premiados en varias exposiciones».

Rafael Carratalá Ramos nació en Alicante en 1859. Trabajó como tipógrafo y periodista. Su padre era el conserje del Teatro Principal. Participó en la fundación de la sección alicantina de la Federación Nacional de Obreros Tipógrafos, en 1882. Fundó y dirigió el periódico *El Progreso* (1884), cofundó el semanario *El Grito del Pueblo* (1890), trabajó para la revista satírica *Figuras y Figurones* (1886) y colaboró con el también humorístico *El Cullerot*, la revista *Mundo Obrero*, el *Boletín Oficial de la Sociedad Tipográfica de Alicante* y el periódico *La Humanidad*, y fue corresponsal de *El Socialista* y *La Nueva Era*. Formó parte del grupo de librepensadores Paz y de la Logia Esperanza. Fue miembro del comité que creó el Centro Obrero en la calle Liorna y de otro que organizó por primera vez en Alicante el Primero de Mayo (1890). El 2 de enero de 1891 inició el mitin que dio Pablo Iglesias en el Teatro Circo alicantino. Veinte días más tarde cofundó la Agrupación Socialista de Alicante. En 1902 publicó *Socialismo y Anarquismo: consideraciones sobre una y otra escuela*, recopilación de artículos suyos, muchos de los cuales firmaba con el seudónimo de Veritas. Como crítico teatral, presentó en 1907 *El Teatro ante las Sociedades obreras. Bosquejo histórico-crí-*

tico; y como autor escribió siete piezas teatrales breves. Murió en Alicante el 26 de febrero de 1909.

También eran periodistas o colaboraban con diarios alicantinos José María Carratalá (*Álbum Poético*, 1875-1876), Antonio Carratalá Galdó (*La Unión Democrática*, 1879; *La Revista de Espectáculos*, 1888; *El Siglo XIX*, 1888), Pedro Carratalá (*El Álbum*, 1877; *Las Circunstancias*, 1881-1883); J. de Pastor y Carratalá (*El Diario de Alicante*, 1886), Enrique Carratalá (*Boletín de la Liga de Contribuyentes de Alicante y su provincia*, 1894-1897; *El Joven Poeta*, 1890), Quico Carratalá (*El Tío Cuc*), F. Carratalá Baeza (*El Estudio*, 1895), Julio Carratalá (*El Estudio*, 1895) y Abelardo Rodríguez Carratalá (*El Graduador*, 1898).

Dos hermanos con calles

José Carratalá Cernuda, armador y consignatario, fue el tesorero de la sociedad Los Diez Amigos que fundó el barrio de Benalúa. También fue directivo de la sociedad creada para la instalación del tranvía urbano, denominada Los Nueve. Como los demás miembros de la sociedad Los Diez Amigos, una de las calles de Benalúa fue bautizada con su nombre. También como los demás socios, participó en las rifas en las que se sorteaban las casas, según iban terminándose de construir, consiguiendo varias en diferentes calles. Sus hermanos Gregorio y Domingo obtuvieron también algunas casas benaluenses en dichos sorteos.

No tenemos constancia documental de que otro de sus hermanos, Francisco, se hiciera igualmente con la propiedad de alguna casa en Benalúa, pero sí que fue bautizada una calle de Campoamor con su nombre. ¿El mérito? Ser el dueño de un chalé que había en dicha calle y ceder parte del terreno para su urbanización.

Hermano o primo de estos era Emilio Carratalá, cantante alicantino que actuó por Andalucía entre 1860 y 1868, embarcándose rumbo a Cuba en 1869 con la compañía de Joaquín Gaztambide. Cuenta Vidal Tur que en 1889 le pidió a su pariente Francisco Carratalá que le buscara una casa en Benalúa, pues sentía añoranza de su tierra natal y quería venir a morir aquí. Cumplió este con el encargo, pero Emilio murió en La Habana cuando se disponía a regresar.

SIGLO XX

Ramón Campos Carratalá fue el abogado defensor de los oficiales de Prisiones procesados durante el juicio que se celebró en noviembre de 1936, siendo el principal acusado el fundador de la Falange.

Ramón Carratalá fue concejal de Unión Republicana durante la Guerra Civil. Francisco Carratalá era teniente de la Brigada Perea en el frente de Madrid (1937).

Ernesto Carratalá

Ernesto Carratalá Cernuda nació en Alicante el 22 de octubre de 1887. Fue militar de carrera, alcanzando el empleo de teniente coronel de ingenieros en diciembre de 1935.

Masón y socialista, en 1934 cofundó la Unión Militar Antifascista, formando parte de su Comité Nacional, que al año siguiente se fusionó con la Unión Militar Republicana, constituyendo la Unión Militar Republicana Antifascista.

El golpe de Estado de 1936 le sorprendió en Madrid, en el cuartel de Campamento, al mando del Batallón de Zapadores. Varios capitanes golpistas le dispararon hasta matarle porque se disponía a entregar armas a los milicianos.

Periodistas

Enrique Climent Carratalá fue administrador de *El Día*, desde la fundación del periódico (1915) hasta su muerte (1933).

Rafael Antón Carratalá fue redactor de *Diario de Alicante*, pero también era abogado y el 31 de agosto de 1936 fue designado magistrado interino del Tribunal de Justicia Popular. En mayo del año siguiente ocupaba la presidencia de la Audiencia de Alicante. Al finalizar la guerra se exilió a Filipinas.

El torero Ángel C. Carratalá

Gran consternación produjo en Alicante la noticia de la muerte de Ángel C. Carratalá. Había nacido en la alicantina calle Bazán en mayo de 1904. Era hijo de Juan Celdrán (empleado de la Compañía de ferrocarriles M.Z.A.) y Marina Carratalá. Su abuelo paterno había sido alcalde de la ciudad y el materno era uno de los socios de la consignataria Carratalá Hermanos.

A los 14 años dejó los estudios para ingresar como aprendiz en la ferretería de Agustín Mora. En ella estuvo tres años. Luego marchó a Valencia, donde trabajó también como ferretero.

Con ayuda de otro alicantino, Pepe Ríos, logró actuar como sobresaliente en una becerrada celebrada en la plaza de Castellón y, al año siguiente (1923), debutó como matador en Requena. A partir de entonces en los carteles figuraría su nombre como Ángel C. Carratalá.

Durante los siguientes seis años toreó en diferentes plazas de España, cosechando grandes triunfos y merecida fama, en opinión de los entendidos. Cinematográfica Alicantina estrenó una película dedicada a sus faenas.

Pero el domingo 28 de julio de 1929 sufrió una gravísima cogida por parte de su primer toro, en la plaza de Inca. Según un testigo, al salir el toro, «que era negro y corniapretado le dio dos capotazos de tanteo y al recogerlo por tercera vez fue enganchado por el vientre. El diestro permaneció medio minuto en el aire viéndosele hacer esfuerzos sobrehumanos en el testuz del toro para evitar que lo destrozara. Cayó al suelo y sangrando fue llevado a la enfermería (…)». Murió a las diez y veinte de la mañana del día 30. Su cuerpo fue trasladado desde Palma de Mallorca hasta Valencia, y acompañado hasta aquí por una caravana de coches organizada por el alicantino Club Carratalá.

Bernardo Carratalá

En 1940, Bernardo Carratalá Poveda abrió su taller de carpintería y decoración en Joaquín Costa, 16-18. Durante ese mismo año trabajó en la reconstrucción del Camarín y en la restauración de la iglesia de la Verónica, de la Santa Faz. Había nacido en Alicante en 1887 y estudiado en la Academia de la Real Sociedad de Amigos del País y en la Escuela de Bellas Artes de San Carlos, en Valencia.

Como pintor escenógrafo trabajó en los teatros alicantinos Sport, Salón Granados, Ideal, Salón España y Novedades. Murió en 1965 y el 7 de diciembre de 1967 el ayuntamiento puso a una calle de Virgen del Remedio el nombre de Escenógrafo Bernardo Carratalá.

Antonio Ramos Carratalá

Nacido en Cartagena el 23 de octubre de 1896, su madre era alicantina. En 1940, siendo comisario del Gobierno y director-gerente de la Caja de Ahorros y Monte de Piedad de Alicante, fusionó esta con las Cajas de Cartagena, Murcia, Yecla, Jumilla y Sindicato Católico-Agrario de Yecla, constituyendo la Caja de Ahorros y Monte de Piedad del Sureste de España. Con posterioridad se incorporaron otras cajas de ahorro, como la de Elche (1941) y la de Caudete (1942). A partir de 1944 se produjo la expansión de la Caja del Sureste, con sucesivas inauguraciones de institutos sociales y musicales, bibliotecas, salas de exposiciones y aulas de cultura.

Le fue concedida en 1953 la Medalla de Oro al Mérito en el Trabajo y, en 1966, el título de Hijo Adoptivo de Alicante. Fue nombrado presidente del Consejo de Administración de la Caja de Ahorros del Sureste de España en 1969. Falleció el 13 de enero del año siguiente.

Comerciantes

Son muy numerosos los Carratalá alicantinos que abrieron algún tipo de negocio en la ciudad tras la Guerra Civil. Por ello, solo mencionaremos aquí a los que lo hicieron durante la década de 1940:

Feliciano Carratalá Vallcanera: Vinos y piensos en Aguilera, 6 (1940), local reconvertido en industria de tejidos (1943).

José Carratalá Vallcanera: Bicicletas en Bailén, 31 (1941) y fábrica de tejidos en Soto Ameno, 16 (1943). Compró terrenos municipales en las calles Magistral Segura y Santa Felicitas (1946).

Emilio Carratalá Baeza: Pescaderías en San Fernando, 36 y en Rafael Altamira, 15 (1940). Venta menor de piensos y derivados en Capitán Segarra, 18 (1944). Construyó un almacén para piensos y frutos secos en Maestro Alonso, 124 (1948).

Rafael Costa Carratalá: Imprenta en General Goded, 9 (1940); donde instaló un motor a gasolina en 1946.

María Gadea Carratalá: Frutería y verdulería en General Primo de Rivera, 9 (1941).

Carlos Carratalá Orts: Venta de muebles en Calderón de la Barca, 24 (1942).

Juan Carratalá Crespo: Herrador en Poeta Carmelo Calvo, 11 (1943).

Rafael Esquembre Carratalá: Almacén de maderas en Maisonnave, 16 (1943).

Manuel Carratalá Planelles: Barbería en García Gutiérrez, 16 (1945).

Juan Carratalá Naborell: Almacén de salazones en Maisonnave, 14 (1946) y en Aguilera, 18 (1948).

José Carratalá López: Bicicletas en Teniente Coronel Chápuli, 5 (1946).

Juan Manero Carratalá: Vaquería en carretera Villafranqueza (finca Villa Lourdes) (1948).

Antonio Celdrán Carratalá: Cuadra de ganado equino en Alférez Díaz Sanchís, 79 (1949).

Calles Carratalá

Actualmente hay en la ciudad siete vías urbanas en cuyos nombres figura el apellido Carratalá:

Avenida Antonio Ramos Carratalá (Vistahermosa, Cuatrocientas Viviendas, Juan XXIII).

Calle Carratalá (Benalúa).

Calle Escenógrafo Bernardo Carratalá (Virgen del Remedio).

Calle Francisco Carratalá Cernuda (Campoamor).

Calle General Carratalá (San Antón).

Calle Javier Carratalá (Campoamor).

Calle Médico Enrique Carratalá (Polígono San Blas).

«Mi padre nos decía a mis hermanos y a mí que nuestro trabajo era estudiar»

Dori nació en una familia de agricultores enraizada en el Bacarot. Sus tatarabuelos paternos, Ramón Carratalá y Gertrudis Sala, eran labriegos, como lo eran también sus bisabuelos: Manuel Carratalá Sala y María González Antón.

Manuel y María tuvieron cinco hijos: José, Ramón, Piedad, Gertrudis y Trinidad, que heredaron las tierras que la familia poseía en la partida de Bacarot.

Ramón Carratalá González, nacido el 6 de agosto de 1893, fue también labriego. Se casó con Isabel Benito, con quien tuvo tres hijos: Isabel, Eleuterio y Adoración. Al enviudar se casó en segundas nupcias el 27 de julio de 1934 con Ángela Sempere Soler, con quien tuvo en 1936 un hijo póstumo que fue bautizado con su nombre: Ramón.

Ramón Carratalá Sempere cultivó sus propias tierras del Bacarot, pero además fue encargado de la empresa tomatera ETASA. Se casó el 14 de octubre de 1961 con Isabel Giménez Sánchez, nacida en 1939 en la partida rural de El Rebolledo. Tuvieron tres hijos: Adoración, nacida el 1 de diciembre de 1963, Ramón (1965) y Matilde (1966).

«Mi padre era agricultor, pero tenía una mente abierta, con inquietud intelectual, y, junto a mi madre, nos animó a mis hermanos y a mí a que estudiáramos. "Vuestro trabajo es estudiar", nos decía. Murió hace doce años», recuerda Adoración Carratalá Giménez (Dori, para familiares y amigos).

El hermano de Dori, Ramón, estudió hasta COU y luego se dedicó a trabajar el campo, modernizando la empresa agrícola familiar. Su hermana Matilde estudió magisterio y trabaja de maestra en Torrellano.

En 1988, Dori se licenció en Ciencias Químicas en la Universidad de Alicante, en cuyo departamento de Ecología realizó su doctorado en 1993. Fue investigadora del Centro de Estudios Ambientales del Mediterráneo entre 1996 y 2001. A partir de este último año fue profesora ayudante en la UA y, desde 2011, es profesora titular del departamento de Ingeniería Química, en el área de conocimiento de Tecnología del Medio Ambiente. Además, es la secretaria de la sección sindical de FETE-UGT de la UA. Vive desde 1991 con el biólogo marino José Luis Sánchez. Tienen dos hijos: Pau, nacido en 1998, y Anabel (2001). Por supuesto, viven en el Bacarot.

DIE

VINIERON DE LOS ALPES

Los hermanos Pierre, André, Étienne y Jean Dye Jouvene llegaron a Alicante en la década de 1760. Eran naturales de Saint-André-d'Embrun, una pequeña población cercana a los Alpes y a la actual frontera con Italia, en la región de Provenza-Alpes-Costa Azul. Eran hijos de Gabriel Dye Lombard y Elisabeth Jouvene Vernin. Como los demás extranjeros, una vez afincados en nuestra ciudad, adaptaron sus nombres al castellano: Pedro, Esteban, Andrés y Juan; y sus apellidos se transformaron en Die Juvena. El primero en llegar a Alicante fue Pedro, en 1765, que se dedicó al comercio. Sus hermanos Andrés y Esteban vinieron en 1768. Después llegó Juan.

El 21 de julio de 1775, Andrés y Esteban compraron a Tomás Vázquez todos los géneros que tenía (valorados en 11 316 pesos, 3 sueldos y 2 dineros, pagaderos en cinco años), porque este comerciante había cesado en el negocio para aceptar el empleo de corredor de mar y cambios. Pedro, Andrés y Esteban constituyeron la compañía Die Hermanos.

Andrés se desvinculó en 1787 de la compañía familiar porque se trasladó a Orihuela, al ser nombrado por el rey administrador general de Cruzada para la ciudad y obispado de Orihuela. Allí se casó con Francisca Llorens, con quien tuvo 11 hijos. Como veremos más adelante, algunos de sus descendientes enlazaron matrimonialmente con sus parientes de Alicante, viniendo a vivir a esta ciudad.

Esteban tenía 28 años cuando contrajo matrimonio el 5 de febrero de 1783, en la colegial de San Nicolás, con Josefa Amérigo Ortiza, de 18 años de edad.

Tuvieron once hijos, bautizados todos en San Nicolás: Josefa (nacida el 24-11-1783), Juana (27-8-1785), Vicenta (26-1-1788), Rafael (23-2-1790), Esteban (27-11-1792), José (27-9-1795), M.ª Luisa (14-6-1798), Victorio (30-10-1800), Luis (5-12-1802), Patricio (17-3-1805) y Francisco Die Amérigo (11-6-1807).

Entre 1785 y 1793, a propuesta del ayuntamiento, Esteban desempeñó el cargo de receptor de bulas de la Santa Cruzada.

En 1793, tras estallar la guerra entre España y Francia, Carlos IV ordenó que se embargaran los bienes de los franceses residentes en territorio español y la expulsión de aquellos que no estuviesen casados con españolas, siendo obligatorio para estos alejarse de las costas. Como consecuencia, Esteban marchó a Murcia el 4 de mayo de 1793 y, ocho días después, Andrés, que estaba soltero, se fue a Argel. Juan, también soltero, se embarcó rumbo a Barcelona y Génova, regresando por último a Francia.

En agosto de 1795 el Supremo Consejo del Reino declaró debidamente domiciliado en Alicante a Esteban Die, y el 20 de junio de 1796 el mariscal de campo Antonio Romeo, gobernador militar y político de Alicante, ordenó que se devolvieran sus bienes a Esteban y Pedro Die, que se hallaban en poder de los depositarios Baltasar Antón y Roque Sarrió.

Pedro regresó a Argel poco después, donde se instaló como corresponsal de la compañía Die Hermanos, falleciendo allí antes de cumplir los 60 años. Esteban se quedó en Alicante, donde siguió creciendo su prole, tal como hemos visto.

Los negocios de Esteban debieron de ser muy lucrativos, sobre todo en las primeras décadas del siglo XVIII (en 1801 se le concedió permiso para comerciar con las Indias). En el «Padrón General de Bienes de la Ciudad de Alicante y su Término» de 1806, que se conserva en el Archivo Municipal, Esteban Die aparece como propietario de una única casa, situada en la calle Mayor y por valor de 8 530 reales. Sin embargo, en el nuevo padrón de propietarios que el arquitecto municipal Antonio Jover confeccionó en 1814, Esteban Die figura como dueño de una casa en la calle Mayor (cuyo valor ahora era de 60 000 reales), pero también de otra casa en la calle San Francisco (por valor de 3 000 reales); de un almacén y un granero en la calle Teatinos (90 000 reales); de otro almacén en la calle de la Pelota (60 000); de una casa-horno en la calle Desamparados (10 000); de dos casas en la calle Empedrado (9 000); otra en la calle del Santo Cristo (6 000); de tres casas en la calle Diezmo (50 000); de otras tres (una principal y dos accesorias, conocidas como Palacio de Die) en la calle San Nicolás (70 000); de otra en la calle del Lobo (80 000); de otra en el Arrabal Roig (6 000); y de otras seis en la calle San Roque (9 000). En total, era propietario de 19 casas, dos almacenes, un granero y un horno, por valor de 453 000 reales.

Además, poseía una hacienda en la partida de Orgegia que compró el 11 de marzo de 1803, a la que fue agregando terrenos colindantes y que llamó «Lo de Die». Desde el año siguiente, esta finca fue visitada por la comitiva oficial durante la peregrina de la Santa Faz. Así nos lo cuenta el cronista Viravens:

«(…) la peregrina continúa saliendo (1876) procesionalmente de San Nicolás con asistencia de una comision del Ayuntamiento y otra de los Cabildos

156

y siguen las Comisiones en carruajes hasta la casa de recreo de los Sres. Die. En el Oratorio de esta casa y desde el año 1804, se canta por los Sacerdotes asistentes á la Peregrina un responso por el eterno descanso de las almas de los finados de tan respetable familia, cuyo representante despues de este acto, obsequia á las comisiones oficiales con pastas y delicados vinos de las acreditadas bodegas de la propia hacienda, continuando inmediatamente la comitiva hasta las cercanías de Santa Verónica, donde vuelve á ordenarse la procesion para entrar en el templo, según las formalidades antiguas (…)».

Esta costumbre de descansar la comitiva oficial de la Peregrina en la hacienda de los Die continuaba un siglo después, tal como se lee en *La Voz de Alicante*, del 4 de mayo de 1905:

«Ha tenido lugar la tradicional romería al monasterio de la Santa Faz (…). Como de costumbre ha descansado brevemente la comitiva, siguiendo la antigua costumbre, en la hacienda de Die, siguiendo después al Monasterio donde se venera la preciosa Reliquia».

Y continuó esta tradición hasta poco antes de que la finca fuese adquirida por alguien ajeno a la familia Die, a principios de la década de 1970.

Esteban Die Jouvene fue regidor en 1804, y en 1813 era el único y principal socio de la compañía Die Hermanos. Murió en su casa de la calle San Nicolás el 13 de mayo de 1829 y fue enterrado con el hábito de los Capuchinos en la capilla del convento de Nuestra Señora del Carmen, por ser cofrade.

SEGUNDA GENERACIÓN

Tras la muerte del patriarca, el negocio familiar fue administrado por la razón social Herederos de Esteban Die, que en 1845 ocupaba el puesto duodécimo en la lista de rentas más altas de la ciudad, con 8 405 reales de contribución. Dos años después la sociedad volvió a llamarse Die Hermanos, y ocupaba el puesto trigésimo sexto entre los principales importadores de Alicante, con un volumen de 108 136 reales.

M.ª Luisa Die Amérigo se casó con su primo José Die Llorens, natural de Orihuela e hijo de Andrés y Francisca. El 31 de julio de 1813 tuvieron a su hija Josefa, que bautizaron en la colegial de San Nicolás.

Victorio Die Amérigo

Como su padre, fue comerciante al por mayor y al por menor de salazones y aguardiente, y propietario de varias casas en la ciudad y de tierras en Villafranqueza. Heredó la finca conocida como Lo de Die, en la partida de Orgegia. En 1847 pagó 1 119 por contribuciones directas; 1 198 reales en 1849; y 2 422 reales en 1851. Fue vocal de la Junta de Comercio en 1841-1842 y 1852-1855, y cónsul del Tribunal de Comercio en 1849-1850.

Concejal (1843-1854) y alcalde tercero en 1856, tras el golpe de Estado del general O'Donnell. En 1859 fue nombrado depositario de la junta de vecinos que constituyó el obispo para administrar los fondos de reparación de la iglesia de Nuestra Señora de Gracia; y en 1863 formó parte de la Junta Municipal de Beneficencia.

Contrajo matrimonio en San Nicolás con su prima Carmen Die Pescetto, natural de Orihuela e hija de José Die Llorens y Brígida Pescetto. Tuvieron cuatro hijos, que bautizaron en San Nicolás: María del Carmen (nacida el 3-7-1852 y fallecida el 9-4-1854), María Remedios (28-4-1854), María del Carmen (26-11-1855) y Victorio Die Die (14-6-1858).

Mariano Die Pescetto

Hermano de Carmen Die Pescetto y cuñado, por tanto, de Victorio Die Amérigo. Nació en Orihuela en 1821. Se licenció en Derecho en Valencia, donde ejerció la abogacía durante unos años, ingresando después en la carrera judicial. Desempeñó su cargo de juez en varios lugares, entre ellos, Alicante.

Ascendido a magistrado, fue destinado a Albacete y Granada. Fue fiscal en Cáceres, presidente de sala en Sevilla y de Audiencia en Pamplona y Barcelona. Después, se trasladó con igual cargo a Madrid, donde fue nombrado magistrado del Supremo, jubilándose en 1892.

Contrajo matrimonio el 2-6-1845 en Valencia con Concepción Burgues, con quien tuvo 9 hijos; y en segundas nupcias se casó en la colegiata de San Nicolás con la alcireña Concepción Mas el 19-7-1861. Bautizó en San Nicolás a sus hijos Manuel y Alfonso Die Mas, que nacieron el 23-12-1866 y el 16-1-1869, respectivamente.

Poeta aficionado, a Mariano le gustaba leer sus poesías en el Casino los domingos, que luego eran publicadas algunas veces en diarios alicantinos, como la titulada *A la Paz* (*Eco de Alicante*, 6-.3-1869).

TERCERA GENERACIÓN

En *El Liberal* de fecha 9-11-1886 se lee la siguiente noticia breve: «Ha sido destinado á prestar sus servicios en Filipinas don Joaquin Die, querido paisano nuestro y distinguido oficial de la armada». Se trata de Joaquín Die Burgues, el primogénito de Mariano Die Pescetto y Concepción Burgues.

Luis Die Aguilar nació en Orihuela (hijo de Francisco Die Pescetto y primo hermano, por tanto, de Victorio Die Die y los hermanos Die Mas), pero se casó en Alicante con Carmen Martínez Turón, con quien tuvo cinco hijos: Francisco (1912), Luis (1912, Orihuela), Andrés (1915-1916), Ignacio (1918-1919) y José M.ª Die Martínez (1920, Orihuela).

Esteban Die Pescetto vivió y murió en Orihuela. Se casó con M.ª Rosario Zechini, con quien tuvo cinco hijos: Esteban, M.ª Rosario, Carlos, Brígida y Celestina Die Zechini.

Die-Mas

Manuel Die Mas estudió la carrera de Derecho en Barcelona y Madrid. Fue un distinguido jurisconsulto, autor de obras como *Estudio sobre la influencia de los transportes en el mercado y en la baja de los precios*, premiada por la Academia de Ciencias Morales y Políticas en 1897 y publicada en Madrid en 1900, o *El Derecho Civil de las Familias reales*, obra declarada de «mérito relevante» por la citada academia y que fue un referente en las relaciones y litigios reales.

Vivió a caballo entre Madrid y Alicante. Fue director general de Bellas y Artes, así como el artífice de la cesión del monte Benacantil al municipio alicantino por parte del Estado, en 1929. Se jubiló en 1933 como jefe de administración del Ministerio de Instrucción Pública. Se casó en Madrid, en junio de 1891, con Josefa Díaz Alonso-Martínez, con quien tuvo 18 hijos. Murió el 9-3-1934.

Su hermano Alfonso contrajo matrimonio en la parroquia barcelonesa de la Concepción con Mercedes Die Ribas el 6 de noviembre de 1910. Tuvieron dos hijos.

Die-Die

Josefa Die Die (hija de José Die Llorens y M.ª Luisa Die Amérigo) falleció el 26-7-1886.

M.ª Remedios Die Die (hija de Victorio Die Amérigo y Carmen Die Pescetto) falleció soltera en Alicante en 1872, a los 18 años de edad.

Victorio Die Die

Era el propietario de varias casas en la ciudad, como la situada en la calle Labradores, en Calatrava, 5, en Ángeles, 28 o en Jorge Juan, 22.

El 14 de julio de 1883 contrajo matrimonio en San Nicolás con María de la Concepción Loma Galiana, hija del periodista y escritor Blas de Loma Corradi. Tuvieron un hijo, Victorio Die de Loma, que nació el 15 de septiembre de 1884 y falleció al día siguiente.

Victorio enviudó el 16 de octubre de 1884, y volvió a casarse en segundas nupcias tres años más tarde con Clara Pascual de Bonanza y Pardo. El nuevo matrimonio tuvo 11 hijos: María (12-10-1888), Miguel (26-6-1890), José (18-7-1892), Pascual, María del Carmen (19-5-1895; †6-3-1897), Victorio (21-8-1897; †14-2-1901), Luis (27-10-1899), Fernando (19-4-1901), Juan (1-2-1905, en San Juan), Ramón, y Clara Die y Pascual de Bonanza (nacida el 30-10-1909 en la finca Capucho, de San Juan, propiedad de su madre).

Durante un tiempo esta familia vivió en Argentina. Tras su regreso a Alicante, Victorio representó a su suegro, Miguel Pascual de Bonanza, en diferentes asuntos, como el alquiler al ayuntamiento de dos almacenes que poseía en la calle Gravina, para su conversión en casa-cuartel de la Guardia Municipal, en 1899. En este último año formó parte del consejo de familia que se constituyó para velar por el futuro de sus sobrinos, tras la muerte de su cuñado, José Eladio García Andreu.

Fue concejal (1887) y oficial primero de la Junta Provincial de Instrucción Pública. Colaboró con varios periódicos y revistas. En 1891 fue elegido vocal de la junta directiva del Casino, y el 13 de febrero de 1897 estuvo presente, como los otros 36 miembros fundadores, en la inauguración de la sala de esgrima que José María Muñoz abrió junto al gimnasio que poseía en la calle Villegas. Las clases estaban a cargo del maestro madrileño Mariano Moreno. Como en el Casino, en la sala de armas Victorio se codeó con los hombres más influyentes de la sociedad alicantina de entonces: los barones de Mayals y de Petrés, Guillermo Campos, José Gadea, Luis, Alfonso y Juan de Rojas, Eduardo Leach, Mariano Mingot, Manuel Prytz, Trino Esplá, Arturo y Alfredo Salvetti, etc.

García-Die

María del Carmen Die Die, hermana del anterior, contrajo matrimonio con José Eladio García Andreu, empleado de la Compañía General de Tabacos de Filipinas. Tuvieron cinco hijos: José Luis, María del Carmen, Agustín, Isabel y Victorina García Die.

María del Carmen falleció en 1891. Entre los bienes que heredaron su viudo e hijos estaba la finca Lo de Die, así como una casa situada en Limones, 4 y un almacén en San Francisco, 63. Siete años más tarde, José Eladio compró el piso principal de la última finca.

José Eladio García Andreu se casó en segundas nupcias con Remedios Senante Llandes. Con ella regresaba a Alicante desde Manila, cuando falleció a bordo del vapor Cataluña, el 24 de mayo de 1899, como «consecuencia de congestión cerebral», según certificó el médico del barco. Tenía 47 años de edad. Sus exequias se celebraron en San Nicolás el 26 de junio.

El 19 de octubre de aquel mismo año (1899), ante el juez José Poveda, se constituyó el consejo de familia que debía velar por el futuro de los cuatro huérfanos (José Luis, María del Carmen, Agustín y Victorina García Die; Isabel había fallecido), puesto que eran menores de edad. Los cinco miembros del consejo eran Manuel Senante Martínez, abogado; Juan Manuel Seguí Carratalá, oficial de Telégrafos; Joaquín Gamarra Ruiz, propietario; José Blanquer Senante, empleado; y Victorio Die Die. Por unanimidad, fue elegido presidente del consejo Manuel Senante.

Como el padre había fallecido sin otorgar testamento ni ninguna otra disposición de última voluntad, en reunión celebrada el 7 de noviembre del mismo año, el consejo de familia nombró como tutor de los menores «á Don Emilio Senante y Llandes, Abogado, Catedrático y Director del Instituto de segunda enseñanza de esta ciudad, con relevación de fianza, dado el parentesco que le une á los menores, el entrañable cariño que por ellos ha demostrado siempre y la vida íntima y unida que con los mismos hace».

CUARTA GENERACIÓN

La herencia de José Eladio García Andreu fue repartida entre sus hijos y su esposa ante el notario alicantino José Ruzafa el 3 de agosto de 1900. Además de una importante cantidad de dinero vinculada a una cuenta corriente de la Caja de la Compañía General de Tabacos de Filipinas, los herederos se repartieron los bienes inmuebles que aquél poseía en Alicante.

El consejo de familia de los hermanos García Die volvió a reunirse el 29 de diciembre de 1900. El tutor de los menores, Emilio Senante, propuso la conveniencia de que el mayor de los hermanos, José Luis, «entrara de meritorio en la Compañía General de Tabacos de Filipinas, en donde por sus propias cualidades y por la memoria de su padre podría crearse un porvenir halagüeño, contando ya para ello con la aquiescencia del Director de dicha Compañía, cuyas oficinas radican en Barcelona». El consejo aprobó por unanimidad la propuesta.

Veinticinco meses después, el 20 de enero de 1903, el consejo de familia se reunió por última vez, asistiendo el mayor de los hermanos, José Luis García Die, quien expuso «su deseo de que se le conceda el beneficio de la mayor edad, en atención á tener veintiún años de edad, y á serle necesaria esta habilitación para poder desempeñar ciertos cargos en la Compañía General de Tabacos de Filipinas de Barcelona, en la que se halla empleado lo cual ha de serle de gran provecho para el adelantamiento en su carrera». Su petición fue aprobada y poco después se le concedió la mayoría de edad.

Así, pues, José Luis García Die se fue a vivir a Barcelona, aunque se casó con una alicantina y prima suya, Remedios Senante Martínez, el 11 de mayo de 1904 en la iglesia de Santa María. Ambos vinieron a Alicante a menudo para visitar a sus familias, según se noticiaba puntualmente en la prensa de la época (v. gr.: *La Voz de Alicante*, 26-1-1909 y *Diario de Alicante*, 21-8-1912). Veraneaban en la finca Lo de Die, que había heredado José Luis. No tuvieron descendencia.

María del Carmen García Die también se fue a vivir a Barcelona.

En 1907, Agustín García Die se licenció en Medicina en Barcelona. Ejerció como cirujano en Alicante, concretamente en el Hospital Provincial y en el dispensario de la Cruz Roja, pero acabó trasladándose también a Barcelona, según se deduce de la noticia publicada por *El Día* el 24-4-1935: «Acompañado de su distinguida esposa e hijos ha llegado procedente de Barcelona nuestro querido amigo e ilustre paisano el doctor don Agustín García Die. El señor García Die se propone descansar una temporada en sus posesiones de la huerta de Alicante». A la muerte de su hermano José Luis, heredó la finca Lo de Die.

Agustín falleció en Barcelona el 25 de abril de 1972. Aquel año la finca Lo de Die no abrió sus puertas a la comitiva oficial de la peregrina de la Santa Faz. Poco después fue vendida y los nuevos propietarios no quisieron asumir la tradición, por lo que el ayuntamiento corrió con los gastos del refrigerio, situando un puesto cerca de la finca.

Die-Pascual de Bonanza

M.ª Luisa Die y Pascual de Bonanza (prima hermana de los García Die) se quedó a vivir en Argentina, cuando sus padres regresaron a Alicante. Allí se casó con Ramón Sostres.

Lo mismo hicieron sus hermanos Miguel, Pascual y Luis. El primero contrajo matrimonio en Buenos Aires el 5-9-1918 con Amelia Gil, según anotación anexa en su registro de bautismo.

José Die y Pascual de Bonanza se casó con Ana Almodóvar, de Aspe, sin tener descendencia.

Clara Die y Pascual de Bonanza contrajo matrimonio el 12-5-1931, en Santa María, con Joaquín Monfort. Tuvieron 13 hijos, nacidos en Valencia.

Die-Martínez

Francisco Die Martínez se casó con M.ª Luz Núñez y tuvieron un hijo en 1949, Francisco, que murió soltero en 1969. Francisco Die Martínez falleció en 1941.

Luis Die Martínez era maestro. Contrajo matrimonio el 18-12-1958 con Elvira Olmos, con quien tuvo tres hijos: Carmen (19-10-1962), Luis (13-1-1965) y José Manuel Die Olmos (28-2-1969).

Die-Zechini

Esteban Die Zechini vino a vivir a Alicante, donde ejerció como abogado. Se casó en la iglesia de Santa María, en 1912, con Emilia Senante, hermana de la esposa de José Luis García Die. No tuvieron hijos. Esteban falleció en 1918 a causa de la gripe.

Carlos Die Zechini contrajo matrimonio en Orihuela con Adelina Zerón, que murió al cabo de nueve meses. En segundas nupcias se casó con Josefina Coig, también en Orihuela, con quien tuvo 11 hijos, casi todos ellos nacidos en la capital de la Vega Baja: Concepción (1917), Carlos (1919), Juan (1920), Josefina (1921), Luisa (1923), Esteban (1924), Angelita (1926), Rosario (1928), Carmen (1930), Teresa (nacida en Torrevieja) y Antonio (1934).

Carlos Die Zechini vino a vivir a Alicante con su familia. En 1935 pidió permiso municipal para enlucir la fachada de una casa, sita en Paseo de los Mártires, 23.

Die-García Murphy

Francisco Die García-Murphy nació en Orihuela el 9-6-1909 (hijo de José Die Losada y Emilia García Murphy, unió los apellidos maternos), donde se casó en 1938 con Consuelo Rogel. Tuvieron dos hijos: Emilia y Francisco. La familia vino a vivir a Alicante, donde nació el hijo menor. El padre era pintor y trabajó como profesor de dibujo en el colegio de los Maristas. En 1954 pidió permiso municipal para abrir un negocio de venta de periódicos y alquiler de novelas en San Francisco, 8.

QUINTA GENERACIÓN

Luis Die Olmos se casó en 1974 con Salvadora Vila, en Valencia; tienen dos hijos. Su hermano José Manuel está soltero; y su hermana Carmen está divorciada y tiene dos hijos.

Die-Rogel

Emilia Die Rogel se casó en Alicante con Blas Alacid y tuvo cinco hijos: Desirée (1964), Francisco (1966), Juan Pedro (1970), Emmanuel (1976) y Noemí Alacid Die (1979).

Francisco Die Rogel fue delineante del Ayuntamiento de Alicante hasta su jubilación. Casado con Maribel Pérez Fuentes, tuvo una hija en 1970, Clara Die Pérez, que contrajo matrimonio con Javier Miguel Rubio Gómez y es madre de Clara (2003) y Hugo Rubio Die (2004).

Die-Coig

Concepción Die Coig se casó en Alicante con Cristóbal García-Romeu y marchó a vivir a Madrid.

Carlos Die Coig contrajo matrimonio en Alicante con Encarnación Marsell de la Viña. Tuvieron dos hijas: M.ª José y Paloma.

Juan Die Coig también se casó en Alicante (donde fue concejal entre los años 1957 y 1961) con la melillense Elvira Maculet Haro. Tuvieron cinco hijos: Elvira (1955), Rosario (1956), Concha (1958), Cristina (1959) y Juan (1962).

Josefina Die Coig es religiosa de Jesús y María. Vive en Alicante.

M.ª Luisa Die Coig es soltera.

Esteban Die Coig vive en Torrevieja con su esposa, Concepción García Gea, y sus siete hijos.

Angelita Die Coig contrajo matrimonio en Madrid con Pedro Macías, con quien tuvo dos hijos, y en segundas nupcias con Jorge Perreau, barón de Pinninck, sin descendencia.

También viven en Madrid Rosario y Carmen Die Coig. La primera casada con Luis Asensio (dos hijos) y la segunda con Juan Perreau, hermano del segundo marido de Angelita.

Teresa Die Coig vive en Torrevieja con su esposo, Pedro Silos, y sus dos hijos.

Antonio Die Coig se casó con Elena Galán en el monasterio de Guadalupe y tuvieron tres hijas.

ACTUALIDAD

Hoy hay censadas en la ciudad de Alicante 43 personas apellidadas Die: 18 con el primer apellido, 25 con el segundo y ninguna con ambos.

Lo de Die es en la actualidad un restaurante especializado en banquetes de bodas.

AMANTES DE LA HISTORIA

Rosario, Concha y M.ª José pertenecen a la sexta generación de Die alicantinos.

M.ª José es hija de Carlos Die Coig y Encarnación Marsell. Nació en Alicante en 1964. Es licenciada en Derecho y mediadora de seguros. Se casó el 30 de junio de 1990 con el capitán de Infantería de Marina Manuel Paternina, ahora retirado y dedicado a la abogacía. Son padres de Carlos (1991), arquitecto y soltero, y M.ª Carmen (1995), que estudia Ingeniería Biomédica en Barcelona. La hermana menor de M.ª José, Paloma Die Marsell (1967) está casada con Ángel Herrezuelo, coronel de Infantería de Marina; tienen dos hijos y viven en Cartagena desde hace poco.

Rosario y Concha son hermanas, hijas de Juan Die Coig y Elvira Maculet.

Rosario (Charo, para sus familiares y amigos) está casada con Armando Alberola y tiene dos hijos. Está licenciada en Derecho, pero no ejerce. Es investigadora histórica. «Me dedico a investigar las vidas de personajes alicantinos», explica. Es la biógrafa más prestigiosa de Jorge Juan y del Conde de Lumiares. De este último es la coautora (con Juan Manuel Abascal y Rosario Cebrián) del estudio biográfico que coeditaron en 2009 la Academia de Historia y el Instituto Juan Gil-Albert.

Concha Die Maculet es delineante desde 1979, pero su verdadera vocación es la genealogía, especialmente la de su familia. Está dedicada a investigar sobre ella desde que tenía 15 años. «Llevo investigados ya 230 de mis apellidos en línea directa. De los Die me he remontado hasta 1638, en Francia».

Ni que decir tiene que el entrevistador se ha aprovechado de los extensísimos conocimientos que Concha ha ido acumulando con los años sobre la historia de su familia. Desde aquí le reitero mi agradecimiento. Concha lleva organizadas cinco reuniones de los Die en diferentes lugares del mundo. Empezó en 1977, reuniendo el 13 de septiembre, en el colegio Jesús y María de Alicante, a 133 personas. La segunda reunión se celebró el 4 de septiembre de 1999 en Madrid. La tercera el 4 de septiembre de 2004 en Lo de Die, en Alicante. La cuarta vez se reunieron en Saint André d'Embrun, la cuna de los

Die, el 26 de agosto de 2006. La última asamblea familiar se celebró también en Saint André d'Embrun, el 21 de agosto de 2010. «El árbol genealógico que expusimos medía 11 metros de largo, abarcaba cuatro siglos de historia, con trece generaciones y más de 2 400 personas repartidas en varios continentes». En las cinco ocasiones la prensa local se hizo eco del acontecimiento.

Desde hace muchos años toda la familia Die mundial sabe a quién dirigirse cuando se encuentra un documento o un dato referente a sus antepasados. «Todos los papeles que encuentro se los doy a Concha», dice M.ª José. Concha es la tesorera y guardiana universal de la memoria histórica de los Die.

ESPAÑA

DESDE EL OTRO LADO DE LOS PIRINEOS

Dicen los genealogistas que el apellido España tiene su origen en la baronía de Ramefort, en el condado y obispado de Cominges, región pirenaica limítrofe al sur con el valle de Arán. En francés, el apellido es d'Espagne (de España). Dos fueron los d'Espagne que llegaron a Alicante en la segunda mitad del siglo XVIII, ambos procedentes del condado de Cominges.

Uno de ellos, Beltrán de España, natural de Marignac e hijo de Pedro y Paula Vives, contrajo matrimonio en la iglesia de San Nicolás el 8-10-1781 con la cartagenera Sebastiana Sánchez. Con este matrimonio legitimaron a su primer hijo, Sebastián de España Sánchez, que había nacido el 20 de enero de aquel mismo año y bautizado dos días más tarde en San Nicolás.

El otro d'Espagne llegó a Alicante un poco antes. Nacido en el valle de Arán (perteneciente entonces al obispado de Cominges), concretamente en el pueblo de Salardú (bautizado el 2-4-1744 en la parroquia de San Andrés), el comerciante Tomás de España Paba, de abolengo noble, se casó con la valenciana Isabel Damiá el 10-10-1769 en Valencia. Afincados ya en Alicante, tuvieron ocho hijos: Magdalena (nacida el 13-1-1773), Josefa (23-3-1775), Tomás (12-3-1777), Mariano (8-12-1778), Miguel (1-10-1780), Rafael (2-6-1784), Gregorio (12-3-1788) y Francisco de España Damiá (18-11-1791).

Magdalena de España Damiá contrajo matrimonio con Francisco Carratalá; y su hermana Josefa con Domingo García. Francisco de España Damiá vio ratificada su condición de noble mediante auto fechado el 14-12-1808.

SIGLO XIX

España-Sotelo

Tomás de España Damiá fue comerciante y regidor entre 1814 y 1822. En el padrón de propiedades, valores y rentas líquidas de 1814, aparece como propietario de dos casas y un almacén en la calle de San Francisco (por un valor de 60 000 reales), una casa en la calle de la Pelota (5 000 reales) y otra casa en la calle de las Almas (3 000). Como su hermano Francisco, obtuvo la ratificación de su condición de caballero mediante auto firmado el 9-3-1820. Se casó el 29-8-1803, en San Nicolás, con María de la Asunción Sotelo León. En esta misma iglesia bautizaron a cuatro hijos: Tomás (nacido el 7-6-1804), José (11-11-1805), Miguel (12-1-1807) y María de España Sotelo (29-1-1811).

MIGUEL DE ESPAÑA SOTELO

Nació entre las 6 y las 7 de la mañana del 12 de enero de 1807. Fue comerciante al por mayor y menor. Vocal de la Junta de Comercio en 1843 y 1844, y cónsul del Tribunal de Comercio en 1847-1848 y 1851-1852. Miembro del Sindicato de Riegos de la Huerta (1846).

Con la desamortización de Mendizábal adquirió dos casas en Alicante por valor de 16 902 reales. En la lista de contribuyentes con las rentas más altas de 1845, ocupaba el puesto 19.º, con 5 705 reales; y en la de principales propietarios urbanos (1847-1850) el puesto 31.º, con 10 520 reales. En 1851 pagó 1 836 reales por contribuciones directas.

Contrajo matrimonio el 26-5-1836, en la colegiata de San Nicolás, con Antonia Samper Mallol. Tuvieron tres hijas: Margarita (1837), Nicolasa (1841), que no llegaría a edad adulta, y Florentina de España Samper (nacida el 22-10-1842). En los padrones de 1841 y 1846 aparecen domiciliados en Triunfo, 2 (actual Alberola Romero).

Liberal progresista, fue vocal de la Junta de Gobierno en 1840, en 1844 (rebelión de Boné) y en 1854. En este último año, siendo además capitán de la Milicia nacional, falleció el 15 de agosto víctima de la epidemia de cólera morbo que asoló la ciudad, llevándose la vida, entre otros, del gobernador civil Trino González de Quijano (15 de septiembre).

Sus hijas Margarita y Florentina (conocida familiarmente como Flora) se repartieron la herencia, correspondiéndole a la primera, entre otras propiedades, una casa en Teatinos, 9 (que reconstruyó en 1881) y otra en Navas, 2 (cuya fachada mandó enlucir en 1898). Por su parte, Flora heredó casas en la calle León, en Buda, 2, en la calle Cisneros, en la calle Princesa y en Castaños, 2. En 1875 pidió permiso municipal para limpiar una acequia en General Prim, 8. Según el cronista Viravens, era, además, dueña de la finca La Cruz, ubicada en la partida de la Condomina (calle La Cruz de Piedra actual, en el Barrio Obrero), y de la finca San Juan, en Fontcalent.

TOMÁS DE ESPAÑA SOTELO

Nació a las 12 de la noche del 7 de junio de 1804 y fue bautizado dos días después, en la colegial de San Nicolás, con los nombres de Tomás Roberto.

Comerciante y propietario

Comerciante mayorista y minorista. Cónsul del Tribunal de Comercio (1838-1839 y 1841-1842) y prior del mismo tribunal (1846, 1849 y 1854). Vocal de la Junta de Comercio en 1840 y 1847, y su vicepresidente en 1854. Miembro del Gremio de Comerciantes Capitalistas (1855).

En 1834 encabezaba la relación de electores mayores contribuyentes, con 3 528 reales de cuota total. En la lista de contribuyentes con las rentas más altas de 1845, ocupaba el puesto 17.º, con 6050 reales; y en la de principales propietarios urbanos (1847-1850) el puesto 22.º, con 13 480 reales. En 1851 pagó 4 965 reales por contribuciones directas.

Propietario de tierras en Villafranqueza y Elche. Con la desamortización de Mendizábal compró censos en Almoradí por valor de 4 819 reales, y con la de Madoz compró tierras pertenecientes al clero parroquial de Santa María por 29 220 reales y tierras de las monjas de San Sebastián de Orihuela por valor de 13 000 reales, así como censos del Hospital de San Juan de Dios de Orihuela por 450 reales.

Poseía casas en San Cristóbal, 12 (1841), en la calle Babel (1846), en Aranjuez, 3 (1855), en la plaza Santa Teresa (1860), en la plaza San Francisco (1861) y en la calle Cid (1861). En 1863, siendo alcalde, requirió indemnización por un terreno en la que fue calle del Huerto de Ordóñez, en el barrio de San Antón.

En mayo de 1852 se agregó a la comisión que se constituyó un mes antes para impulsar la construcción del ferrocarril Alicante-Almansa. En 1854 participó en una reunión para tratar sobre la mejora del puerto. En 1859 fue nombrado por el obispo vocal de la junta de vecinos que recaudaron fondos para la reparación de la iglesia de Gracia. En 1868 era miembro del Consejo de Administración de la M.Z.A. (Compañía de ferrocarriles Madrid-Zaragoza-Alicante) y funcionario de la sucursal del Banco de España.

Político

En 1835 fue elegido teniente de la compañía de Caballería de la Milicia nacional y comandante de Artillería en 1840-1841 y 1855.

Participó en la revolución de agosto de 1836. Miembro de la Junta de Gobierno tras la revolución progresista de 1840. Empezó siendo liberal progresista, como su hermano Miguel, pero con el paso del tiempo fue moderándose, ocupando la alcaldía en plena Década Moderada y haciéndose con la jefatura local de Unión Liberal.

Concejal en 1836-1838, 1844, 1857, 1865 y 1873. Diputado en las elecciones generales de 1842. Alcalde en 1841-1842, 1847, 1848-1852, 1862-1864 y 1875. Diputado provincial en 1856, después del golpe de Estado de O'Donnell. Tras la revolución de septiembre de 1868, presidió la Junta de Gobierno provisional.

Siendo alcalde, solicitó en 1849 al ministro de Gracia y Justicia el traslado de la sede episcopal de Orihuela a Alicante, aprobándose dicho traslado dos años más tarde. Pero el concordato con la Santa Sede no se llevó a la práctica y no fue hasta 1959, bajo el papado de Juan XXIII, que la sede episcopal pasó a llamarse Orihuela-Alicante.

Familia

Contrajo matrimonio el 27-1-1836, en San Nicolás, con Rafaela Vasallo Guillem, hija del comerciante de origen genovés Pascual Vasallo. Tuvieron tres hijos: Tomás (1837), que murió antes de cumplir los 8 años, Milagros (1839) y Rafaela de España Vasallo (1841), que también falleció antes de llegar a edad adulta. En el padrón de este último año aparecen domiciliados en San Francisco, 10.

Tras enviudar, se casó el 15-2-1844 en segundas nupcias con Josefa Blázquez Robanal, en Puebla Nueva (Toledo), de donde ella era natural. Tuvieron tres hijos: Tomás (nacido el 30-3-1846), M.ª Aurora (26-11-1849) y Julio de España Blázquez (16-10-1852). En el padrón de 1846 Tomás seguía domiciliado en San Francisco, 10, con sus dos hijas, su nueva esposa y tres criadas.

Julio se casó el 10-9-1874 con María Ghighone y su hermano Tomás con Francisca Costa, natural de Sagaró (Gerona), el 28-10-1889, en San Nicolás.

Altruista

Desde 1838 fue miembro de la Junta de Beneficencia durante muchos años. Durante la epidemia de cólera morbo que sufrió la ciudad de Alicante y localidades vecinas en 1854, fue invadido por la enfermedad, pero a diferencia de su hermano Miguel, que falleció, Tomás logró recuperarse. Como Miguel y como el gobernador civil González de Quijano, se contagió mientras ayudaba a los enfermos.

Seis años más tarde, en 1860, a petición del fiscal nombrado por el gobernador para instruir un expediente sobre la actuación de algunos alicantinos durante aquella terrible epidemia, el alcalde Anselmo Bergez firmó un certificado en el que se decía:

«Que D. Tomás España y Sotelo, hacendado y del comercio de esta ciudad, prestó muy importantes servicios á este vecindario, durante la epidemia del cólera morbo en mil ochocientos cincuenta y cuatro, socorriendo privadamente á familias necesitadas. Conocidos sus buenos deseos, fue nombrado Vocal de la Junta creada para la distribucion de una sopa diaria, y otros socorros domiciliarios, asistiendo exactamente y con esquisito celo al repartimiento de aquella, y ayudando, con su peculio, á la formación y sostenimiento del fondo necesario para dicho servicio. Permaneció constantemente en su puesto como vocal de dicha Junta, hasta que habiendo perdido por la enfermedad reinante á un hermano y habiendo sido él mismo invadido hubo de retirarse, y se retiró, por el tiempo necesario para restablecerse. Al encargarse del Gobierno de la Provincia el infortunado D. Trino Gonzalez de Quijano, se presentó el Sr. España á dicha Autoridad; y ofreciéndola incondicionalmente su fortuna para atender al Socorro de todo genero de necesidades durante aquellas calamitosas circunstancias, la entregó diez mil reales vellon, con dicho obgeto, y la seguridad de cuantos servicios personales pudiera prestar».

Según Francisco Montero Pérez (*El Correo*, 14-3-1922), Tomás de España dedicó parte de su fortuna personal a través del «socorro del emigrado, la subvención a la prensa periódica liberal, el alivio al preso y a la familia del mismo». Fue nombrado comendador de la orden de Carlos III y condecorado con la Cruz de Beneficencia de primera clase. Murió en 1877. En su honor, el ayuntamiento puso a una calle de Campoamor el nombre de Alcalde España.

Genealogía

En la década de 1860, Tomás de España solicitó a la Corona que confirmase las «excelencias y blasones de las ilustres y solariegas familias» de sus cuatro primeros apellidos: España, Sotelo, Damiá y León. Isabel II firmó el certificado en el que, acompañado del correspondiente árbol genealógico, que se remontaba seis generaciones a la del interesado, se hacía saber que «se nos han exhibido varios privilegios, reales cédulas, diplomas, escrituras, ejecutorias, informaciones y relaciones de actos positivos de nobleza, fundaciones de vínculos y capillas, partidas sacramentales y otros muchos documentos en forma auténtica, por los cuales se justifica plenamente la cristiandad, limpieza de sangre y notoria nobleza que disfruta el mencionado Señor Don Tomás Roberto España, Sotelo, Damiá y Leon», por cuanto las familias de estos apellidos «son infanzonas, de noble y generosa prosapia, de armas poner y pintar; limpias de sangre y esentas de todo vicio é impedimento que las inhabilite ostentar hidalguía y nobleza y obtener las dignidades que solo los nobles pueden ejercer».

Sobre el apellido España, el certificado real reconoce que «la Casa y familia de España procede por línea masculina y legítima de los antiguos Condes Soberanos de Cominges, y por la femenina de los Condes Soberanos de Foix, enlazados con los Reyes de Francia, Navarra y Aragon; que tenían su solar, de tiempo inmemorial, en la Baronía de Ramefort, en el Condado y Obispado de Cominges y Valle de Aran, antigua provincia de Gascuña, frontera de España por la de Cataluña. Y como prueba auténtica pone su genealogía estensa y especificada desde Asnarius ó Anerius, Conde Cominges, que vivía por los años de ochocientos cincuenta, hasta los actuales Marques y Conde de España (…), sacando de ella que el primero que se apellidó España, fue por los años mil doscientos cuarenta y tres Arnaldo de Cominges y España, por su madre Grisa, Señora de España y de Montespau, hija esta Señora de otro Arnaldo de España, que mereció gran elogio por su valor en las Crónicas del Rey San Luis, como Capitan que era de ballestas del primer cuerpo de ejército en mil doscientos cincuenta en la batalla de Mansura, tierra Santa».

Carratalá-España

Hijo de Magdalena de España Damiá, Miguel Carratalá España fue uno de los propietarios alicantinos más importantes del tercer cuarto del siglo XIX. Reedificó la fachada de una casa situada en plaza San Cristóbal, 1 (1848), la de otra que estaba en la calle San Ginés (1854), la de otra ubicada en la calle San Fernando (1861) y la de otra en San Vicente, 3 (1877). Compró un solar en la plaza del Progreso en 1855, donde construyó una casa tres años después.

El 30-8-1867 comunicó por escrito al alcalde (adjuntando escritura), que José Marco Oliver le había «cedido un crédito de mil cuatrocientos setenta y cinco escudos del que de mayor cantidad tiene contra el Ayuntamiento por importe de la contrata de las obras de la plaza de Isabel 2.ª, a fin de que pueda obtener el reintegro de los primeros libramientos que en su caso se le espidan». En este mismo año solicitó al ayuntamiento que se le indemnizara por los perjuicios causados por las obras llevadas a cabo en la calle de la Infanta. Y, al siguiente, pidió que el arquitecto municipal realizara la demarcación de la línea foral de la casa que tenía en el paseo de los Mártires.

En 1872, el ayuntamiento concedió permiso para que se le transfiriese la dotación de aguas que hasta entonces recibía Rafael Jordá. Poseía en Muchamiel la quinta de recreo llamada Riera, que en 1874 arrendó a José Bas Moró, para la construcción de la fábrica de sacos San José.

Soledad Carratalá España mandó edificar en 1851 una casa en la calle del Foso.

Carmen Carratalá España pidió permiso municipal en 1870, para que se realizara la apertura de una puerta en su vivienda de la plaza del Mercado, bajo la supervisión del arquitecto José Guardiola Picó.

SIGLO XX

Encarnación Cruz España abrió en 1940 una carbonería en Marqués de Molins, 18.

Cesáreo España Carrizo abrió en 1955 una tienda de artículos de limpieza en Bernardo López 26, y en 1959 una mercería en San Carlos, 93.

España-Ghighone

Como decíamos más arriba, Julio de España Blázquez (hijo de Tomás de España Sotelo) contrajo matrimonio el 10-9-1874 con María del Rosario Ghighone. Ambos tenían 21 años y se casaron, según consta en el registro parroquial de San Nicolás, «en casa de los contrayentes». Tuvieron dos hijos, ambos bautizados en San Nicolás: Aurora, nacida el 24-7-1880, y Julio, nacido el 21-3-1883.

En sesión celebrada el 8-9-1944, el ayuntamiento acordó expropiar la casa número 9 de la calle Zaragoza, para reformar la zona norte de la Rambla. Sus propietarios, Julio y Aurora de España Ghiglione, recibieron una indemnización de 104 248,46 pesetas.

Aurora se casó con Eduardo Campos de Loma. Tuvieron tres hijos: Julio, Rafael (crítico taurino de *ABC*) y Marita (M.ª Carmen).

Julio Campos de España era redactor de *El Correo* en 1928. En 1941 abrió un taller eléctrico y mecánico en Joaquín Costa, 18; y al año siguiente dos talleres de tornillería, en Onésimo Redondo, 24 y en avenida Orihuela, 9.

Julio de España Ghighone

En sesión celebrada el 2-8-1912, el cabildo municipal aprobó la instancia presentada por el «licenciado en medicina y cirugía D. Julio España Ghiglione, solicitando ser nombrado médico honorario del cuerpo de bomberos, y médico tocólogo del distrito que se le asigne, ambos cargos con carácter honorarios». Su nombramiento como médico honorario de la Casa de Socorro fue firmado por el alcalde el 20 de noviembre siguiente. En 1919 abrió un almacén en la calle Garbinet.

En 1933, el arquitecto municipal declaró en estado de ruina la casa que poseía en Zaragoza, 9. Aquel mismo año pidió permiso para realizar obras de rehabilitación de dicho inmueble, dirigidas por el arquitecto Juan Vidal, y dos años después para levantar un nuevo piso.

El juzgado del distrito sur de Alicante remitió a la Audiencia Provincial, el 8-11-1935, el sumario n.º 249, en el que se recogían las actuaciones derivadas de la querella presentada por el procurador Francisco José Berenguer, en nombre de Vicente Llorca Llorca, contra Julio de España Ghighone y Francisco Pérez Soler. La denuncia decía que estos habían pretendido arrendarle a Llorca unas minas de ocre pertenecientes a su esposa, ubicadas en la Sierra Helada de Benidorm, y que, al no conseguirlo, habían usurpado la concesión minera, después de reclamar que la propiedad del terreno era del Estado, hecho este que se había demostrado ser falso. Al parecer, el estallido de la Guerra Civil dejó inacabado este proceso judicial, pues el último documento que recoge el sumario es un auto fechado el 31-3-1936. Contrajo matrimonio en San Nicolás con María Carretero Soler el 21-8-1912.

Miguel Elizaicín España

Hijo de María de España Sotelo, nació en 1855.

General de Caballería, gentilhombre del rey, presidente de la Cruz Roja de Alicante (en 1906 consiguió que se abriera un dispensario de esta organización en el barrio de Benalúa), vicepresidente de la Cámara Agrícola y Sociedad de Amigos del País, fundador del Tiro Nacional y de la Sociedad Esperantista de Alicante, propietario de la revista *Museo-Exposición* (desde 1908 solicitó la construcción de un Museo Provincial) y organizador de la exposición provincial de 1903.

Fue el primer alcalde de la dictadura de Primo de Rivera, pero solo ocupó este cargo durante tres meses (octubre 1923-enero 1924), al dimitir por motivos de salud. En 1926, contrató al arquitecto Francisco Fajardo para que construyera un chalé de dos plantas en la calle Sol y Ortega. Al año siguiente, el ayuntamiento acordó denominar avenida de General Elizaicín a «la calle que parte de la avenida de la Libertad en dirección a la Goteta, en donde habita y posee tres hoteles (chalés)» el general y exalcalde.

Florentino Elizaicín España

Hermano del anterior. Nació en 1859. Era propietario de viñas y de la fábrica de yesos El Cisne, situada en la misma calle (Marqués de Molins) donde residía. También poseía varias casas: en 1882 reedificó una en San Ildefonso, 19, otra en Teatinos, 9 (1892) y aumentó un piso en otra que tenía en plaza Hernán Cortés, 38 en 1925.

Fue presidente del Casino (1893), vocal de la Liga de Contribuyentes (1895) y miembro del Patronato de la Caja de Ahorros (1923).

Comenzó su carrera política en el Partido Liberal, pero muy pronto se pasó al Partido Conservador. En 1885 fue teniente de alcalde, pero su temperamento fuerte le creó fama de conflictivo, siendo procesado el 19-11-1886 y suspendido en su cargo una semana después. Entre 1892 y 1896 fue diputado provincial. Volvió a ser concejal y teniente de alcalde en 1921, y alcalde durante 58 días (desde el 25 de febrero hasta el 24 de abril de 1930).

Su verdadera vocación fue el periodismo. Dirigió varios diarios, como *El Lunes* (1883) y *La Patria* (1888-1891), pero fue *El Correo* (del que fue propietario y director) el que tuvo una vida más dilatada, llegando a ser el decano de la prensa durante la II República. Presidió varias veces la Asociación de la Prensa y en 1929, tras cumplir sus bodas de oro con el periodismo, le fue concedida la Medalla de Oro de la ciudad.

ACTUALIDAD

En la ciudad de Alicante hay censadas un total de 104 personas apellidadas España: 53 con el primer apellido, 51 con el segundo y ninguno con ambos.

Ocho generaciones de España alicantinos

Julio de España Moya nació el 2 de febrero de 1947 en la alicantina calle de Castaños, n.º 41. Estudió en los Salesianos y se licenció en Medicina en la Universidad de Valencia, en 1971. Mientras era residente asistencial en el Hospital General de Alicante, hizo la especialidad de Medicina Interna

(MIR). Al mismo tiempo, hizo la especialidad de Aparato Digestivo con el profesor García-Conde Gómez, en Valencia.

Entre 1976 y 1980 trabajó en el hospital Virgen de los Lirios, de Alcoy. En 1981 obtuvo plaza de adjunto, como especialista en Aparato Digestivo-Endoscopia, en el Hospital General de Alicante.

En 1991 fue elegido concejal por el PP, y diputado en las elecciones generales de 1993. En diciembre de este último año renunció al acta de diputado y fue nombrado portavoz del PP en la Diputación Provincial (seguía siendo concejal). Fue presidente de la diputación (1995-2003), presidente de las Cortes Valencianas (2003-2007) y senador territorial (2007-2015).

En 2015 dejó la actividad política y se jubiló de la sanidad pública. Como actividad residual, pasa consulta dos días a la semana en la Clínica Vistahermosa como especialista del Aparato Digestivo.

Se casó el 11-9-1977, en la iglesia de Santa María, con Rosario Menarguez García, natural de Rojales. Tienen cuatro hijos: Ana (1978), maestra, casada y con dos hijos; M.ª Carmen (1980), periodista, concejala por el PP desde 2011 y diputada provincial entre 2011 y 2015, casada y con dos hijos; Julio (1982), agente de seguros, soltero; y Tomás (1986), licenciado en ADE, trabaja en Londres y está soltero. «Tomás se llama así por mi tatarabuelo. Julio es un nombre que también se repite mucho en mi familia».

Sus padres fueron Julio de España Carretero, que nació en Alicante el 30-10-1915, y Ana Moya García, natural de Cehegín (Murcia), pero que vino a vivir a Alicante cuando tenía dos años. «Ella dejó su trabajo de administrativa en el Gobierno Civil cuando se casó». Él se licenció el 28-2-1941 en Medicina General y Dermatología por la Universidad de Valencia. «Empezó siendo ginecólogo, pero lo dejó porque no quería practicar abortos», dice nuestro entrevistado. Fue médico del Colegio de Ciegos (1948-1984), de la RENFE (1943-1980), del Hospital Provincial (1978-1985) y de la Seguridad Social (1944-1982). Se jubiló en 1985 y falleció en diciembre de 2004. Su viuda falleció dos años después. Tuvieron siete hijos: Julio, Paco (médico radiólogo jubilado; casado y con dos hijos), Alfonso (ATS en el Hospital de San Juan; separado y con dos hijos), Ana (ATS en el Centro de Salud de Babel; casada y con 4 hijos), José María (profesor de Educación Física en el colegio Haygón; casado y con dos hijas), Inmaculada (abogada, fue senadora por el PP durante 11 años; divorciada y madre de una hija) y Jaime (óptico y soltero).

«Mis abuelos paternos se llamaban Julio de España Ghighone y María Remedios Carretero Soler, natural de Jijona. Él era médico. Fue jefe de Cirugía del Hospital Provincial antes y después de la Guerra Civil. Durante la guerra le sustituyó su sobrino, Eduardo Campos, que era republicano». Al comentarle que he encontrado un sumario de 1944 en el que le acusaban de falsedad y usurpación de minas en la Sierra Helada de Benidorm, me dice: «Hizo sus inversiones. Tenía minas de ocre por Rabasa». Tuvieron diez hijos, de los cuales ocho llegaron a edad adulta: «Marita (Mª. Carmen), Julio (mi padre), Charo, Fina, Aurora, Eduardo, Enrique y Rosalía».

«De mi bisabuelo paterno sé que se llamaba Julio y que era muy elegante, pero poco más porque a mis tías no les gustaba hablar de él, creándose así una leyenda negra familiar. Debió de ser un tipo de cuidado, un hijo de papá caprichoso. En alguna ocasión oí que tenía una cochera (de coches de caballos) en la Rambla, donde el cine Avenida, y que cuando los caballos se hacían viejos, para que no fueran utilizados por otros, los tiraba en el puerto. Pero ya digo que se creó una especie de leyenda negra alrededor de su memoria».

Nuestro entrevistado guarda como oro en paño una copia del certificado despachado por Isabel II, a petición de su tatarabuelo Tomás de España Sotelo, que ya hemos mencionado antes. Gracias a él, sabe que forma parte de la sexta generación de España alicantinos. Sus hijos son la séptima, y sus nietos la octava.

ESPLÁ

CELEBRIDAD ARTÍSTICA

El documento más antiguo que se conserva en el que aparece el apellido Esplá en la ciudad de Alicante es un registro bautismal de San Nicolás: Miguel Esplá y su esposa Josefa Gil bautizaron en esta iglesia a su hija Isabel en 1570. Durante los siglos XVII y XVIII no son muchos los Esplá alicantinos que figuran en registros parroquiales, notariales o municipales.

Es a partir del siglo XIX cuando aparecen los primeros Esplá que alcanzaron notoriedad en la sociedad alicantina. Algunos incluso lograrían fama nacional e internacional. Dos serán las ramas que seguiremos desde el siglo XVIII hasta nuestros días, ya que en ellas encontraremos a los Esplá más conocidos. Ambas nacen y se bifurcan a partir de un mismo nombre: Bautista Esplá Moreno, nacido en 1730, quien se casó en dos ocasiones. Por los apellidos de sus esposas, a una rama la llamaremos Sánchez; a la otra, Bosch.

RAMA SÁNCHEZ

Bautista Esplá Moreno y Josefa Sánchez Ortiz se casaron en San Nicolás en 1758. Su hijo Francisco de Paula (1763-1837) contrajo matrimonio con Antonia Reig. Tuvieron tres hijos. Juan Bautista Esplá Reig (1807-1886), que era patrón de barcos, contrajo matrimonio en 1833 con Dolores Rodes, siendo padres de nueve hijos.

Esplá-Rodes

Los hijos de Juan y Dolores Rodes fueron Anselmo (nacido en 1834 y a quien seguiremos más adelante), Dolores (1835), Juan Bautista (1838), Rafael Antonio (1839), Juan José (1842), M.ª Dolores (1845-1903), Adela (1849), Luis (1851) y Francisco (†1910).

Adela reclamó en 1882 al ayuntamiento una subvención para el colegio de señoritas Santa Cecilia que dirigía, situado en Castaños, 4, que preparaba a las alumnas desde primera enseñanza elemental y superior hasta el ingreso en la Normal.

Esplá-Lamaignere

Juan Bautista Esplá Rodes, nacido el 14 de marzo de 1838, fue corredor marítimo. En julio de 1878 le eligieron vicepresidente de la Asociación de Pilotos de la provincia; y en abril de 1881 fue nombrado celador de la Dirección de Sanidad del puerto. El 11 de julio de 1864 se casó con Carolina Lamaignere. Bautizaron a siete hijos.

Alfredo Esplá Lamaignere (1868) era, en 1900, representante en Alicante del coñac Prunier y de la casa barcelonesa Tephizin Pch, que vendía artículos para el tratamiento de vinos y licores. En febrero del año siguiente abrió en Labradores, 6 un establecimiento de cervezas. El 15 de enero de 1896 contrajo matrimonio con M.ª Mercedes Pascual, ilicitana de 33 años, con quien tuvo tres hijos antes del nuevo siglo.

Esplá-López

Luis Esplá Rodes (1851) se hizo cargo en enero de 1903 de la papelería e imprenta de Juan José Carratalá, por cesión de sus herederos. El 1 de noviembre de 1879 se casó con María del Consuelo López. Era dependiente de comercio y tenía su domicilio en la calle de la Pelota, 17. Tuvieron ocho hijos.

Luis falleció el primer día de 1912. A partir de entonces, la Papelería Esplá, situada en la calle Bailén, empezó a conocerse como Papelería de la Viuda de L. Esplá, hasta la muerte de la viuda en abril de 1926.

Anselmo Esplá Rodes

Nació el 13 de febrero de 1834. Fue piloto de barcos mercantes. Se casó el 7 de abril de 1862 con María Josefa Rizo. Tuvieron diez hijos: Anselmo (1863), Julio (1865), Rafael (1868-1870), Carolina (1869), Josefa (1870), Enriqueta (1872), Luis (1874, tan solo vivió una semana), Escolástica (1876), Rafael (1877) y Adela (1879).

Desde 1865 la familia residió en Cid, 17, pero en 1881 Anselmo construyó una casa en la plaza de San Francisco esquina calle Bóvedas, en el solar donde había estado la casa en la que nació. Dos años más tarde construyó otra casa en la calle Luchana.

El 20 de noviembre de 1880 aparece en *La Unión Democrática* un anuncio que avisa de la apertura de un «nuevo taller de tonelería situado en la Esplanada, en el almacén y casa conocido por Fábrica de Vidrio», remitiendo a los interesados a «D. Anselmo Esplá, almacenista de duelas, plaza de Isabel II, núm. 6».

Fue elegido concejal en 1883 y 1887. Socio del Casino y de la sociedad Económica de Amigos del País. Enviudó el 11 de mayo de 1887. Se fue a vivir a Barcelona, pero regresó a Alicante en 1916. Murió el 24-3-1918.

Esplá-Rizo

Anselmo Esplá Rizo nació el 8 de junio de 1863. En septiembre de 1879 ingresó como escribiente en la sucursal del Banco de España en Alicante. Fue nombrado interventor de la sucursal de dicho banco en Sevilla, posteriormente (mayo, 1897) director de la de Reus, de donde fue trasladado con el mismo cargo primero a Cuenca y después (diciembre 1907) a Guadalajara.

Josefa Esplá Rizo contrajo matrimonio el 20 de abril de 1899 con el letrado Manuel Senante, elegido diputado en 1907 y con quien se trasladaría a vivir a Madrid. Tuvieron seis hijos. Falleció el 3 de febrero de 1957. Por aquel entonces, sus hermanas Enriqueta y Escolástica eran religiosas.

Padre Esplá

Rafael Esplá Rizo nació en septiembre de 1877. Cursó estudios de bachillerato en Barcelona, donde estaba destinado entonces su padre. Fue ordenado sacerdote en Salamanca y cantó su primera misa en la colegiata de San Nicolás el 29 de junio de 1903. Un año después ingresó como novicio en la Compañía de Jesús.

Dedicado a la educación, vivió en Valencia y Orihuela, antes de regresar a Alicante. En 1917 fundó, en el convento del Carmen y en el seno de las congregaciones marianas dirigidas entonces por el padre Justo Beguiriztain, la Cofradía de la Virgen Dolorosa. En el Viernes Santo del año siguiente salió la primera procesión de la nueva cofradía, portando la imagen de la Dolorosa que Salzillo había regalado a la Hermandad Cristo del Mar. Escribió un bosquejo histórico sobre la Santa Faz. Falleció en la tarde del 11 de octubre de 1929, en la residencia que los jesuitas tenían en la calle de las Monjas.

El 30 de abril de 1955, el ayuntamiento decidió poner a una calle de Carolinas Altas el nombre de Padre Esplá, y, en enero de 1956, acordó la exhumación de sus restos, que permanecían en el cementerio de San Blas, para su traslado al monasterio de la Santa Faz.

Esplá-Rizo (otra vez)

Julio Esplá Rizo fue agente en Alicante de la compañía de seguros marítimos La Alianza, de Santander; en 1897 tenía su oficina en García Andreu,

58. A finales de 1901 era el representante alicantino de una compañía barcelonesa de alumbrado por acetileno. Se casó el 8 de febrero de 1891 con Josefa Rizo Alberola. Tuvieron cuatro hijos: Carlos (1892, murió siendo niño), M.ª Asunción (1893), Carlos (1895) y Manuel (1897). Julio falleció el de 11 de julio de 1909; su viuda el 17 de julio de 1918. Manuel fue administrador de la Beneficencia y murió el 19 de abril de 1932.

CARLOS ESPLÁ RIZO

Nació el 23 de junio de 1895. Cuando tenía 15 años, *El Liberal* publicó su primer artículo. Fundó *El Luchador* en 1913 con los hermanos Botella y sus dos maestros republicanos: el doctor Antonio Rico y el poeta Salvador Sellés. En este diario popularizó su seudónimo Valentín Carrasco.

Un artículo suyo en el que acusaba de corrupción y traición a Melquíades Álvarez (fundador del Partido Reformista) se reprodujo en toda la prensa republicana de España.

Destierro

En 1915 fue procesado y encarcelado por denunciar los latrocinios cometidos en el ayuntamiento alicantino. Fue absuelto por la Audiencia, pero posteriormente (11-7-1916) fue condenado a cuatro años de destierro.

Dejó en Alicante a una madre viuda y enferma, pero como escribiría luego su maestro Sellés: «Hay destierros que los firma la Divina Providencia», porque para Carlos aquel castigo fue al cabo un giro venturoso en su vida. Marchó a Valencia, donde trabajó como redactor en el diario *El Pueblo*. En 1922 ingresó en la Logia Regional de Levante, tomando el nombre simbólico de Gorki.

París

El 12 de marzo de 1923 marchó a París como corresponsal de *Las Provincias*. Allí trabajó por los ideales republicanos, fue secretario de Vicente Blasco Ibáñez y participó en varias conspiraciones contra la dictadura de Primo de Rivera, como la que le llevó a Valencia junto con José Sánchez Guerra en 1929, que terminó en un peligroso fracaso.

A partir de 1925 comenzó a colaborar con periódicos catalanes (*La Vanguardia*), valencianos (*El Pueblo*), alicantinos (*El Luchador, Diario de Alicante, El Día*) y madrileños (*Heraldo de Madrid, El Liberal, El Sol*). También colaboró con *Hojas Libres*, el periódico opositor a la dictadura que dirigió en Hendaya Eduardo Ortega y Gasset. Envió crónicas desde las capitales europeas más importantes y alcanzó un gran renombre internacional como periodista.

Un bofetón que resonó por toda Europa

El 26 de diciembre de 1924, en París, Carlos abofeteó a otro periodista español, José María Carretero Novillo, que firmaba sus crónicas y libros con el seudónimo de El Caballero Audaz, porque en un folleto había insultado a Blasco Ibáñez. El agredido medía más de dos metros, pero huyó tras recibir las dos primeras bofetadas. Denunció el ataque y, un año más tarde, Carlos hubo de comparecer ante un tribunal parisino, que le sentenció al pago de un franco como multa y otro por daños y perjuicios. Gracias a aquel proceso judicial, el nombre de Carlos Esplá se hizo famoso no solo en España, sino en medio continente. Como diría Sellés: «Tú diste al necio un bofetón, que resonó por toda Europa». Un mes más tarde, El Caballero Audaz fue condenado por la Audiencia de Madrid como autor de novelas pornográficas. También en París, Carlos contrajo matrimonio en junio de 1926 con la alicantina Rosa Farga, su novia desde hacía diez años.

Heraldo de Madrid le dedicó un reportaje en agosto de 1927 y, en diciembre del año siguiente, el Círculo Republicano de Benalúa le tributó un homenaje, a propuesta de *El Luchador*, que el 15 de dicho mes sacó un número especial con artículos que hablaban de él en sus dos primeras páginas. Estaban firmados, entre otros, por Rafael Altamira, Miguel de Unamuno, Marcelino Domingo, Rodolfo Llopis, Eduardo Ortega y Gasset, Indalecio Prieto y Salvador Sellés. Desde Hendaya, Unamuno, que conoció a Carlos en París, le calificaba como «uno de mis mejores amigos». Altamira escribió: «(…) admiro la independencia de juicio, la claridad y brío de expresión y la idealidad liberal, a prueba de crisis y rectificaciones, que caracterizan la obra periodística de Esplá». Marcelino Domingo decía que Carlos era un valor español: «Lo es, por su vida romántica, colmada de gestos ejemplares; lo es por su pensamiento, un pensamiento limpio y de europeo del siglo XX; lo es por su conducta, una línea recta sostenida heroicamente; lo es por su pluma, que, en una prosa clara y pura, expresa ideas universales».

Regreso

El 24 de mayo de 1930 vino por fin a Alicante. Al día siguiente fue homenajeado con una comida íntima en el Hotel Samper. En septiembre de 1930 fue elegido, en Ginebra, vicepresidente de la Asociación Internacional de Periodistas, entidad que agrupaba a los corresponsales destacados ante la Sociedad de Naciones.

A principios de 1931 abandonó *El Sol* tras la marcha de su propietario, Nicolás María de Urgoiti y, en marzo, decidió volver definitivamente a España. En Alicante, el 14 de abril de 1931, Carlos proclamó oficialmente la República como nuevo gobernador civil.

En junio de 1931, en el momento más difícil de las relaciones entre el Gobierno de la República y la Generalitat de Cataluña, y aprovechando que había conocido en París a Maciá y Casanova, fue nombrado gobernador civil de Barcelona, en sustitución de Companys. Dimitió al cabo de unas semanas, para presentarse por Alicante a las elecciones constituyentes de junio de 1931. Fue elegido diputado y poco después se integró en el partido Acción Republicana. Al hacerse cargo Azaña de la jefatura del Gobierno, Carlos fue nombrado subsecretario de gobernación.

En las elecciones de 1933 no logró revalidar su acta de diputado y en enero de 1934 fue procesado por un artículo publicado en *El Luchador*, en el que atacaba al gobernador civil alicantino. Estuvo en libertad condicional bajo fianza de 2 000 pesetas, que fueron pagadas por suscripción popular con una cuota única de 25 céntimos. Colaboró con Azaña en la creación de Izquierda Republicana y fue director del diario *Política*.

En las elecciones de febrero de 1936 fue nuevamente elegido diputado por Alicante en la candidatura de Izquierda Republicana. En mayo, tras la llegada de Azaña a la presidencia de la República, fue nombrado subsecretario de presidencia.

En septiembre de 1936 fue nombrado secretario general del Consejo de Ministros y en noviembre formó parte del segundo gobierno de Largo Caballero como ministro de Propaganda, cargo que ocupó hasta mayo de 1937. Negrín entonces le nombró subsecretario de Estado, para que siguiera al frente de las actividades propagandísticas. En mayo de 1938 fue elegido, en Barcelona, vicepresidente de Izquierda Republicana.

Exilio y muerte

Al finalizar la Guerra Civil volvió a París, pero muy pronto marchó a México, tras una breve estancia en Argentina. En España fue condenado a treinta años de cárcel.

En México colaboró en la organización de asociaciones republicanas españolas en el exilio, escribió varios libros y trabajó como traductor para diversas editoriales. En 1950 entró por concurso en el cuerpo de traductores de las Naciones Unidas, viviendo en distintas capitales del mundo.

Murió en México el 6 de julio de 1971, tras sufrir una larga depresión. Sus restos se encuentran en el Panteón Español de México. En 2013, el Ministerio de Cultura adquirió en México un total de 27 manuscritos originales del periodista y político alicantino. No hay ninguna calle con su nombre en su ciudad natal.

RAMA BOSCH

En 1775, Bautista Esplá Moreno (viudo de Josefa Sánchez) se casó en San Nicolás con la viuda Josefa Bosch.

Tuvieron un hijo llamado Francisco (†1842), mancebo de oficio, que se casó el 26 de mayo de 1802 con Rita Cerdá, procreando a nueve hijos: José (1803), Rafael (1805), José (1808), Francisco (1811-1839), Rita (1813), Lorenzo (1814), Lorenzo (1815), Manuel (1825) y M.ª Dolores (1819).

Esplá-Cerdá

Rafael Esplá Cerdá contrajo matrimonio en 1823 con Antonia Barberá. Fueron padres de cinco hijos. Manuel Esplá Cerdá era perito mercantil. En agosto de 1884 vivía en la plaza San Francisco, 4 y vendía una hacienda en la partida de la Vallonga con casa y 120 tahúllas de cultivo. Se casó con Dolores Visconti y tuvo nueve hijos: José (1848), Josefa Ramona (1851), José (1853), M.ª Concepción (1854), Juan Antonio (1857), Manuel (1859), Trino (1862), José (1864), M.ª Dolores (1865) y Francisco.

Esplá-Visconti

Juan Antonio Esplá Visconti era el representante en la ciudad (Ramales, 4) de una persiana modernista que se fabricaba en Bañeres. En 1906 levantó una casa con cerca en el huerto llamado Los Toros, en la partida de los Ángeles; y en 1909 construyó una casa en la calle Canalejas e hizo obras en otra casa en Explanada, 15. Casado el 24 de junio de 1882 con Dolores Ivorra, tuvieron siete hijos.

José Esplá Visconti contrajo matrimonio el 4 de julio de 1886 con Encarnación Casanova y tuvo cuatro hijos.

Francisco Esplá Visconti desposó a Tomasa Antonia Pérez el 20 de junio de 1891. Hasta final de siglo tuvieron cuatro hijos.

Esplá-Esquero

Manuel Esplá Visconti presentó el 14 de mayo de 1910 en el ayuntamiento el plano de la casa que pretendía edificar en el portazgo de la carretera de Alicante a Ocaña. El 21 de mayo de 1884 se había casado con Josefa Esquero, con quien tuvo nueve hijos antes de que concluyera el siglo: Manuel (1885), Rafael (1887), Antonio (1889), Ángel (1891), Miguel (1892), Trino (1894), Manuel (1896), Dolores (1897) y María (1899).

Manuel Esplá Esquero solicitó permiso municipal en 1945 para abrir una cuadra en Reyes Católicos, 34. Antonio Esplá Esquero instaló en 1923 un electromotor en la carpintería que tenía en Joaquín Costa, 30 y en 1940 trasladó un bar que poseía en Franco, 1 (San Gabriel) a Pintor Lorenzo Casanova, 13. Casado con Teresa Vicente, tuvo cinco hijos.

Trino Esplá Visconti

Nació el 19 de mayo de 1862. En octubre de 1883 era oficial de telégrafos y anunciaba en la prensa alicantina su taller, situado en plaza San Francisco, 4, donde suministraba diferentes aparatos eléctricos, redes telefónicas o pararrayos.

Constituyó en noviembre de 1888 la «Sociedad Franco-Española de luz eléctrica de Alicante» y el 6 de mayo de 1890 presentó en el ayuntamiento el plano del edificio que albergaría una central eléctrica de la que sería director, situado en Alfonso el Sabio, esquina Navas. En 1908 era director de la empresa de alumbrado eléctrico de Prytz y Campos.

En 1903 se asoció con el ingeniero Antonio Muñoz, constituyendo la razón social Esplá y Muñoz, que abrió un establecimiento de mecánica y electricidad en Rambla, 10. La sociedad se amplió en 1910, pasando a denominarse Esplá, Muñoz y Vidal, con tiendas en San Fernando, 26 y Victoria, 5, y más tarde (1919) en Bailén, 5.

Colaboró con varios periódicos y revistas alicantinos. También estrenó en el Teatro Principal una comedia y una zarzuela en 1897. Aficionado a la caza, fue presidente de la asociación «La Venatoria». En 1907 compró el Salón Novedades. Fue secretario general de la Asociación Alicantina de Caridad (1913) y principal impulsor de la Cocina Económica.

En 1916 su residencia familiar estaba en Alfonso el Sabio, 32. Pero en 1909 aumentó un piso la casa de Ramales, 6; en 1915 amplió una vivienda en calle Castaños; en 1929 construyó un chalé en la calle Doctor Soler; y en 1933 construyó una casa en un huerto situado en la carretera de Madrid (El Paraíso).

En junio de 1907 fue ascendido a oficial primero de telégrafos, en 1911 a subdirector y en 1915 a director. Cuatro años después fue trasladado a La Coruña, pero en 1920 le encargaron en Madrid el traslado de la oficina central de telégrafos al nuevo palacio de Comunicaciones, de la que sería nombrado director. En agosto de 1932 era el jefe interino de Obras Públicas.

El 28 de mayo de 1885 contrajo matrimonio en Santa María con Francisca Triay. Tuvieron dos hijos: Óscar (1886) y Amanda (1888). Amanda falleció el 15 de marzo de 1897, medio año después que su madre. Trino se casó en segundas nupcias con Amparo Domingo, con quien tuvo a Isolda, que en 1935 contraería matrimonio en Madrid con el ingeniero Antonio Mira de Orduña.

Óscar Esplá Triay

Mucho es lo que se ha escrito sobre este gran compositor alicantino, por lo que solo expondremos aquí una sinopsis de su biografía: Nacido el 5 de agosto de 1886, fue bautizado en San Nicolás con los nombres de Emigdio Óscar Augusto.

Su primer profesor de música fue el pianista y compositor Juan Latorre, con quien dio clase al mismo tiempo que estudiaba bachillerato en el Instituto de Alicante. Fue redactor jefe de *Diario de Alicante* (1909) y a lo largo de los años colaboró con varias publicaciones alicantinas.

En Barcelona estudió Ingeniería y Filosofía, pero siguió recibiendo clases de armonía. Tras ganar en 1911 el concurso internacional de la Musik National Gesellschaft de Viena con su *Suite en la bemol*, abandonó los estudios para dedicarse plenamente a la música.

Max Reger le dio clases de contrapunto y fuga en Meiningen (Alemania). En 1912 obtuvo un gran éxito en el Teatro Real de Madrid con *El sueño de Eros* y al año siguiente marchó a París para trabajar con Saint-Saëns. En abril de 1914 el ayuntamiento alicantino le dedicó un homenaje.

En 1924 impartió clases de Estética en el Ateneo y encargó al arquitecto Juan Vidal Ramos la construcción de una casa en Doctor Soler esquina Pérez Medina, pero vivió en la finca paterna El Paraíso hasta 1929.

En abril de 1927 el ayuntamiento le nombró Hijo Predilecto por el éxito que había conseguido en Madrid con su poema sinfónico *Don Quijote velando las armas* y, justo un año más tarde, el consistorio subvencionó con 250 pesetas el homenaje que le dedicó el Ateneo en el Hotel Samper.

Se casó el 18 de junio de 1929, en el monasterio de la Santa Faz, con María Victoria Irizar. Se fueron a vivir poco después a Madrid, pero veraneaban en el chalé que poseían en Benimantell, cerca de la Font del Molí. Tuvieron tres hijos: Amparo, M.ª Luisa y Gabriel.

Aunque era republicano, tras sentirse hostigado y recibir algunas amenazas, se marchó con su familia a Bélgica en septiembre de 1936. Regresaron a Madrid en 1950 e instalaron su residencia veraniega en la finca Ruaya, muy cerca de la Santa Faz.

Fue nombrado miembro de la Academia de San Fernando en 1953, del Instituto de Francia en 1955 y de la Academia de Bellas Artes de París en 1956. Dos años después le fue puesto su nombre al Instituto Musical de Alicante y al siguiente se le concedió la Gran Cruz de Alfonso el Sabio. El 31 de julio de 1960 fue nombrado director del Conservatorio alicantino.

En 1973, el ayuntamiento decidió que la avenida que se construyó en el barranco de Benalúa llevara su nombre. Murió en Madrid el 6 de enero de 1976, pero, cumpliendo con su deseo, fue enterrado en el monasterio de la Santa faz.

Su producción musical consta de 66 obras. En 1997, Amparo Esplá Irizar cedió la custodia del legado documental de su padre a la Obra Social de la Caja del Mediterráneo.

HOY

En la actualidad hay 345 personas censadas en la ciudad con el apellido Esplá: 196 con el primero, 149 con el segundo y ninguna con ambos. Hay cuatro calles alicantinas con este apellido: calle José Charques y Esplá (músico del siglo XIX), avenida Óscar Esplá, calle Padre Esplá y calle Torero Luis Francisco Esplá.

«El toreo me ha servido para no banalizar nada en la vida»

Antonio Esplá Esquero (primo hermano del célebre compositor Óscar Esplá) tenía una carpintería en la calle Reyes Católicos. «Donde ahora están los Capuchinos», puntualiza su nieto. Tuvo cinco hijos con su esposa Teresa Vicente. Dos de ellos fueron novilleros (Rafaelito Esplá y Paquito Esplá) porque desde niños vivieron la pasión de su padre por los toros.

Francisco (Paco) Esplá Vicente nació en septiembre de 1924. Su boda con Tirsa Mateo la celebraron en el balneario La Alhambra. Tuvieron dos hijos: Luis Francisco, que nació en 1957, y Juan Antonio (1959).

Paco pidió permiso al ayuntamiento en 1955 para poner en la plaza del Sol una plaza de toros portátil que había construido con su padre. Al año siguiente instaló una fija en la calle Claudio Coello, que por el día era escuela taurina (Vista Alegre) y que en las noches veraniegas se convertía en cine. Fue derribada en 2009.

Paco se instaló en Benidorm a mediados de la década de 1960. Abrió un local de espectáculos al que llamó El Burro entre Benidorm y Alfaz del Pí. Poco tiempo después levantó una plaza de toros (El Toreo) en un terreno más cercano a Benidorm. Le fue muy bien. Ganó bastante dinero. Pero vendió el negocio cuando se jubiló y sus hijos empezaban a torear. Vive con Tirsa en su casa de Vistahermosa.

Luis Francisco Esplá Mateo, nacido el 19 de agosto de 1957 en Alicante, se puso por primera vez el traje de luces en Benidorm el 21 de junio de 1974. Tomó la alternativa en Zaragoza el 23 de mayo de 1976. Según Carlos Abella, gran entendido en tauromaquia, Luis Francisco Esplá era «un torero enciclopédico y polivalente». Alcanzó fama nacional e internacional, considerándose su éxito más importante el conseguido el 1 de junio de 1982 en Madrid, en la llamada «Corrida del Siglo». Salió por la puerta grande tras cortar dos orejas a su segundo toro y además recibió el trofeo Andanada al mejor par de banderillas de toda la feria.

Juan Antonio Esplá Mateo tomó la alternativa en Palma de Mallorca en 1977. Casado con Patricia Galvañ, tienen tres hijos: Francisco, Patricia y Santiago.

Luis Francisco se retiró en 2009. Al año siguiente volvió a vestirse el traje de luces, pero solo para darle la alternativa a su hijo Alejandro. Luis Francisco se casó en 1980 con Carmen Tarruella Pulido (hija de Tomás Tarruella, que fue presidente del Hércules y concejal). Tienen cuatro hijos: Rocío (1982), Alejandro (1983), Lucía (1985) y Azelais (1991).

Rocío es jefa de una tienda de cosmética en el aeropuerto, está casada con Jorge Bustos y tiene dos hijos. Lucía es actriz de teatro infantil, está casada con el tenista Daniel Muñoz de la Nava y tiene dos hijas. Azelais es soltera, estudió Turismo y es directora de un restaurante.

«Cuando mi hijo Alejandro me dijo con 14 años que quería ser torero, le dije que le mandaría a la mejor escuela taurina, y le envié a estudiar a Boston. No quería que se hiciera torero porque es una profesión que deja mucho tarado emocional», dice Luis Francisco. Pero cuando Alejandro volvió de Boston tras graduarse, seguía queriendo ser torero. Tomó la alternativa en Alicante el 24 de junio de 2010.

«No echo de menos el mundo taurino», dice Luis Francisco, aunque reconoce que «el toreo me ha servido para no banalizar nada en la vida».

Durante más de treinta años ha cuidado su finca El Realet, en Relleu, donde ha hecho cultivo ecológico y criado ganado equino (caballo asturcón), pero hace unos años dejó de cultivar y ha vendido recientemente el ganado, «desencantado por el constante hostigamiento de la Administración».

Se dedica a pintar ilustraciones, especialmente cartelería. Siempre le ha gustado pintar (estudió Bellas Artes mientras toreaba). Ha expuesto dos veces en Francia. Trabaja para la editorial Marval.

Ha estado recientemente en Arlés, para preparar la corrida goyesca que se celebra cada septiembre en la plaza de toros de esta ciudad francesa, antiguo circo romano. Un artista famoso ha decorado cada año esta plaza de toros tan peculiar con ocasión de la corrida goyesca. Este año le han hecho el encargo a Luis Francisco. Le han pedido también que toree y, después de pensárselo, ha aceptado porque cree que será maravilloso «moverse en el mismo paisaje que voy a crear».

FORNER

NOBLES Y PANADEROS

Este apellido procede del sustantivo catalán *forner* «hornero», «panadero».

El primer Forner del que se tiene noticias era un caballero francés que combatió con Carlomagno en Cataluña contra los musulmanes: Arnau de Forner, o Fornés. Fornés es la contracción de *forners*, plural de *forner*. El apellido, en ambas formas (Forner y Fornés), pasó a Cataluña y luego al antiguo reino de Valencia.

El cronista Viravens lo incluye entre los 44 apellidos de caballeros que había en Alicante cuando recibió el título de ciudad, en 1490, si bien por entonces no era aún un apellido noble. Pero el primer documento conservado en el que se menciona en Alicante es un registro de la parroquia de Santa María, en el que se dice que Juana Ángela Forner, hija de Bartolomé, fue bautizada el 14 de enero de 1552.

RAMA BARONÍA DE FINESTRAT

En la parroquia de San Nicolás, Jaime Forner Bonafide contrajo matrimonio en 1575 con Gerónima Jordá. Tuvieron siete hijos: Angelica (1579), Jaime (1581), Francisca (1584), Alejandro (1585), Juan Alejandro (1586), Jaime (1589) y Melchor (1593).

Francisca Forner Jordá se casó con Pedro Vicente Rodríguez.

Juan Alejandro Forner Jordá contrajo nupcias en Santa María con Josefa Bernabeu el 18 de agosto de 1613. Fueron padres de Jaime (1615) y Paula (1624).

Jaime Forner Bernabeu fue presbítero, beneficiado de Santa María, vicario foráneo de la diócesis de Orihuela y doctor en ambos Derechos.

Alejandro Forner Jordá fue familiar del Santo Oficio. Se casó el 19 de noviembre de 1613, en San Nicolás, con otra Josefa Bernabeu, de segundo apellido Alfonso. Tuvieron a Pedro (1618), Jacinto (1620), Ana M.ª (1623), Juan Bautista (1626), Ana M.ª (1628) y Celidonia (1631).

Ana María Forner Bernabeu se casó con el vizcaíno Francisco Mójica Butrón, caballero y teniente gobernador de Alicante.

Celidonia Forner Bernabeu desposó con Francisco Bojoni.

Jacinto Forner Bernabeu

Bautizado el 23-9-1620, fue caballero, alguacil mayor del Santo Oficio en Murcia y señor de Finestrat, por compra al conde de Anna en 1674. Felipe IV le concedió privilegio de nobleza para sí y sus descendientes primogénitos, y Carlos II le concedió el título de Barón de Finestrat por real cédula de 22-1-1691. Así, pues, fue señor de Benasau y barón de Finestrat. Poseía numerosos bienes. En el Archivo Municipal de Alicante se conserva un libro encuadernado en pergamino, de 185 folios, en el que está registrado el inventario de sus propiedades en una única casa, situada en la calle Mayor.

Contrajo matrimonio el 17-2-1653, en San Nicolás, con Jacinta Talayero Torres. Fueron padres de Alejandro (1654), Jacinto (1657), Josefa (1661), Eufrasia (1663), Carlos (1664), Mariana (1668), Feliciano (1670) y Fernando (1673).

En su testamento, firmado ante el notario Ginés Gonzálbez el 1-11-1684, dispuso dos mayorazgos: uno para su primogénito y otro menos cuantioso (40 000 libras) para su segundogénito. Estos vínculos imponían la condición de conservar el apellido Forner y el escudo de armas del fundador.

Jacinto Forner Talayero participó en la defensa de Alicante, como capitán de milicias, durante el bombardeo de la escuadra francesa en 1691. Poseyó el segundo mayorazgo fundado por su padre. Contrajo nupcias con Ángela Ladrón de Pallás. No tuvieron hijos, por lo que el mayorazgo pasó a manos de su sobrino, Alejandro Forner Sanz de la Llosa.

Josefa Forner Talayero contrajo matrimonio, en el oratorio de su casa, con José Pascual del Pobil Gisbert. Heredó los dos vínculos de su padre por falta de sucesión anterior, transmitiéndolos a su hijo Nicolás Pasqual del Pobil Forner. Falleció en Valencia el 30-4-1716.

Eufrasia Forner Talayero fue religiosa capuchina en el convento alicantino de los Triunfos del Santísimo Sacramento.

Mariana Forner Talayero desposó el 27-10-1692 con Ignacio Bojoni Escorcia. Heredó el segundo mayorazgo de su padre por falta de sucesión anterior, pero al no tener tampoco ella descendientes, pasó el vínculo a manos de su hermana Josefa. Murió el 21-5-1724.

Feliciano Forner Talayero fue presbítero, canónigo de San Nicolás y doctor en ambos Derechos. Tras morir, sus bienes fueron repartidos entre sus hermanas Josefa y Mariana, y sus sobrinos Jacinto, Carlos y Manuel Forner Sanz de la Llosa. En este reparto estaba incluida la deuda de 165 libras y 8 dineros que Jacinto Forner Sanz de la Llosa tenía contraída con el fallecido.

Fernando Forner Talayero falleció antes de cumplir dos años.

Alejandro Forner Talayero

II Barón de Finestrat y señor de Benasau. Poseedor del primer mayorazgo fundado por su padre. Contrajo matrimonio en Valencia con Josefa Sanz de la Llosa, señora de Senyera y de Benamejí. Tuvieron a Jacinta (1675), Jacinto (1677), Francisca (1678), Alejandro (1679), Carlos (1681), Juana (1682), Fernando (1683), Agustín (1684), Mariana (1685), Manuel (1686) y Antonio (1688).

Jacinto Forner Sanz de la Llosa

III Barón de Finestrat y caballero de la orden Montesa. En 1702 perdió un pleito contra la ciudad de Alicante, por lo que se vio obligado a dejar de ejercer la jurisdicción alfonsina (derecho a dictar sentencias en pleitos civiles y criminales) en ciertas calles alicantinas. En 1716 pleiteó por deudas contra el cordonero Juan Mayor, a quien había arrendado derechos dominicales de la baronía de Finestrat durante cuatro años, por 1 300 libras anuales. Al año siguiente, fue su tío José Pasqual del Pobil (esposo de la hermana de su padre, Josefa Forner Talayero), quien pidió al ayuntamiento que le abonase la cantidad de 55 libras, 4 sueldos y 6 dineros, deduciéndola del censo que la ciudad tenía con Jacinto, para asegurarse así el cobro de la parte que le correspondía por la deuda que éste tenía pendiente de saldar con su tío Feliciano Forner Talayero.

Contrajo matrimonio con Josefa Pallás Vallebrera, señora de Cortes de Pallás y de Agost. No tuvieron hijos, por lo que la baronía y el primero de los mayorazgos pasó a su hermano Manuel.

Alejandro y Manuel Forner Sanz de la Llosa

Alejandro Forner Sanz de la Llosa heredó el segundo mayorazgo fundado por su abuelo, al fallecer su tío sin descendencia. Pero como él tampoco tuvo sucesión, el vínculo pasó a su hermano Manuel, que también heredó el primero de los mayorazgos. Pero como Manuel Forner Sanz de la Llosa tampoco tuvo descendencia, la baronía y ambos mayorazgos pasaron a su tía Josefa Forner Talayero.

Por consiguiente, el apellido Forner quedó desvinculado de la baronía de Finestrat, que pasó a manos del apellido Pasqual del Pobil. No obstante, comoquiera que la herencia de los mayorazgos fundados por Jacinto Forner Bernabeu estaba condicionada a la conservación del apellido, algunos descendientes de Nicolás Pasqual del Pobil Forner, IV barón de Finestrat, optaron por cambiar sus apellidos. Como el hijo de este, Juan Crisóstomo Pasqual del Pobil y Rovira, que pasó a llamarse Juan Forner Pasqual del Pobil. Fue nombrado regidor de la ciudad por la clase de Nobles el 1-7-1760.

José María Forner Talayero

También se cambió los apellidos por la misma razón de herencia José María Pasqual del Pobil y Guzmán, nieto de Nicolás Pasqual del Pobil Forner. Nació en Alicante el 27-5-1775. Para ser el VI barón de Finestrat y señor de Benasau, cambió sus apellidos por los de Forner y Talayero. Fue caballero de la orden de San Juan y teniente coronel de Artillería.

En 1821 fue presidente de la Junta de Regantes de la Huerta. Fue alcalde en 1836. Contrajo matrimonio en el oratorio privado de su finca Capucho, en San Juan, con María de la Esperanza Estellés Cervera, natural de Valencia, el 27-7-1816. Fueron padres de diez hijos. Falleció en Alicante el 10-11-1854.

José Mariano Forner Pasqual del Pobil

Hijo del anterior, de quien recibió ambos mayorazgos. Nació en Alicante el 28-11-1847. Para ser el VII Barón de Finestrat, cambió sus apellidos (Pasqual del Pobil Estellés) por los de Forner Pasqual del Pobil.

Era teniente de alcalde durante el bombardeo que sufrió la ciudad por los cantonales en 1873. Fue presidente local del partido republicano histórico (1882) y alcalde entre 1895 y 1897. Durante su mandato, se crearon nuevos arbitrios e impuestos para la industria, se transformó por completo el barrio de San Francisco, se arregló la plaza de Quijano, se ensanchó la calle del Socorro, se restauró el paseo de Campoamor, y se dotó de alcantarillo y aceras a muchas calles de la ciudad. También se compró y donó al Estado el terreno donde se construiría el cuartel de Benalúa.

El 31-10-1913 fue nombrado gobernador civil de Vizcaya. Contrajo primeras nupcias en Valencia, el 19-3-1866, con Josefina Frígola Palavicino, natural de Valencia y fallecida en Alicante el 8-2-1871. Tuvieron dos hijos, que murieron niños. En segundas nupcias casó en Alicante con Juana Pasqual de Bonanza y Pasqual del Pobil, el 6-6-1875, en San Nicolás, fallecida en Madrid el 2-11-1914. Tuvieron ocho hijos.

En sesión celebrada el 17-8-1927, el ayuntamiento aprobó la petición de los vecinos y comerciantes de la calle de Teatinos, para que el trozo de dicha calle comprendida entre las de Castaños y Bailén, pasase a llamarse Barón de Finestrat en su honor. Murió en Madrid el 24-4-1929, a los 81 años.

OTRAS RAMAS

Miguel Forner Soler (hijo de Damián y Josefa) era notario. Se casó con Justina Bellido en 1673 y fueron padres de Miguel (1674) y Josefa (1675).

Antonio Forner era arquitecto. Entre 1802 y 1839 dirigió diversas obras particulares en la ciudad, así como el croquis topográfico del deslinde del término municipal de Alicante con el de Aguas de Busot. También ejerció de arquitecto Francisco Morell Forner, entre los años 1855 y 1864.

Antonio Forner era alcalde pedáneo de Tángel en 1855.

Antonio Gaitero Forner fue archivero municipal entre 1869 y 1872, y secretario municipal a partir de 1873. Murió el 11-2-1895.

Mariano Forner poseía en 1878 una calera en Villafranqueza, cerca del cementerio.

José y Manuel Forner Torregrosa eran hijos de José Forner Boix, que falleció en 1882. José Forner Torregrosa fue médico († 28-6-1897) y su hermano Manuel fue presbítero, rector de las Casas de Beneficencia en 1897, y coadjutor y vicario de Santa María.

En la mañana del 7-10-1930, Ricardo Forner, de 73 años y domiciliado en la carretera de Villafranqueza, se suicidó arrojándose desde un puente del ferrocarril de la Marina. Su cuerpo fue encontrado en el mar por un carabinero que prestaba servicio en el puerto. Era viudo y tenía tres hijos casados. El juzgado determinó que tomó la decisión «inducido por la desesperación que le producía una enfermedad crónica».

Otro Ricardo Forner (Soria de segundo apellido) fue un constructor que realizó obras particulares entre 1934 y 1964. Francisco Forner Guijarro también fue constructor. Pidió numerosos permisos municipales para obras públicas y particulares entre 1942 y 1962.

José Forner Mas, nacido en 1887, abrió en 1942 un almacén de abonos con molino triturador en el Rincón de Nogueroles. En 1954 abrió un local para abonos con máquina mezcladora accionada por un motor eléctrico, en Portugal, 9, que convirtió en almacén en 1962. Aumentó un piso su casa de la calle Taquígrafo Martí en 1957. Abrió otro almacén en Moratín, 7, en 1963. Y dos años más tarde, con el nombre de José Forner Mas S.L., abrió «una oficina de abonos» en Portugal, 28.

José y Ramón Forner Segrelles eran hijos de José y Ramona (casados en 1908). José abrió en 1947 una barbería en San Isidro, 3, que traspasó en 1964 a su hermano Ramón, y abrió al mismo tiempo otra para él en San Pascual, 3.

Alejandro Forner Vidal fue un importante promotor inmobiliario durante la segunda mitad del siglo XX.

Forner-Serrano

Miguel Forner (natural de Mutxamel) y Josefa Serrano (natural de Penáguila), bautizaron en San Nicolás a sus hijos José (1748) y Miguel (1750).

José Forner Serrano era sastre, se casó con María Jiménez el 27-4-1783) y tuvieron cuatro hijos: Domingo (1784), M.ª Rosa (1787), Domingo (1789) y Manuela (1793). Domingo Forner Jiménez contrajo matrimonio con Vicenta Lanza, y fueron padres de María (1811), Tomás (1817), José (1821) y José (1823).

Miguel Forner Serrano era jornalero. Se casó con María Minuera y tuvieron a Manuela (1782), M.ª Margarita (1785), Micaela (1788), Manuela /1790), Juan (1795) y José (1797).

Forner-Samper

Lorenzo Forner y María Samper contrajeron matrimonio el 31-3-1777. Él era panadero y natural de Mutxamel, aunque según anotación del registro parroquial era «desde su infancia vecino de esta Ciudad». Tuvieron a Patricio (1778), Eleuterio (abril 1780), María Ventura (noviembre 1780) y María Carmela (1785).

Forner-Alcaraz

José Forner Alberola, natural de Mutxamel pero vecino de Alicante desde niño, se casó el 20-3-1805 con Josefa Bárbara Alcaraz, de Villafranqueza. Fueron padres de Isabel (1805), M.ª Josefa (1809), José (1812), José (1813), José (1815), José Luis (1816), Francisco (1818), Joaquín (1820), M.ª de la Cruz (1821), Elena (1823) y Amalia (1826).

Elena Forner Alcaraz ingresó en la asociación religiosa de la Escuela de María.

José Luis Forner Alcaraz fue concejal (1866). Se casó con Vicenta Carreras y tuvieron a Manuela (1861) e Isabel (1864). Falleció el 12-8-1885.

Francisco Forner Alcaraz

Fue un reconocido jurisconsulto, decano del Colegio de Abogados, que vivió en la calle Calatrava. Según el cronista Montero Pérez, su despacho siempre estaba repleto de clientela humilde, a la que asistía gratuitamente. No en balde, fue secretario de la Junta de Beneficencia.

En octubre de 1872 presentó con su hermano José Luis y dos vecinos una denuncia en el ayuntamiento, por la máquina de vapor para aserrar madera que el recién nombrado marqués de Escalambre había instalado en el edificio llamado Cuartel, situado en la plaza de la Libertad (actual plaza de Gabriel Miró), con fachadas a la calle San Fernando y al callejón de Santa Marta. Les molestaba el ruido y el humo que escupía la chimenea, por lo que pedían que la fábrica de cajones fuese trasladada a las afueras de la ciudad, donde el propietario poseía varias fincas. Se creó una comisión municipal, a la cual remitió una carta Francisco Forner, en la que afirmaba que el día 25 de octubre, al mediodía, la máquina de vapor funcionó con tanta fuerza, «que toda mi casa temblaba como movida por un terremoto, sobrecogiéndose de miedo toda la familia».

El alcalde ordenó se parase la máquina, pero pocos días después, el 3 de noviembre, volvió a funcionar tras cumplir Escalambre con las condiciones impuestas: que no funcionase a más de 4 atmósferas y que la chimenea se elevase otros seis metros. Los reclamantes recurrieron el acuerdo del ayuntamiento ante la diputación, pero seis meses más tarde se desestimó el recurso (el marqués de Escalambre era diputado provincial). Entonces, Francisco Forner presentó demanda contencioso-administrativa, cuya sentencia tardó dos años en dictar la Audiencia de Valencia, la cual revocaba el acuerdo del ayuntamiento y ordenaba el traslado de la máquina de Escalambre. Pero este recurrió al Consejo de Estado, que en mayo de 1876 anuló el fallo de la Audiencia. En diciembre de aquel año, Forner volvió a denunciar ante el alcalde que Escalambre había incumplido el acuerdo último con el Consistorio, al cambiar la máquina por otra con más de seis atmósferas de presión. Volvió a ordenarse la suspensión del funcionamiento de la máquina de vapor, pero Escalambre no reconoció la autoridad del ayuntamiento, por lo que Forner y demás vecinos recurrieron al gobernador civil. Solo se solventó el problema cuando el marqués decidió mudarse con su familia a Madrid.

Francisco Forner Alcaraz falleció el 2-5-1878.

Francisco Forner Carratalá

Fue bautizado en San Nicolás en 1858. Era hijo de Vicente, natural de Mutxamel, y de Josefa, de Altea. Fue director del colegio La Juventud, situado en Montengon, 6 hasta finales de 1887, que fue trasladado a Mayor, 65. En 1897 dirigía el colegio de primera enseñanza situado en Teatinos, 42, principal. En octubre de 1909 dirigía una escuela subvencionada en el barrio de los Ángeles, que pasó a ser pública para niños por acuerdo municipal.

Se casó en 1881 con Dolores Giner, siendo padres de Francisco (1881), Gloria (1884), Purificación (1886), José (1893) y María (1896).

Salvador Forner Forner

Nació en Mutxamel en 1854. Era el séptimo hijo de Vicente y Teresa, naturales también de Mutxamel. En 1881 contrajo matrimonio en San Nicolás con Encarnación Soler, natural de Carcaixent. Bautizaron en el mismo templo a sus hijos Encarnación (1882), Salvador (1883) y Francisco (1885).

El 28-3-1903, *La Correspondencia de Alicante* informaba de que Salvador Forner Forner, de 49 años, había sido atendido en la Casa de Socorro de «heridas contusas en los pulpejos de los dedos medio y anular de la mano izquierda. Accidente de trabajo descargando pipas de vino en las bodegas de Penalva».

Salvador Forner Soler

Hijo del anterior. En 1914 poseía una panadería en la plaza de San Cristóbal. En 1925 pidió permiso municipal para construir una casa en la calle Azucena, esquina con la de General Espartero. Y en 1939 abrió otra panadería en Maestro Gaztambide, 14.

Problemas con la justicia

Rafael Forner Bosch, alias Garrofa, fue detenido el 20-4-1915 por mantener una reyerta con otro individuo en lugar público, y en la noche del 13 de junio siguiente por amenazar a transeúntes en la calle Álvarez, a punta de pistola.

José Cascán Forner, de 26 años, fue detenido el 22-6-1932 porque, tras tener un fuerte altercado con su familia (en su casa de Sol y Ortega, 13), salió a la calle ebrio y esgrimiendo una navaja de grandes proporciones, y al ser requerido por dos vigilantes nocturnos, abofeteó a uno de ellos. Se le concedió la libertad provisional, al argumentar que mantenía económicamente a su madre y hermanos menores, pero ingresó en la cárcel en abril de 1933, al dejar de presentarse en el juzgado y ser declarado en rebeldía.

Carlos Luis Forner Ferrándiz tenía 20 años cuando fue detenido el 6-4-1935 por practicar desnudismo en las inmediaciones de la Estación de la Marina. Nacido en Alicante, era hijo de Francisco y Rafaela. El 13-6-1939 conducía el tranvía que atropelló en la avenida de Novelda (a la altura del llamado Chalé del Obispo) a Enriqueta García Pastor, quien resbaló y cayó delante de la vía, falleciendo horas después en el Hospital Provincial. Forner fue acusado del delito de lesiones por imprudencia. En el juicio alegó que «no pudo evitar el alcanzarla a pesar de guardar todas las precauciones imaginarias, pues iba despacio y tocando la campana». Pero el tribunal de la Audiencia le condenó, el 14-7-1944, a seis meses de arresto mayor y al pago de una indemnización de 6 000 pesetas a la hija de la fallecida. Como era insolvente, la indemnización debía pagarla, por responsabilidad subsidiaria, la compañía Tranvías y Electricidad S.A., que ya había entregado voluntariamente a la huérfana una indemnización de 600 pesetas. Tanto Forner como la compañía de tranvías recurrieron al Tribunal Supremo, que falló a favor de ambos el 15-10-1945, declarando nula la sentencia de la Audiencia Provincial de Alicante y absolviendo a Forner del delito de imprudencia temeraria.

Antonio Forner Oliver fue acusado por la Compañía del Canal de la Huerta del delito de robo porque, en la madrugada del 2-3-1937, en compañía de otro, violentó la puerta de la casilla donde estaban los aparatos registradores para la salida del vertedero conocido como La Torreta, soltando agua para regar sus tierras. Los peritos tasaron el agua así aprovechada en 50 pesetas y los daños de la puerta en 5. Forner alegó que «no rompió ninguna puerta para soltar el agua y regar su campo, pues dicha puerta estaba abierta, que el riego era necesario porque se le estaba secando la cosecha, que el agua la tenía pagada desde Octubre del pasado año y le dijeron que aquella noche irían a dársela, y como no fueron, regó su cosecha para evitar que se echara a perder». El fiscal de la Audiencia retiró la acusación por el delito de robo, para que los autos fuesen devueltos al juzgado y se celebrase un juicio de faltas.

Juan Forner García, natural de Mutxamel, jornalero, casado con Asunción Terol y domiciliado en Villafranqueza (Cuesta, 9), fue detenido el 14-7-1938 mientras intentaba penetrar en el primer piso de la casa número 6 de la plaza de Largo Caballero, con una llave falsa. Ingresó provisionalmente en prisión. Fue acusado de robo porque, previamente, haciendo uso de dicha llave, había entrado en otros pisos de la misma casa, y en los del primer y segundo piso de Velázquez, 29 y 33, llevándose artículos de comer, aunque en pocas cantidades. El impresor Ángel Cuenca, por ejemplo, propietario del segundo piso de Velázquez, 29, afirmó que había echado en falta únicamente «un kilo de tomates, otro de peras y ciruelas y tres cuartos de litro de aceite». Forner se declaró culpable, pero falleció antes de que se dictara sentencia por la Audiencia: el 27-12-1938, «a consecuencia de insuficiencia circulatoria». Tenía 61 años.

Forner-Boix

Mariano Forner Gomis, natural de Mutxamel, se casó en San Nicolás con Dolores Boix, en 1871. Fueron padres de José (1871), Manuela y Rafael (1885).

En la mañana del 1-3-1912, Manuela Forner Boix y su hija, Loreto Pérez Forner, comparecieron en la Audiencia para ser juzgadas por delito de injurias a la autoridad. Según informaba ese mismo día *Diario de Alicante*: «En la mañana del 26 de Junio de 1908, el agente recaudador del impuesto de consumos de esta ciudad, D. Juan José Ventura Bonastre y testigos que le acompañaban, se personaron en el domicilio de José Pérez Esplá, en la partida de Tángel, y no hallándose en él nada más que su esposa Manuela Forner, requirió á ésta para que solventase el tercero y cuarto trimestre del indicado impuesto con apercibimiento de embargo, y como no verificara el pago, la comisión embargó cuatro gallinas y, cuando se las llevaban, la Manuela y su hija María del Loreto, á grandes voces, manifestaron que la comisión era una cuadrilla de ladrones que se dedicaban á cometer robos como el que á ellas les habían hecho. El teniente fiscal Sr. Rey, pidió para la madre y para la hija, dos meses y un día de arresto».

El 14-7-1924, *El Luchador* noticiaba que Rafael Forner Boix, Josefa Forner Castelló y dos personas más fueron detenidas por promover un escándalo en la calle de la Infanta. El mismo periódico, en su número del 21-6-1926, informaba de que «Rafael Forner y Concepción Morant maltrataron ayer duramente en la carretera de Villafranqueza a una hija del primero llamada Josefa Forner Castelló. El hecho ha sido denunciado».

ACTUALIDAD

La provincia de Alicante es la tercera de España (después de la valenciana y la castellonense) donde hay censadas más personas apellidadas Forner.

Estadísticas FORNER

LUGAR	APELLIDO 1.º	APELLIDO 2.º	AMBOS APELLIDOS	TOTAL	% ESPAÑA	% PROVINCIA
ESPAÑA	2 117	2 114	27	4.258	100	-----
PROVINCIA ALICANTE	333	299	0	632	14,84	100
ALICANTE CIUDAD	203	146	0	349	8,19	55,22

Fuentes: INE y Ayto. Alicante

«Mi abuelo huyó para que no le dieran "el paseo", mientras sus hijos mayores luchaban por la República»

Salvador Forner Muñoz nació el 4 de diciembre de 1947, en la alicantina calle Capitán Segarra. Estudió en el colegio de los Franciscanos, en la academia de José Ribera (maestro republicano represaliado) y en el Instituto de Enseñanza Media. En 1971 se licenció en Filosofía y Letras por la Universidad de Granada, donde trabajó dos años como profesor ayudante. Vino al CEU de Alicante en 1973. También obtuvo en 1975 el título de periodista en Madrid.

Es catedrático de Historia Contemporánea de la UA, y autor y editor de varios libros. Fue decano de la Facultad de Filosofía y Letras entre 1986 y 1990. Es titular de la Cátedra europea Jean Monnet en Historia e Instituciones de la Europa Comunitaria, y miembro de la Junta Directiva de AUDESCO (Asociación Universitaria de Estudios Comunitarios) y del Consejo Editorial y Científico de la Revista Universitaria Europea, y de la revista *Pasado y Memoria*.

Entre 2000 y 2004 fue director general de Enseñanzas Universitarias e Investigación de la Generalitat Valenciana. Mientras estudiaba en Granada se afilió al PCE (1969). Fue elegido concejal por dicho partido en el Ayuntamiento de Alicante en 1979, dimitiendo al año siguiente. Se dio de baja en el PCE en 1981.

Casado con Josefina Rodríguez Clavel en 1972, tienen dos hijos: Carlos (nacido en 1973), profesor titular de Economía Financiera de la UA, casado con M.ª José Díaz Chicano y padre de Mario, de 6 años; y Ana (1979), farmacéutica, casada con José Gómez Calafat y madre de Nicolás, de 2 años.

«Mis abuelos paternos se llamaban Salvador Forner Soler y Matilde Pastor. Él tenía dos panaderías y, según creo, también un almacén de harinas. Debieron irle bastante bien los negocios, ya que fue propietario del primer "Ford de pedales" que hubo en la ciudad. Pero también se metió en aventuras económicas que le hicieron perder las ganancias obtenidas: durante la Primera Guerra Mundial, como era germanófilo, compró empréstitos alemanes, y también tengo entendido que invirtió en una supuesta veta de oro en el Cabeçó d'Or. Era republicano moderado, del partido de Melquíades Álvarez, a quien asesinaron varios milicianos incontrolados al inicio de la Guerra Civil, tras sacarlo de la cárcel Modelo, de Madrid. Quizá por eso se rumoreaba que también aquí, en Alicante, iban a "pasear" a mi abuelo. Dos veces huyó de su casa, para evitarlo. Y eso que sus dos hijos mayores se disponían a luchar en el ejército republicano. Murió cuando yo tenía unos 11 años. Le recuerdo vestido como un hombre de su época, con bastón y sombrero».

Salvador Forner Soler y Matilde Pastor tuvieron cinco hijos: Francisco, Salvador (que falleció siendo niño), Salvador, Matilde y José.

Francisco Forner Pastor era maestro nacional, pero no llegó a ejercer porque luchó con el bando republicano y, al acabar la guerra, tuvo graves problemas de salud. Se casó con Rosario López, con quien tuvo dos hijos: Francisco y Encarna.

Matilde Forner Pastor también era maestra nacional. Obtuvo el título poco antes de que estallara la guerra. Cuando acabó esta, no le fue reconocido el título, por lo que no pudo ejercer su profesión hasta que, cuarenta años después, recuperada ya la Democracia, le fueron restituidos su sueldo y antigüedad. Casada con Luis Giménez Alfaro, tuvo dos hijos: Luis y Matilde.

José Forner Pastor se jubiló como jefe de cartera del Banco Central. Tuvo dos hijos con su esposa, Remedios Aracil: Juan José y Miguel Ángel, que trabajaron en el mismo banco.

Salvador Forner Pastor nació en 1916. Contrajo matrimonio con Milagros Muñoz en Yecla (de donde era ella), en 1946. Tuvieron un único hijo: nuestro entrevistado. «Al inicio de la guerra, mi padre fue movilizado. Como era perito mercantil y trabajaba de contable, fue enviado a la academia de oficiales, donde obtuvo el grado de teniente. Tenía 20 años. En 1940 fue sometido a un consejo de guerra, acusado de rebelión militar, por lo que el fiscal pidió se le condenase a una pena de 20 años de prisión. Estuvo encarcelado en el castillo de Santa Bárbara durante varios meses y luego en un batallón de trabajos forzados. Después hubo de hacer tres años de servicio militar. Regresó a la vida civil con 27 años. Trabajó como agente comercial». Fue presidente (1955) y secretario (1956) de la Hoguera Méndez Núñez. Murió con 81 años, en 1997. Su viuda, Milagros Muñoz, falleció en noviembre de 2011.

GADEA

SANIDAD Y POLÍTICA

El prestigioso etimólogo Joan Corominas decía que el apellido Gadea procedía probablemente de un nombre árabe, Kádiya o Qedáya, pero la idea más generalizada es que proviene de un nombre de origen griego, Águeda, y más concretamente de la población burgalesa de Santa Gadea (o santa Águeda).

En nuestra ciudad, los documentos más antiguos existentes en los que figura este apellido son los registros parroquiales referidos a Gerónimo Gadea, que desposó a Magdalena Galdó en 1622 en la iglesia de Santa María, y del bautizo de su primera hija, Esperanza, el 11-5-1623, en la misma parroquia. Tras enviudar, Gerónimo se casó en segundas nupcias con Josefa Muñoz, en 1627, esta vez en la iglesia de San Nicolás.

Guedea y Gedea

Como suele ocurrir con otros apellidos, con el transcurso del tiempo aparecieron variaciones originadas por errores cometidos en los registros parroquiales. Así, la segunda hija de Gerónimo y Magdalena Galdó, solo dos años después que su hermana (1625), fue inscrita en el libro de registros de Santa María con el apellido Guedea. Lo mismo ocurrió con su hermanastro, Juan, en 1628.

A partir de entonces, la variación Guedea aparece con cierta frecuencia en los registros parroquiales durante los siglos XVII y XVIII, inscribiéndose así a bautizados o desposados, pese a que sus padres o hermanos (o incluso ellos mismos en otros registros) figuran con el apellido Gadea. Lo mismo sucede, aunque con menor incidencia, con la variación Gedea.

Ambas variaciones son prácticamente corregidas en el siglo XIX. Mientras que en el Setecientos fueron registrados 159 bautismos con Gadea de primer apellido (40 en Santa María y 119 en San Nicolás), 20 Guedea y 7 Gedea, entre 1801 y 1900 se registraron 151 bautizos de Gadea (9 Santa María y 142 San Nicolás) y solo un Guedea.

Benasau

Algunos de los vecinos que se casaron o bautizaron a sus hijos en las parroquias alicantinas eran naturales de otras poblaciones. Entre ellos llaman la atención, porque en proporción al número de habitantes de dichas poblaciones son bastante numerosos, los oriundos de Planes, Confrides, Benimantell, Guadalest y, sobre todo, Benasau. Pongamos tres ejemplos de este último pueblo:

Francisco Gadea, de 23 años, natural de Benasau, hijo de Miguel y M.ª Josefa Crespo, carabinero, en 1867 contrajo matrimonio en San Nicolás con la alicantina Lucía Alcaraz, que tenía 34 años. Al año siguiente bautizaron a su hijo Francisco (que en 1894 se casó con Josefa Valle). Tras morir M.ª Josefa, el viudo se casó en segundas nupcias (1869) con la viuda Josefa Carratalá, que tenía cuatro años menos que él. Tuvieron tres hijos: Josefa (1870), José (1871), que se casó en 1898 con la viuda Águeda Giménez y con la que tuvo a Asunción (1900), y Consuelo (1876).

Otro Francisco Gadea, también de Benasau, casado con Pilar Santamaría, natural de Confrides, bautizó en San Nicolás a sus hijos Emilio (1888) y José (1890).

Y Fernando Gadea, nacido en Benasau y esposo de Juana Seguí, bautizó en la misma iglesia a sus hijos Víctor (en 1886; que a su vez contraería matrimonio con Dolores Oliver Lillo el 16-11-1912, en el mismo templo) y M.ª Remedios (1889).

SIGLO XVIII

En 1793 había en la ciudad un médico llamado Manuel Gadea.

Veintiséis años atrás, en 1767, se desposaron en San Nicolás los médicos Francisco Gadea (hijo de Gregorio y Basilia Company) y Matías Gadea (hijo de Matías y Josefa Jornet), con Mariana Jornet y Rosalía Sevila, respectivamente.

SIGLO XIX

En la primera mitad de este siglo había en la ciudad de Alicante tres maestros de obras que se llamaban Francisco Gadea, Gaspar Gadea y Antonio Javier Gadea.

En la segunda mitad hubo un José Gadea herrero (1851), otro José Gadea comerciante (en 1857 construyó dos casas en un almacén que tenía en San

Francisco esquina Pelota), un Juan Gadea que era campanero con sueldo municipal, un José Gadea Morán concejal (1866) y un Francisco Pérez Gadea que era beneficiado de San Nicolás (1872).

En 1897, Fernando Gadea Iborra, que era guardia municipal, fue denunciado por tener su casa de San Roque 44 en estado ruinoso.

Gadea-Morató

En mayo de 1857, Matías Gadea Morató pidió permiso para volver a residir en Alicante (donde había nacido en 1807), tras vivir unos años en Caravaca. Era hijo de Antonio (hijo del médico Matías y Rosalía Sevila, ya mencionados) y Antonia Morató.

Antonio y Antonia Morató se habían casado en 1803 y, además de Matías, tuvieron tres hijos más: Antonio (1809), José (1813) y Luis (1826).

Gadea-Bellido

Cuando su hermano Matías regresó a Alicante, José Gadea Morató vivía en la calle Princesa. En 1863, a los 50 años de edad, desposó en San Nicolás a Josefa Bellido, que tenía 40. Al año siguiente bautizaron a su única hija, Josefa.

Josefa Gadea Bellido heredó de sus padres una hacienda en la Cañada del Fenollar llamada Foraca, que después pasó a denominarse San José.

Gadea-Granja

José Severo Gadea era un maestro de obras que intervino en la reforma de los baños de Busot y poseía en 1814 una casa en la calle Rovira valorada en 4 000 reales. Casado con María Granja en 1783, tuvieron cuatro hijos: Dolores, Pablo, Gaspar y Antonio.

Dolores Gadea Granja se casó con Juan José Carratalá, dueño de una imprenta. Tuvieron un hijo que se llamó como el padre. Al enviudar, la imprenta fue regentada por Dolores, hasta su fallecimiento, en octubre de 1875. Entonces la nueva razón social pasó a denominarse Carratalá y Gadea, al asociarse Juan José Carratalá Gadea con su primo hermano José Gadea Giménez. En este establecimiento, situado en Mayor, 1, se imprimió al año siguiente la *Crónica de la Ciudad de Alicante*, de Rafael Viravens. Ambos primos fueron concejales. Carratalá Gadea murió el 20-11-1902. Tres años antes, su yerno Miguel Iborra Gadea había abierto una farmacia en la calle Calatrava.

Pablo Gadea Granja contrajo matrimonio en 1807 con Teresa Boluda y tuvieron tres hijos: José (1811), María (1813) y M.ª Teresa (1815).

Gaspar Gadea Granja se casó en 1816 con Esperanza Labarrera (natural de Orihuela) y tuvieron tres hijos: los mellizos Ramón y Peregrina (1821) y M.ª Dolores (1827).

Antonio Gadea Granja contrajo matrimonio en 1824 con Ángela Giménez y tuvieron cuatro hijos, dos de los cuales no llegarían a la edad adulta: Antonio (1825), José (1829), Antonio (1830) y José (1833).

Gadea-Giménez

Antonio Gadea Giménez se casó a los 22 años (1852) con M.ª Dolores Ruiz, de 18 años, que falleció sin darle hijos. En 1863 fue condenado a un mes de arresto mayor porque el 26 de marzo de aquel año arrojó una piedra desde el terrado de su casa a un niño, hiriéndole en la cabeza. Era encuadernador.

Gadea-Pró

José Gadea Giménez fue concejal (1875-1877) y copropietario de la imprenta-papelería Carratalá y Gadea, donde solían exponerse obras de pintores alicantinos a los que gustaba proteger y estimular, comprando algunos de sus cuadros (v. gr.: Federico Amérigo, 1877). Francisco Bushell le obsequió con un retrato suyo al óleo (1877).

En 1871 edificó una casa en San Francisco, 26. En 1876 puso a la venta una finca que poseía en la huerta de Muchamiel, con mil almendros. En 1878 cobró 17,12 pesetas como compensación por ceder para vía pública sus casas de la calle San Andrés, 6 y 8. En 1880 poseía otra casa en Bailén, 2, junto a la cual había una parcela municipal de 46 m², que adquirió en enero de 1881 por 918 pesetas, para construir en ella.

Contrajo matrimonio el 17-3-1860, en San Nicolás, con Concepción Pró, nacida en Pinilla (Zamora), hija natural de la alicantina Concepción Pró. Tuvieron cinco hijos: José (1861), Encarnación (1867), Arturo (1872), Arturo (1876) y Concepción (1881).

JOSÉ GADEA PRÓ

Nació el 18-3-1861. Obtuvo el título de doctor de Farmacia por la Universidad de Madrid con tan solo 19 años de edad y bastándole cuatro meses de preparación. El 14-11-1880 invitó a los representantes de los periódicos alicantinos a la inauguración de su farmacia, situada en San Francisco, 26 (edificio de su padre). El reportero de *El Graduador* describió tres días después el establecimiento con tanto lujo de detalles como materiales lujosos fueron usados en la obra por el maestro carpintero Ramón Simó: roble, ébano, mármol rojo, metal niquelado, cristal fileteado de oro, cortinas raso carmesí... Las recetas, en papel pergamino y «con letras doradas, verdes, encarnadas, adornadas con arabescos, cada impreso parecía una hoja arrancada de un códice antiguo» (*El Luchador*, 3-9-1935).

Anunció en la prensa su «farmacia alopática, homeopática y dosimétrica», y sus propios remedios, como el «jarabe pectoral balsámico del Doctor Gadea» o el desinfectante Ácido Carbólico Salicilado, de «fórmula y preparacion del Doctor Gadea». En 1887 reformó la farmacia. En 1889 reclamó al ayuntamiento (y obtuvo) el pago de 100 pesetas que se le debían por el suministro de material para autopsias. El 28 de octubre de ese año, sin prepararse en ningún centro docente, se licenció en Medicina y Cirugía, doctorándose el 1-7-1922.

En 1901 ingresó en el Cuerpo Médico de la Beneficencia Provincial. En 1903 anunciaba en la prensa su «Policlínica», con rayos X, electroterapia y cirugía general, situada en plaza del Teatro, 7. En 1909 vendió su farmacia (Rambla, esquina Duque de Zaragoza) a José Ferrer por 7 000 pesetas. Cuatro años después, siendo el propietario Rafael Planelles, seguía mencionándose en los anuncios publicitarios que era la «acreditada farmacia primitiva del Dr. Gadea».

Fue subdelegado de farmacia en el Laboratorio Químico Municipal (1902), inspector provincial de Sanidad (1906-1918) y presidente del Colegio Médico (1916).

Aficionado a la esgrima, fue director de la Sociedad Económica de Amigos del País, cónsul de Turquía y miembro de la logia Constante Alona, con el nombre simbólico de Lavoisier.

Político

Fue alcalde en tres ocasiones: 1893-1895, 1897-1899 y 1901-1903. De carácter fuerte, tomó decisiones drásticas, como la disolución de la Junta del Clima, cerrar el asilo de San Ildefonso, prohibir la venta pública de leche de cabra o disolver temporalmente la banda municipal de música. En 1907 dimitió como concejal.

Familia

El 4-10-1883 contrajo matrimonio en San Nicolás con Remedios Beneyto (hija de Ramón y Remedios Pró). Tuvieron cinco hijos: José (1884), Remedios (1888), Amparo (1890), Isabel (1893) y Consuelo (1894, falleció siendo niña). Veraneaban en una finca que poseían en la huerta, donde crecían «aguacates, aguayabos (sic), cocoteros, caña dulce» (*La Correspondencia Alicantina*, 7-11-1899). Falleció el 3-3-1926, en su casa de Calderón de la Barca, 2. La corporación municipal en pleno acudió al entierro, acompañada de la banda de música.

A finales del siglo XIX, tras dejar de ser alcalde por primera vez, el ayuntamiento rotuló en el ensanche una avenida con el nombre de Doctor Gadea.

Según Vidal Tur, la calle Gadea (barrio Los Ángeles) está dedicada a Francisco Gadea Rubio, tío del doctor Gadea, quien lo propuso siendo alcalde y en prueba de gratitud por haber cedido gratuitamente al ayuntamiento unos terrenos que poseía donde ahora está la calle. Pero ninguno de los tres hermanos Gadea Rubio que hemos encontrado en los registros parroquiales se llamaba Francisco (hijos de Vicente y Luisa, naturales de San Juan) ni por la fecha de nacimiento podían ser tíos del doctor Gadea (1888-1891).

Remedios Gadea Beneyto se casó con Manuel Conejero y falleció, con 29 años y en su casa de Gerona 4, pral., el 9-1-1916.

Arturo Gadea Pró

Se licenció en Derecho por la Universidad de Granada. En 1902 era abogado fiscal sustituto de la Audiencia Provincial de Alicante. Más tarde (1909) abrió su bufete como abogado criminalista. Fue concejal (1908-1916) y juez municipal (1918-1921). En 1927 impartía clases preparatorias para la carrera de Derecho en el Colegio San José, ubicado en Bailén, 27.

José Gadea Beneyto

Hijo del doctor José Gadea Pró, nació el 7-8-1884. Se preparó en Madrid para ingresar en la escuela naval, pero acabó licenciándose en Medicina y especializándose en Oftalmología. Marchó al extranjero para trabajar con los oftalmólogos más prestigiosos y regresó a Alicante, donde abrió una consulta.

En 1916 se anunciaba en la prensa alicantina como oculista: «Exalumno del D. Morax en l'Hopital Laribolsier de París y del Doctor Eperot en la Policlinique de Lausante (Suiza). Médico del Hospital Provincial. Horas de consulta: 11 á 2. Gerona número 4, 1.º».

Ingresó por concurso en el Cuerpo de Beneficencia Municipal, ocupando el cargo de inspector municipal de Sanidad (1918), e ingresó por oposición en el Cuerpo facultativo de la Beneficencia provincial, siendo subdelegado de Farmacia y Medicina (1922).

Jefe de Oftalmología de la Casa de Socorro (1927), fue nombrado en 1928 vocal de la Junta de Caridad Escolar, que regentaba las cantinas escolares. En 1928 pidió permiso para construir una casa en la calle Cerdá. Falleció el 5-12-1932.

SIGLO XX

Amparo Gadea Beneyto (hermana del anterior e hija del doctor Gadea) solicitó autorización en 1939 para construir un panteón en el cementerio. Era viuda de Juan Barrera, muerto siendo miembro del Patronato de la Santa Faz al inicio de la Guerra Civil.

Los hermanos Amalia y José Lafuente Gadea vivían en 1917 en Onésimo Redondo, 11. Treinta y siete años más tarde (1954) seguían viviendo en el mismo lugar. José abrió en 1958 un local en César Elguezábal, 66 donde vendía metales niquelados; y, entre 1961 y 1962, dio de baja tres negocios: una fábrica de hielo en Grado, 14, un bar en San Pablo, 10 y un taller de galvanoplastia en Berenguer de Marquina, 2. En 1962 levantó un cobertizo en avenida Novelda, 4. En 1963, con su hermana Amalia, construyó un edificio de 172 viviendas en Boyero, 20. Y al año siguiente, otra vez él solo, pidió autorización para construir un edificio de cinco plantas en Torres Quevedo, 25-27.

Amparo Gadea Viciens era en el verano de 1927 una joven de 17 años muy rebelde (o quizá enferma), que su padre confió a las monjas oblatas. La indomable muchacha desesperó a las religiosas. Un día recorrió desnuda el interior del convento, hasta que consiguieron ponerle una especie de camisa de fuerza hecha con tela de saco. Otro día destrozó con las tijeras un mantel de elevado precio que las monjas cosían para una bienhechora de la comunidad. La encerraron en un cuarto sin apenas ventilación ni luz, pero se escapó del cuarto y del convento.

En 1917 había un escribiente municipal llamado Gonzalo Gadea Soler. En 1927 había un carretero que se llamaba José Gadea Antón y un obrero portuario con el nombre de José Gadea Giner, que perdió una pierna al sufrir un accidente laboral el 1 de julio.

En 1928, Luis Gadea Rubio construyó una casa en la travesía del camino viejo del cementerio y dos más en el barrio de San Gabriel. Su hermano Alfonso se hizo cargo por traspaso en 1959 de una fábrica de bolsas de papel situada en plaza Teniente Luciáñez, 6.

José Gadea Alberola abrió en 1929 una tienda de muebles en Méndez Núñez, 37.

En la primera mitad de la década de 1930 había un equipo de fútbol llamado Gadea y un jugador de este deporte apellidado Gadea, que era alineado como portero en el Alicante F. C.

Francisco Gadea Escolano utilizó un vale a nombre de la droguería de Francisco Micó Cano, para apropiarse el 5-5-1941, en la Casa Vañó, Sánchez y Cremades, de dos planchas eléctricas valoradas en 90 pesetas. Cuatro días después, usando el mismo método, intentó llevarse de la camisería Sport (calle Altamira) unos artículos valorados en casi 170 pesetas, pero fue descubierta la estafa y detenido.

Manuel Gadea Andrés construyó en 1945 un edificio en la calle Barcelona.

Rafael Gadea Pérez abrió en 1946 una tienda de comestibles en avenida de Alcoy 12, otra de vinos y aguardientes al año siguiente en Cánovas del Castillo, 21, y una carnicería en Trafalgar, 56, en 1956. También una carnicería abrió en la calle Acorazado Deutschland, en 1946, Francisco Gadea Berenguer.

Otilia Rostoll Gadea pidió permiso municipal en 1952 para vender y distribuir leche en Bazán, esquina Gerona, y para abrir una lechería por traspaso en Sevilla, 10. En 1955 dio de baja la distribución de leche en Bazán esquina Gerona y abrió otra lechería en César Elguezábal, 6. En 1959 dejó de vender churros en la última lechería.

Francisco Gadea Fuentes aumentó un piso en General Shelly, 10 en 1954, y otro en 1962. En 1959 construyó un ático en avenida Jijona, 24. Su hermano Antonio abrió en 1963 un local para alquiler de coches en Luis Braille 3 y construyó un edificio en Pintor Aparicio, 17. Al año siguiente construyó 32 viviendas y un local en avenida de Alcoy, 147. Y un año después (1965) solicitó permiso para construir tres edificios más, en Barcelona, 6, Barcelona, 8-10 e Italia, 20.

Pedro Gadea Espuch mecanizó en 1957 su almacén de vinos en Isaac Albéniz, 6-8. Al año siguiente edificó una casa en la calle Cerdá. En 1959 construyó un panteón para él, su esposa (María Box) y sus hijos: Remedios, Carmen, Josefa, Pedro y Emilia Gadea Box. Y en 1961 abrió un local y aumentó un piso en Agost, 33.

Dolores Esclapes Gadea abrió en 1961 una peluquería de señoras en Gerona, 13. Andrés Baeza Gadea un taller de motocicletas en Catedrático Ferré

Vidiella, 13, en 1963. José Gadea Brotons, en 1964, una carpintería en Pérez Vengut, 5. Y José Gadea Orts una tienda de ultramarinos en Doctor Nieto, 22, en 1965.

Ribelles-Gadea

Josefina Gadea Bellido (a quien ya conocimos antes), viuda de Ribelles, reformó en 1921 su casa de Joaquín Costa, 26-39. En 1924, aumentó un piso el edificio que poseía en el número 10 de la misma calle. Hizo construir en 1927 una casa en Colón, 12, y reformó al año siguiente otra casa de la que era propietaria en San Vicente, 43. Falleció el 7-3-1933. Tenía siete hijos: Ramón, José M.ª, Francisco, María, Manuel, Rafael y Antonio Ribelles Gadea, que ese mismo año hicieron construir un panteón familiar.

Manuel Ribelles Gadea fue nombrado el 28-2-1928 médico honorario de la Beneficencia Municipal y trabajó en la Casa de Socorro. En 1931 solicitó permiso para plantar una hoguera en la calle San Vicente.

José M.ª Ribelles Gadea aumentó en cinco pisos el edificio que poseía con fachadas a Explanada, San Fernando y Canalejas, en 1961.

Arturo Gadea Senante

Hijo del abogado Arturo Gadea Pró y sobrino del doctor (y alcalde) Gadea.

Al finalizar la Guerra Civil, tenía 24 años y estaba soltero. Frecuentando los bailes conoció a Conchita, que trabajaba como mecanógrafa en la oficina alicantina de la Abogacía del Estado. Mantuvieron relaciones durante un par de años y cuando Arturo empezó a cansarse, ella trató de retenerle ofreciéndole encuentros sexuales con otras mujeres, amigas o conocidas suyas.

Una tarde del verano de 1941, Conchita llevó a la pensión de Rosa la Viuda (calle San Fernando), donde solía reunirse con Arturo, a su sobrina María, a quien engañó haciéndole creer que iban a hacer un recado. María tenía 14 años. Al verse encerrada en un dormitorio con su tía y un hombre desnudo, quiso irse, pero no la dejaron. Según la versión de Arturo, se negó a tener contacto carnal con ella por ser una niña. Según la versión de la chica, alentado por su tía él intentó forzarla, hasta que desistió ante sus gritos y el arrepentimiento de su tía, que le pidió insistentemente «que no la estropeara».

Año y medio después, el 29-1-1943, Micaela Amorós, viuda, denunció ante el juzgado de instrucción n.º 2 a su hermanastra Concepción Amorós Fabregat y a Arturo Gadea Senante, por intento frustrado de violación de su hija, María García Amorós. Por aquel entonces, Arturo tenía 28 años, estaba casado, vivía en la plaza Gabriel Miró 12 y era policía. Su padre, que era abogado, asumió su defensa legal.

¿Por qué tardó año y medio en presentar la denuncia la madre de María? Según Arturo, la chica le había estado chantajeando, pidiéndole dinero esporádicamente. Hasta que él mismo les contó una tarde en la cafetería del hotel Victoria su relación con Conchita y lo sucedido con su sobrina, a dos conocidos, uno de los cuales resultó ser novio de una de las dos hermanas mayores de María.

Justo un año después de haber presentado la denuncia, Micaela hizo constar por escrito en el juzgado su perdón y el de su hija a Conchita y Arturo. En consecuencia, el juez declaró extinguida la acción penal el 25-2-1944. No obstante, Arturo fue depurado como afiliado de la Falange.

Estadísticas GADEA

LUGAR	APELLIDO 1.º	APELLIDO 2.º	AMBOS APELLIDOS	TOTAL	% ESPAÑA	% PROVINCIA
ESPAÑA	3 635	3 554	30	7 219	100	-----
PROVINCIA VALENCIA	1 269	1 227	12	2 508	34,74	-----
PROVINCIA ALICANTE	741	757	16	1 514	20,97	100
ALICANTE CIUDAD	220	256	3	479	6,63	31,63

Fuentes: INE y Ayto. Alicante

GADEA ALICANTINOS REPRESALIADOS TRAS LA GUERRA CIVIL

NOMBRE	OBSERVACIONES
Javaloyes GADEA, José	Detenido en septiembre de 1939 por ser un «elemento extremista», afiliado a la CNT, que prestó servicios en las checas de Salón España y el Convento de la Sangre, viéndosele «varias veces en el coche conocido como "La calavera" por la carretera de Vistahermosa». Pidió su libertad el 1-4-1942 y se le concedió antes del mes de agosto.
GADEA Espuch, Francisco	Albañil, afiliado de la CNT. 31 años. Detenido el 13-5-1939, acusado de auxilio a la rebelión. Consejo de guerra el 21-12-1939. Condenado a 12 años y 1 día de reclusión menor. Cárceles: Alicante, Orihuela y Belchite. Conmutada la pena por la de 7 años.
Balaciart GADEA, Margarita	Profesora de partos. 49 años. Detenida por la Guardia Civil el 29-1-1941, junto con cuatro personas más, por reunirse en su domicilio particular para censurar al Régimen.
GADEA Castelló, Juan	Sastre. 34 años. En diciembre de 1947 fue propuesto como vicesecretario de la Unión Ciclo Moto Club de Alicante, pero se rechazó su nombramiento porque, según la Policía, era de ideas izquierdistas, antirreligioso, fue guardia de asalto voluntario y «en unión de otros, se dedica a difundir propaganda marxista clandestinamente».

Fuente: memoriarecuperada.ua.es

Recuerdos de Benasau

Patricia Gadea Martínez nació en Alicante el 22 de septiembre de 1990. Está soltera y estudia Ingeniería Civil en la Universidad de Alicante. «Es una carrera bastante fuerte y en Alicante es aún más dura porque tiene mucho prestigio», dice. Durante los dos últimos años no ha podido dedicar a los estudios todo el tiempo que necesitaba, pero solo tiene pendientes cuatro asignaturas para conseguir la licenciatura. «Ahora veo el final del túnel».

La falta de tiempo para los estudios se ha debido a los compromisos que asumió tras ser elegida Bellea del Foc en 2014. Este año ha formado parte del jurado que ha elegido a la bellea adulta. Su experiencia y juventud le ha servido para empatizar con las candidatas.

Su madre también fue Bellea del Foc en 1984. Mercedes Martínez de Mata nació en Alicante en 1961. En 1987 contrajo matrimonio con Eduardo Gadea Crespo, que nació en Valencia en 1959, pero vino a vivir a Alicante siendo niño. Además de Patricia, tuvieron un hijo: Marc, que nació el 11 de mayo de 1992 y estudia ADE (Administración y Dirección de Empresas). Mercedes y Eduardo se divorciaron. Él volvió a casarse con Matilde Valencia, con quien tiene un hijo, Víctor, que nació en 2004.

Eduardo y Matilde se casaron en Benasau, de donde es ella y de donde procede la familia de él, pero viven en Alicante.

Los abuelos paternos de Patricia nacieron en Benasau. Él se llamaba Eduardo Gadea Oltra y ella Amalia Crespo. Además de Eduardo tuvieron otro hijo, Rafael, que tiene una asesoría, está divorciado y tiene un hijo: Jorge.

«Mi abuelo montó una almazara en Gorga con su padre, mi bisabuelo, que también se llamaba Eduardo (Gadea Iborra) y era de Benasau. Mis abuelos se fueron a vivir a Valencia, donde nació mi padre, pero al cabo de dos años volvieron a Alcoy, donde mi abuelo y mi bisabuelo abrieron una carnicería en la calle Santa Rita», cuenta Patricia.

Los abuelos de nuestra entrevistada vinieron a vivir a Alicante, donde él fundó una empresa distribuidora de aceite que fue comprada por otra valenciana, El Ama. «Mi abuelo se quedó de gerente en la empresa y, cuando se jubiló, ocupó el cargo mi padre, que había entrado a trabajar cuando tenía 15 años». La empresa cerró tras fallecer el dueño y su padre fue contratado por otra empresa valenciana exportadora de aceite (Aceites Albert), como director comercial nacional.

Patricia no conoció a su abuela Amalia porque murió diez años antes de que ella naciera. Su abuelo se volvió a casar con Bienvenida Pérez, a quien Patricia quiere como una abuela. Eduardo y Bienvenida iban con frecuencia a Benasau, y con ellos solía ir Patricia. «Cuando era pequeña, en el pueblo decían que me parecía a mi abuela Amalia».

Patricia sabe que el primer Gadea que llegó a Benasau era un hombre de confianza del barón de Finestrat, que lo envió para que cuidara las tierras que había comprado en aquel lugar (finales del siglo XVII) y que le servirían para obtener el título de señor de Benasau.

JOVER

CONSTRUYENDO CON PIEDRAS Y PALABRAS

Este apellido de origen catalán deriva del sustantivo jover («fabricante de yugos» o «labrador», en catalán). Según el Instituto de Historia y Heráldica Familiar, aparece ya en el siglo XIII entre los repobladores del reino de Valencia. En la actualidad, la provincia española donde hay más Jover censados es la alicantina, seguida de la barcelonesa.

En la ciudad de Alicante, la documentación más antigua que se conserva en la que se mencionan a los Jover está datada a finales del siglo XVI, en los registros parroquiales de San Nicolás: Andrés Jover, hijo de Pedro y Violante Bernabeu, que contrajo matrimonio en 1593 con Mariana Pastor, y Francisco Jover, esposo de Josefa Lloret, que bautizó en 1594 a su hijo Luis.

Gracias a dichos registros parroquiales (de San Nicolás y de Santa María), podemos seguir la sucesiva ramificación de la familia Jover alicantina a lo largo de los siglos XVII, XVIII y XIX, a la que contribuyeron numerosos Jover procedentes de otras poblaciones de la provincia, de España, e incluso del extranjero, como Juan Jover, soldado del regimiento de Buc, casado con Teresa Balifá, ambos naturales de los cantones suizos, que en 1778 bautizaron en la colegial de San Nicolás a su hija Juana.

Entre los siglos XVII y XX los Jover alicantinos se ganaron la vida ejerciendo numerosos oficios. Por medio de los registros ya mencionados y de la documentación custodiada en diferentes archivos (especialmente el Municipal), así como de la hemeroteca, sabemos que los hubo marineros, barberos, tenedores de libros, ferroviarios, maestros, tipógrafos, abogados, militares, funcionarios, cerrajeros, etc.

En 1931, el alicantino Vicente Jover era el jefe de la sección de Restauración del Museo del Prado. A él recurrió el presidente de la diputación para que le asesorase sobre las obras de arte que iban a colocarse en el edificio provincial, entonces en construcción.

Pepe Jover, Plancha, fue portero del Hércules C. F. desde 1925 hasta 1934, aunque también estuvo una temporada (1928) en el Alicante C. F.

Religiosos

Sor Isabel Juana Jover fue religiosa capuchina; murió el 11-6-1694. Ramón Samper Jover fue párroco de Santa María, por lo menos desde 1848 hasta 1875. El presbítero Francisco Jover Penalva falleció el 18-9-1892. Manuel Jover Mira era capellán castrense del regimiento de Luchana, destinado en Tarragona en 1928. Y sor Mariana Jover Pérez fue exclaustrada del convento de las agustinas en 1931, donde llevaba 51 años residiendo.

Políticos

Vicente Botella Jover era alcalde del barrio de San Antón en 1856. Ramón Jover Botella fue presidente y vicepresidente del Círculo Republicano del distrito de Santa María (1918-1920). Juan Asensi Jover era alcalde de Villafranqueza en 1882 y 1910. Soledad Jover era «una joven muy agraciada» (*La Correspondencia de Alicante*), entendida en espiritismo, que en el mitin celebrado en el Centro Obrero para conmemorar el 1.º de Mayo de 1901 cargó contra el clericalismo y defendió la emancipación femenina y la ayuda de los obreros.

José M.ª Olmos Jover fue nombrado concejal en 1926, aunque su profesión era la de profesor mercantil. También fue tesorero en febrero de 1915 de la recién fundada Sociedad Filarmónica. En 1926 fue elegido vocal del comité local de Unión Patriótica. Era sobrino del presbítero Francisco Jover Penalva, arriba mencionado, y del hermano de este, Rafael, un industrial que moriría el 14-9-1906 como consecuencia de las lesiones que le causó un caballo desbocado que había tratado de detener en la calle Torrijos.

Francisco Oriente Jover era procurador y concejal. En 1890 era alcalde del distrito de Santa María, pero el 1 de agosto dimitió como teniente de alcalde, aunque siguió como concejal. En 1893 trasladó su domicilio y despacho a la calle Babel.

Médicos

José Jover Jover era en 1918 teniente médico del regimiento de la Princesa. El 22 de junio de aquel año se casó en Castalla con Elsa Pérez.

Matilde Pérez Jover nació en Monóvar en 1910. En 1934 vino a vivir a Alicante, a casa de una tía suya soltera, en Calderón de la Barca, 17. Matilde era entonces una de las tres mujeres españolas que tenían el título de médico. Colaboró con varias asociaciones humanitarias y cofundó la Asociación de

Enfermos de Alzheimer de Alicante. Falleció en 2007. El 6 de marzo de ese año, el ayuntamiento puso su nombre a una calle del polígono de San Blas.

Músicos

Andrés Jover era arpista en la colegial de San Nicolás en 1809. Francisco Jover figura en la nómina de empleados municipales de 1840: cobraba 82 reales y 28 maravedíes anuales como primer violín. José Jover era un reputado tenor en las décadas de 1880 y 1890. En 1912, Francisco Jover era miembro de la banda municipal. Y Conchita Jover Olmos era una prometedora profesora de piano que, lamentablemente, el 14-9-1932 falleció cuando solo tenía 15 años.

Pero, sin duda, las dos profesiones en las que más han destacado los Jover alicantinos durante los dos últimos siglos son las de arquitecto o maestro de obras, y la de periodista.

CONSTRUCTORES

Antonio Jover

Fue el primer arquitecto titular de la ciudad. Recibió el título de arquitecto de la Academia de San Carlos en 1798 y en 1801 solicitó al ayuntamiento la plaza de arquitecto municipal.

Levantó en 1802 el plano de la obra que había de realizarse en los baños de Busot (cuyos presupuestos fueron aprobados en 1816) y realizó en 1806 el proyecto de la capilla dedicada a la Virgen del Rosario del Palamó, en Villafranqueza. Construyó en 1809 el molino de la Montañeta, en 1811 el matadero junto a la playa de Santa Ana, y las crujías de la Fábrica de Tabacos en 1828. En 1814, por encargo del ayuntamiento, confeccionó un padrón de propiedades urbanas, con sus valores y rentas líquidas.

Entre 1815 y 1821 combinó su trabajo como director de los reales caminos de la Gobernación de Alicante, con la realización de obras particulares. En el Archivo Municipal se conservan 19 certificaciones suyas como único arquitecto titular del ayuntamiento solo del año 1812.

Emilio Jover

El cronista Viravens dice que las obras que se realizaron en 1849 para traer aguas del pantano de Tibi fueron supervisadas por el «entendido arquitecto D. Emilio Jover y Pierron». Sin embargo, no hay en los libros de las dos parroquias alicantinas existentes en el último tercio del siglo XVIII y la primera mitad del XIX ningún registro de bautismo con este nombre; tampoco de matrimonio (sí los hay de los componentes de la familia Jover-Pierron). Por otra parte, en 1841 un arquitecto llamado Emilio Jover y Boronat aumentó un segundo piso en una casa sita en la calle Igualdad, según el permiso municipal; pero tampoco hemos encontrado ningún registro parroquial con este nombre (sí de otros Jover-Boronat).

Lo más probable es que no naciera en la ciudad de Alicante. Parece confirmarlo la carta que presentó en la secretaría del ayuntamiento con fecha 28-12-1839, solicitando la plaza de arquitecto titular que estaba vacante: «Arquitecto aprobado por la Academia Nacional de San Fernando (…), deseando establecerse en esta capital hace presentacion de su Título (…)». En cualquier caso, lo cierto es que Emilio Jover es uno de los arquitectos más importantes que ha trabajado en la ciudad.

En 1814 se realizó la variación de una fachada en Barranquet, 7, a cargo de un arquitecto llamado Emilio Jover, pero tenemos dudas de que se trate de la misma persona. No las hay con respecto a otras obras particulares firmadas por el arquitecto Emilio Jover, a partir de 1835.

Como arquitecto municipal (en 1841 solicitó que se dotara económicamente esta plaza), realizó importantes obras: plaza del Mercado en 1841 (existió hasta 1912), reconstrucción de la Fábrica de Tabacos tras el incendio de 1844, edificación del Teatro Principal (1846-1848) y de la plaza de toros (1847), ampliación del hospital de San Juan de Dios (1852), etc.

En 1843 solicitó certificación de los servicios que había prestado como arquitecto titular municipal para justificar los atrasos que le debía el ayuntamiento. Ello explica que simultaneara dichos trabajos con otros encargados por particulares.

Murió el 25-8-1854, víctima de la epidemia del cólera morbo, en su casa del Paseo de la Reina, 19 (hoy Rambla). En su honor, el ayuntamiento acordó en 1927 que la Travesía del Camino de la Cantera (Vistahermosa) se llamara en lo sucesivo calle del Arquitecto Jover.

José Jover Polo

Hijo de José y Josefa, casados en 1824. Nació al año siguiente y contrajo matrimonio en 1847 con Josefa Gomis. En 1869 era el celador municipal de los almacenes de herramientas y maderas. En 1881 lo encontramos todavía como celador de Policía Urbana. Pero en 1883 construyó su propio almacén en la partida de Babel. El 14-5-1886 hizo público un comunicado en el que denunciaba, «como el empleado que soy del ayuntamiento de esta capital», haber recibido un puñetazo del teniente de alcalde, Florentino Elizaicín.

El domingo 20-6-1886 ganó la subasta organizada por la junta directiva de la sociedad Los Diez Amigos, haciéndose cargo en consecuencia de la construcción del barrio de Benalúa, con un presupuesto de 1 668 151 pesetas. En 1889 convenció a dicha junta para que autorizara la prolongación de las calles Doctor Soler y Foglietti hasta el barranco de San Blas, cuyos terrenos había adquirido él poco antes. También construyó en breve plazo un teatro en el mismo barrio, inaugurado el 28-10-1893, que solo funcionó durante un lustro.

Su esposa falleció el 3-1-1892, siendo él concejal. Murió el 2-9-1908, arruinado por culpa de los graves problemas económicos que le agobiaron durante la construcción del barrio de Benalúa. *Heraldo de Alicante* le despidió recordando «los desengaños sufridos ante las contingencias y sinsabores que le produjeron la referida construcción (…), de tal modo que los últimos días de su vida han sido una continua amargura».

Los Jover Boronat

El maestro de obras Antonio Jover Boronat ganó el 10-8-1860 la subasta de la reforma del convento de las monjas Capuchinas, valorada en 85 050 reales. Nacido en 1814, era hijo de Francisco y Antonia, que se casaron en San Nicolás en 1804. En esta misma iglesia contrajo matrimonio Antonio en 1838 con Vicenta Penalva. Falleció el 31-1-1872.

Su hermano José (nacido en 1820) también firmó una obra particular como arquitecto en 1849, y en 1884 solicitó permiso para enlucir la fachada de su casa en la calle San Vicente, si bien entre 1875 y 1882 tenía su domicilio en la plaza San Francisco, 2, según se lee en un anuncio que publicó en la prensa durante aquella época, poniendo a la venta un huerto llamado La Coronela, situado en San Vicente del Raspeig.

Entre 1825 y 1876, Francisco Jover Boronat (n. 1816) firmó multitud de obras particulares como arquitecto, pero también como maestro de obras, entre ellas la reedificación que hizo en 1874 de la fachada de su propia casa, sita en Torrijos, 38.

En 1902, con vistas a ensanchar la vía pública, el ayuntamiento decidió expropiar la casa conocida como La Higuera que había en la plaza de Santa Teresa y demás terrenos que, en el cruce de las calles Calderón de la Barca y Juan de Herrera, poseía Francisca Jover Boronat (n. 1825). La casa fue derribada y el solar cercado, pero la tasación y expropiación definitiva no se llevó a efecto hasta 1906, cuando el propietario era ya Antonio Limiñana Jover, por fallecimiento de su madre.

Otros

Francisco Jover de Sebastián y Francisco Jover de José eran arquitectos. Es muy probable que estuvieran estrechamente emparentados, aunque nos ha resultado imposible comprobarlo. En 1822, ambos solicitaron como particulares sendos permisos municipales para construir una casa en la calle Igualdad. Ese mismo año, De José realizó como arquitecto la demarcación de un almacén en la calle Postiguet; y, el anterior, De Sebastián edificó una casa en la calle Porchins para Vicente Castillo.

Francisco Jover de Sebastián dirigió numerosas obras particulares entre 1833 y 1846. Puede decirse que era el arquitecto favorito de la aristocracia y la alta burguesía alicantinas, puesto que le contrataron personajes tan ilustres como la condesa de Almodóvar (reedificación casa en la plaza del Mar, 1833), el conde de Soto-Ameno (edificación fachada en casa de la calle Labradores, 1835), Mariano Oriente (construcción de varias casas a partir de 1836), Roca de Togores (almacén en calle San Fernando, 1840), Concepción Pascual del Pobil (casa en calle Pescadería, 1844). Pero también realizó algún encargo municipal, como la construcción de la fuente en el paseo de la Reina, en 1838. El 28-4-1842 pidió permiso para la construcción de una casa en la calle Villavieja (antes calle del Coche) número 21, pero lo hizo como particular, ya que la obra fue dirigida por el arquitecto Emilio Jover. Firmó esta solicitud como «Maestro de Obras aprobado por la Academia Nacional de San Carlos». Sin embargo, en todos los documentos anteriormente mencionados (conservados en el Archivo Municipal) figura su nombre con el título de arquitecto. ¿Cómo es esto posible?

Arquitecto o Maestro de obras

Desde el Medioevo hasta el siglo XX hubo una gran confusión entre los títulos de arquitecto y maestro de obras. La profesión de maestro de obras fue abolida en 1796, pero se restableció en 1816; y aunque la Escuela de Arquitectura fue fundada por real decreto de 25-9-1844, los títulos siguieron siendo otorgados por la Real Academia de San Fernando o, en el antiguo reino de Valencia, por la Academia de San Carlos.

La dificultad para fijar las diferentes competencias entre arquitectos y maestros de obras provocó infinidad de fricciones. La diferencia únicamente se distinguía entre las obras públicas, que tenían que estar dirigidas bajo el control de un arquitecto, y las privadas o particulares, que las podían dirigir los maestros de obras.

El maestro de obras Juan Jover ganó el 17-10-1859 la subasta de un trozo de cloaca que había que construir en la calle Mayor con un presupuesto de 17.000 reales.

En 1861 y 1877, el arquitecto Emilio Jover dirigió sendas obras particulares, pero obviamente no era el mismo que mencionamos más arriba.

En el siglo XX ya no encontramos Jover arquitectos, pero sí algún que otro contratista de obras, como Juan Huesca Jover, con solicitud de permisos municipales desde 1925 hasta 1939. En 1925 vivía en Riego, 11, según la instancia que presentó al ayuntamiento para que se le permitiera enlucir la fachada del hotel Samper (situado entre el paseo de los Mártires y las calles del Doctor Esquerdo y San Fernando). En 1947 abrió un taller de carpintería mecánica en Cisneros, 6. Su hermano Andrés trabajaba de albañil antes de la Guerra Civil y vivía en la prolongación de la calle Segarra.

PERIODISTAS

Francisco Martínez Jover fue administrador y redactor del semanario *El Mensajero* (1888).

Luis Jover colaboró con *Diario de Alicante*.

Emeterio Jover fue redactor del semanario *La Raza Íbera* (1925-1931).

Entre 1908 y 1910, Alfredo Jover Pastor fue redactor y colaborador de varios periódicos.

Nicasio Camilo Jover

Nació el 14 de diciembre de 1821 y fue bautizado en San Nicolás con el nombre de Camilo Nicasio. Sus padres eran el jurisconsulto Francisco y la francesa Inés Pierron, que se habían casado en 1814 y tenían ya dos hijos: Josefa (1814) y Francisco Javier (1818). A los 19 años publicó su primer libro de poesías (editado en Elche).

Se fue a vivir a Madrid, donde trabajó primero como redactor de *El Heraldo*. Hizo amistad con actores y escritores que entonces gozaban de celebridad, como el actor Julián Romera y el escritor José Zorrilla. En honor a otros dos amigos suyos, Juan Nicasio Gallego y Nicasio Álvarez de Cienfuegos, cuando empezó a publicar en Madrid (*Glorias de España*, 1848) invirtió el orden de sus nombres, firmando como Nicasio Camilo. Cofundó la revista literaria *El Prisma* y fue redactor del periódico *La Discusión*.

Tras vivir una década en la corte, regresó a Alicante, donde fundó en 1959 el periódico satírico *La Tortuga* y colaboró con los periódicos y revistas *El Comercio, La Ilustración, El Mensajero, La Nube, La Amenidad, El Bostezo, Álbum Literario, El Semanario Católico* y *La Educación*. Cofundó *El Eco de Manzanares* y, desde 1874 hasta su fallecimiento, dirigió *El Constitucional*.

Publicó varios volúmenes de poesías y novelas históricas en los que, según Juan Antonio Ríos: «En ningún momento se alcanzaron cotas de considerable brillantez literaria, pero hay algunas obras que por su corrección y cierto encanto de época convendría subrayar», tales como *Las amarguras de un rey* (1856) y *El Rollo de Villalar* (1872).

En octubre de 1858 se estrenó en el Teatro Principal su comedia en verso *Todos hablan y ninguno se entiende*. A comienzos de 1863 finalizó su *Reseña histórica de la Ciudad de Alicante*, cuyo original envió dedicado al ayuntamiento. El 6 de marzo el cabildo decidió subvencionar la impresión de la obra con 2 000 reales. La diputación también aprobó, el 14 de mayo, la compra de 42 ejemplares.

Fue socio del Liceo Artístico y Literario, y de Amigos del País, y correspondiente de la Real Academia de la Historia. Desempeñó algunos cargos en las oficinas del Gobierno Civil y la diputación. Pocos meses antes de morir fue nombrado jefe del negociado de Cuentas Municipales de la diputación, con un sueldo anual de 3 000 pesetas.

Falleció el domingo 18-9-1881, en su casa de Rafael Altamira 2, 1.º. Su agonía debió ser terrible a causa de una cruel enfermedad, según se deduce de las lamentaciones escritas por algunos de sus amigos, como Juan Vila y Blanco: «Has muerto al fin». En 1927, el ayuntamiento decidió que la hasta entonces conocida como Travesía de San Carlos pasara a denominarse calle Nicasio Camilo Jover (barrio de San Antón).

Francisco Papí Jover

Fue director de las revistas *El VII* (1881) y *El Correo del Amor* (1882), y autor de folletines dedicados a la poesía clásica latina, que fueron publicados por entregas en algunos periódicos de la época. El 31-7-1883 dejó de ser redactor del periódico de izquierdas *El Consecuente*. Obtuvo el título de licenciado en Derecho Civil y canónigo en junio de 1887. En 1889 vivía en Villavieja, 47.

José María Núñez Jover

Hijo de Adela Jover (hermana de Nicasio Camilo Jover, †22-7-1900) y José María Núñez Blanco, inspector de ferrocarriles. Fue profesor mercantil y periodista.

En abril de 1897 fue nombrado corresponsal del periódico madrileño *La unión escolar*. Vivía en Just, 57. El 15-7-1898 fue nombrado ayudante honorario del Laboratorio Químico Municipal. En noviembre de ese mismo año fue elegido contador de la junta directiva del colegio pericial mercantil y en noviembre del año siguiente fue nombrado profesor auxiliar de la Escuela de Comercio, de la que sería ayudante numerario en abril de 1904 y profesor numerario en 1905.

Redactor de La *Correspondencia Alicantina* (1902-1904) y director de *El Graduador* (1904). En noviembre de 1905, siendo catedrático de Comercio, presentó su candidatura para concejal.

Su hermana Josefa era esposa de Ernesto Mendaro, director de *El Demócrata*.

Se trasladó a Barcelona cuando fue nombrado catedrático de la Escuela de Comercio de dicha ciudad (1916), donde sería secretario de la Escuela de Intendentes Mercantiles (1919).

Julio Martínez Jover

Firmaba muchos de sus artículos con el seudónimo de Pitillo.

En octubre de 1913 presentó su dimisión como gerente del diario *Alicante Obrero*. El 18-1-1916 dejó de colaborar con *Heraldo de Alicante* y el 4 de mayo de ese año golpeó con su bastón al director de dicho diario, que hubo de ser atendido en la Casa de Socorro. El 17 de julio publicó en *El periódico para todos* un artículo titulado: «La labor de los liberales», por el que fue encarcelado durante unos días. En octubre, la redacción de este periódico celebró en el restaurante Alegría la libertad provisional de Julio, que había sido acusado por un artículo publicado el 1 de septiembre contra el fiscal del reino, pero el 13 de noviembre ingresó en la cárcel.

El 19-11-1917 fue juzgado por injurias contra la autoridad judicial, pidiendo el fiscal la pena de cuatro meses y un día de arresto mayor, pero fue absuelto. Murió el 23-1-1920.

COMERCIANTES E INDUSTRIALES

Son muchos los Jover que se han dedicado a lo largo de los dos últimos siglos al comercio, por lo que resulta imposible mencionarlos aquí a todos. Así que destacaremos solo dos familias de Jover alicantinos que sobresalieron en el comercio y en la industria, respectivamente.

Un mecánico emprendedor

El mecánico Julio Jover abrió en 1901 una cerrajería en la calle Ramales, n.º 5 (llamada luego Joaquín Costa) y dos años después construyó una casa en el número 45 de la misma calle, donde abrió un almacén en 1918.

En 1921 hizo edificar una casa en Segura, esquina Benito Pérez Galdós. En 1929 construyó una nave para taller de fundición de hierro en la calle Asturias.

Tuvo con su esposa, Isabel Pérez, tres hijos: Julia (contrajo matrimonio el 18-11-1905 con Francisco Zamora, entonces cajista pero después director de *La Correspondencia de Alicante*), Roberto (se casó el 22-7-1916 con Salvadora Torres), Juan (contrajo matrimonio con Carolina Garrigós el 4-4-1915) y Julio (ingeniero, nombrado en septiembre de 1915 agente comercial de la Internacional Institución Electrotécnica de Valencia).

En septiembre de 1930, el ayuntamiento le compró los motores para las máquinas de elevación de reses en el matadero.

Tras la muerte de Julio, sus herederos se hicieron cargo del taller de reparaciones de la calle Joaquín Costa (1933) con el nombre de la sociedad colectiva Hijos de Julio Jover.

Después de la Guerra Civil, en 1942, fue reabierta la fundición de la calle Asturias y dos talleres mecánicos: en Reyes Católicos, 41 y en el Camino de Elche.

Los hermanos toneleros

A finales de 1927 se anunciaba en la prensa el taller de tonelería de Jover Hermanos, con locales en Abed Hamed, 8 y Pintor Aparicio, 10-12. Estos hermanos Jover eran Pascual, Manuel, Isabel, Francisca y Juana, hijos de Manuel y María Tortillol Ors, que se habían casado en 1887. En 1927 el padre ya había fallecido y la madre moriría el 2-4-1931 en su casa, sita en Roger, 3.

En 1932, el único taller de tonelería de Jover Hermanos que se anunciaba era el de Pintor Aparicio, 10, del que figuraba como dueño el mayor de los hermanos, Pascual. Manuel abrió aquel mismo año un establecimiento de juguetes en la calle 1.º de Mayo. E Isabel pidió permiso para vender prensa en el portal de plaza Santa Teresa, 12, pero en 1959.

| | BAUTISMOS CON JOVER PRIMER APELLIDO | | |
	STA. MARÍA	S. NICOLÁS	TOTAL
S. XVII	8	45	53
S. XVIII	21	274	295
S. XIX	15	234	249

Estadísticas JOVER

LUGAR	APELLIDO 1.º	APELLIDO 2.º	AMBOS APELLIDOS	TOTAL	% ESPAÑA	% PROVINCIA
ESPAÑA	5 127	4 940	17	10 084	100	-----
PROVINCIA BARCELONA	844	756	0	1 600	15,86	-----
PROVINCIA ALICANTE	1 885	1 924	11	3 820	37,88	100
ALICANTE CIUDAD	459	435	0	894	8,86	23,40

Fuentes: INE y Ayto. Alicante

Cuatro hermanas Jover

Las hermanas M.ª Carmen, Ana, Raquel y Eva Jover Sapena nacieron en Alicante, concretamente en el sanatorio del Perpetuo Socorro. Se han criado en el barrio de Pla-Carolinas.

M.ª Carmen nació en 1965. Es economista. Tiene un hijo de 22 años, Luis López Jover, que estudia Informática. Está divorciada y desde 2010 vive con Sixto, su pareja. Es la única hermana que conserva recuerdos del abuelo paterno. «Él murió cuando yo tenía trece años».

Ana nació en 1971. Está soltera y es periodista. «Desde niña quería ser periodista», dice. Entró de becaria en el diario *Información* en 1991. Se marchó a vivir a Australia, pero regresó muy pronto para incorporarse a la plantilla alicantina de *Diario 16*. Después trabajó en *Economía 3*, en el gabinete de prensa de la Diputación Provincial, en *El Periódico de Alicante*, en el Ayuntamiento de San Vicente, en la Universidad de Alicante…, siempre como periodista, excepto en el Ayuntamiento de Dénia, donde fue jefa de gabinete.

Raquel nació en 1974. Es ingeniera civil y técnico superior de prevención, pero se presenta como «autónoma». Tiene dos hijos de su pareja, Raúl: Adrián, de seis años, y Hernán, de tres.

Eva nació en 1977. Vive en Elche porque se casó con el ilicitano Sergio, con quien tiene dos hijos: Iván, de ocho años, y Rubén, de cinco. Estudió Secretariado Internacional, pero trabaja con su marido en su propia empresa, BEDIMA, de distribución de frutos secos y golosinas.

Son hijas de José Jover Antón y María Sapena Lacruz. Nacido en Mutxamel en 1947, José cofundó en Alicante la empresa Jover y Ruano, de distribución de alimentos. María nació en Alicante en 1946. Se casaron en 1965. En 1983 abrieron un supermercado en el barrio de Los Ángeles: ALICASA. Él murió en 1979.

Los abuelos paternos de las cuatro hermanas Jover eran de Mutxamel. José Jover Lledó nació en 1909 y fue carpintero hasta que se casó con Carmen Antón Aracil, que había nacido en 1912. Tuvieron dos hijos: Carmen, que murió con cinco años, en 1948, y José. Entre 1964 y 1974 tuvieron abierta una pescadería en Los Ángeles. Ambos murieron en Alicante: ella en 1974, él en 1978.

MINGOT

NUEVE SIGLOS VIVIENDO EN LA CIUDAD

Origen francés

El cronista Jaime Bendicho escribió que Mingot «procede de los Señores de Rocafort, en Francia, de donde pasaron a Cataluña y, de allí, a la conquista del Reino de Valencia, estableciéndose en Alicante».

SIGLO XIII

El cronista Viravens dice que el rey Jaime I de Aragón, durante su visita a Alicante en 1260, «se hospedó en una casa propia del Mayorazgo D. Francisco Mingot, que estaba edificada en la Villa-nueva» y, más adelante, al hablar de los edificios más notables que existían en la ciudad en los primeros años del reinado de Felipe II, menciona «la suntuosa casa de D. Gerónimo Mingot (siglo XVI), donde estuvo hospedado Don Jaime el Conquistador», en las Navidades de 1264.

SIGLO XV

En la primera insaculación ordenada por Fernando el Católico en 1476, tres hermanos Mingot fueron elegidos como caballeros para desempeñar cargos en el gobierno municipal: Antonio, Bernardo y Nicolás. Y los tres volvieron a ser insaculados en 1493.

Un comerciante muy activo

Al mismo tiempo que ocupaban cargos institucionales, los hermanos Mingot desarrollaron una intensa actividad económica.

Antonio fue uno de los comerciantes más activos de Alicante, tejiendo «un buen entramado mercantil», en palabras de Juan Leonardo Soler Milla, de la Universidad de Alicante. Además de controlar el mercado local de productos tan importantes como el trigo, vino, sal y pañería, fletaba naves cargadas de frutas, hortalizas, miel, aceite o salazones que vendía en puertos de la cuenca mediterránea y de Flandes. Por otra parte, no desdeñaba la oportunidad de enriquecerse practicando la piratería. En 1457, por ejemplo, la galeota de Antonio Mingot abordó otra embarcación, consiguiendo un relevante botín a base de mercancías y 18 esclavos negros, cuya venta le proporcionó enormes beneficios.

De su matrimonio con Beatriz Fernández tuvo tres hijos.

SIGLO XVI

El linaje

La estirpe política y comercial de Antonio Mingot continuó a través de sus hijos Juan, Antonio y Bernardo Mingot Fernández.

Estos tres hermanos y sus descendientes varones ocuparon cargos municipales a lo largo de este siglo. Algunos fueron armados caballeros y otros fundaron mayorazgos, como el de Benialí, por Antonio José Mingot Pascual.

OTRAS RAMAS

Naturalmente, el árbol genealógico de los Mingot fue ramificándose conforme pasaban los años. Así, había un Francisco Mingot que en 1590 era jurado. Casado con Agnes, con la que tuvo al menos tres hijos, enviudó y se casó en segundas nupcias con Francisca García, alias Borrachero, con quien tuvo diez hijos, inaugurando una larga estirpe que tendremos oportunidad de seguir hasta la actualidad y que enlazará al cabo del tiempo con la nobleza.

También había un Jaime Mingot, casado con Esperanza Artés. Fue uno de los cuatro hermanos que se trasladaron a Dénia en abril de 1599, a bordo de un bergantín seguido de cuatro fragatas, para asistir a los festejos que se celebraron por los desposorios de Felipe III y Margarita de Austria.

SIGLO XVII

Las ramas de los Mingot siguen diversificándose en este siglo. Dos son las que nos servirán principalmente de guía: la fundada por el comerciante Antonio Mingot y la creada por el jurado Francisco Mingot con su segunda esposa, Francisca García Borrachero. Para distinguirlas, en adelante llamaremos Noble a la primera (por ser el linaje más antiguo del que tenemos constancia y con raíces aristocráticas) y Borrachero a la segunda.

RAMA NOBLE

Continuó esta rama de los Mingot creciendo y uniéndose a otros apellidos ilustres de la ciudad, como los Pascual de Bonanza, Pascual de Ibarra, Rocafull, Escorcia o Salafranca.

Los Mingot matamoros

Antonio y Bernardo Mingot fueron dos de los tres caballeros alicantinos que marcharon en 1609 al Valle de Laguart para acabar con la rebelión morisca, al frente de cuatro compañías organizadas por el Consell de Alicante.

Un excomulgado

Bernardo, que era jurado en 1600, fue excomulgado temporalmente por el obispo de Orihuela durante la polémica que enfrentó a este con el consell alicantino, a causa del nombramiento de concatedral, título al que aspiraban las dos parroquias de la ciudad: Santa María y San Nicolás.

Canciller del Consejo de Aragón

Francisco, hermano de Antonio y Bernardo, fue *magnífico*, caballero, justicia en 1585 y jurado en 1586. Tuvo cuatro hijos con Esperanza Doménech. El menor, Gregorio Mingot Doménech, nombrado *magnífico* y *generoso*, fue doctor en Derecho, asesor del Baile General de Orihuela en 1638, promovido como canciller del Consejo de Aragón en 1644, un cargo del que disfrutó poco, ya que falleció seis meses más tarde. Pero antes se había desposado con Buenaventura Vallebrera, el 27 de diciembre de 1601, quien le dio doce hijos.

RAMA BORRACHERO

Juan Mingot García fue el sexto hijo del jurado Francisco Mingot y Francisca García, alias Borrachero. Bautizado en 1591, se casó en 1614 con Isabel Juana Carratalá, naciendo de esta unión seis hijos. El mayor, Francisco, que era sastre, tuvo seis hijos. El menor, José Mingot Carratalá, era pescador y se casó con Feliciana Quesada, con quien tuvo seis hijos, siendo el benjamín Pedro, bautizado en 1664.

Pedro Mingot Quesada se casó tres veces. La última en 1701 con Isabel Juana Galant, con quien tuvo un hijo: José Mingot y Galant.

SIGLO XVIII

RAMA NOBLE

En este siglo continúa la saga aristocrática de los Mingot, que ocuparon cargos importantes en la política y la Iglesia, aunque esta rama noble finaliza cuando Luis Juan de Torres Mingot y Rocafull, IV conde Peñalba, heredero del mayorazgo de Bienalí y el señorío de Busot, no tuvo descendencia de su matrimonio en 1727 con María Teresa Ferrer de Próxita.

RAMA BORRACHERO

José Mingot y Galant nació en 1711 y se casó en 1734 con Josefa Aracil Fernández, procreando a trece hijos. El primogénito de esta extensa familia, Francisco Mingot Aracil, fue bautizado en San Nicolás el 18 de julio de 1735 y se casó en Santa María el 10 de agosto de 1755 con Tomasa Rodrigo, con quien tuvo un hijo: Antonio Mingot Rodrigo, nacido en 1779.

OTRAS RAMAS

Hay constancia documental de que, al menos entre 1670 y 1706, la Compañía de Jesús administró el legado de Marco Antonio Pascual y Mingot, que había sido canónigo de la colegial, consistente en varios edificios y un molino harinero.

En 1785 hubo un Tomás Mingot, arrendador del derecho del cántaro de vino.

Sesenta y cuatro años antes, en 1721, un encargado de obras llamado Francisco Mingot participó en la reparación de la iglesia de Santa María. Y el 26 de junio de 1736 un picapedrero de nombre Vicente Mingot asistió al acto de colocación de la primera piedra del pantano de Tibi.

Otro Vicente Mingot fue un arquitecto de larga y fructífera carrera, ya que intervino en numerosas obras de la ciudad entre 1726 y 1778.

SIGLO XIX

RAMA BORRACHERO

Antonio Mingot Rodrigo se casó en 1800 con Teresa Fenoll. Cuando murió en 1835, tenía cinco hijos. El mayor, Antonio Mingot Fenoll, ocupó la plaza vacante que había en la escuela de niños de Tabarca en 1869.

El menor, José Mingot Fenoll, nacido en 1801 y fallecido en 1852, se graduó en la *Burlington School* de Filadelfia, Estados Unidos. Contrajo matrimonio en 1832 con María Dolores Valls y Oriente, fallecida en 1854. Tuvieron tres hijos: Mariano Aureliano, Francisco y Leoncio.

Leoncio Mingot Valls nació en 1837 y fue oficial de la secretaría del ayuntamiento. Se casó con Dolores Minguilló y tuvo dos hijos: Leoncio y Nieves Mingot Minguilló. Murió a las seis de la tarde del 11 de julio de 1876, «víctima de una enfermedad aguda», según *El Constitucional*. Su viuda falleció el 24 de mayo de 1888 y su hija murió en Aspe siendo niña.

Francisco Mingot Valls nació en 1835. Fue un político liberal seguidor de Sagasta que ocupó cargos de diputado provincial y concejal, siendo alcalde en 1874. Caballero condecorado con la Gran Cruz de Isabel la Católica, falleció el 5 de noviembre de 1898, en su casa de la calle San Fernando, 31. Se casó con Elvira Bas Moró, con quien tuvo tres hijos.

Mariano Aureliano Mingot Valls nació el 16 de junio de 1832. Con 24 años de edad figuraba ya entre los treinta principales contribuyentes y propietarios urbanos de la ciudad, con una riqueza de 11 332 reales. A los 53 años poseía al menos siete edificios urbanos y tres fincas rústicas con sus correspondientes casonas. Fue teniente de alcalde y alcalde accidental en 1879 y 1880. Se casó con Enriqueta Shelly Calpena el 11 de julio de 1864 en San Nicolás y tuvieron seis hijos. Murió el 29 de abril de 1890.

Mingot-Shelly

Mariano Mingot Shelly, primogénito de Mariano Aureliano, recibió el bautismo en San Nicolás el 5 de agosto de 1865. Fue abogado, notario, teniente de alcalde y alcalde accidental en 1897. Poseyó fincas urbanas y rústicas. Se casó el lunes 11 de enero de 1897 en San Nicolás con Ana Tallo Gallostra. Tuvieron nueve hijos.

OTRAS RAMAS

En enero de 1855 había un José Mingot que era auxiliar de la Casa de Socorro. Con el mismo cargo y en el mismo lugar había otro José Mingot en el periodo comprendido entre 1885 y 1897. ¿Eran la misma persona? Es posible. Pero también cabe la posibilidad de que fueran parientes, quizá padre e hijo. Al fin y al cabo, hasta la tercera década del siglo siguiente continuará habiendo un José Mingot practicante en la Casa de Socorro.

En 1877, el pintor Francisco Mingot Gomis, de 32 años, vivía en el número 15 de la calle Orito con su esposa Adelina y su hermanastro José Mingot Fuster, de 11 años, quien trece años más tarde (1890) fundó una tienda de material artístico llamada La Decoradora, situada en el número 22 de la calle Princesa (luego Rafael Altamira, 18), de la que seguiremos hablando más adelante.

Un pobre héroe

En 1866, Rafael Mingot Gomis se convirtió en héroe, aunque no alcanzó fama alguna. Al acudir espontáneamente «en auxilio de los agentes encargados de la estincion del incendio» que quemó las casas de los comerciantes Soler y Estruch, cayó herido y quedó «con una paralisis completa de ambas extremidades inferiores de larga y muy difícil curacion y que tal vez quede impedido completamente para el trabajo». Así lo certificó el médico forense Antonio Espadín el 24 de abril de 1866. El pleno del ayuntamiento, en sesión celebrada el 11 de mayo, «acordó que sin perjuicio de lo que sobre pension vitalicia pueda haber lugar en su caso, se le socorra desde luego, para que pueda tomar los baños que necesite, con seiscientos reales que se satisfarán con cargo al Presupuesto». Este desdichado héroe debía ser hermano del pintor Francisco Mingot Gomis, del que hemos hablado más arriba, y hermanastro, por tanto, del fundador de La Decoradora.

SIGLO XX

ANTES DE LA GUERRA CIVIL

RAMA BORRACHERO

Entre los años 1924 y 1930, el catedrático de Matemáticas y Dibujo de la Escuela de Trabajo José Mingot Shelly se dedicó a dictar conferencias, como las que impartió en el Ateneo acerca de la teoría de la relatividad o sobre juegos matemáticos. En 1930 y 1931 fue concejal y teniente de alcalde delegado de Instrucción Pública.

El 13 de febrero de 1931 murió Mariano, el mayor de los hermanos Mingot Shelly.

Leoncio Mingot Minguilló compaginó durante unos años su puesto como oficial del ayuntamiento con su dedicación al comercio. El 4 de enero de 1902 informaba el *Semanario Católico* que acababa «de obtener la representación exclusiva para la venta en esta capital de la afamada cerveza Mahou, cuyo despacho tiene establecido en la calle de Castaños núm. 34». Y el 18 de septiembre de 1909 era *Heraldo de Alicante* el que informaba de que había presentado al alcalde la dimisión de su cargo. De su matrimonio con Carmen Mauricio tuvo por lo menos cuatro hijas.

Mingot-Tallo

Mariano Mingot Shelly pasó a ser el propietario y director del diario independiente *El Noticiero* en el verano de 1904, convirtiéndolo en un periódico político, marcadamente conservador, pero lo vendió al año siguiente, tras ser nombrado notario de Ibi. En junio de 1929 ocupó la notaría que había quedado vacante en Alicante. Murió el 13 de febrero de 1931, pero antes, de su matrimonio con Ana Tallo, tuvo nueve hijos.

Mariano Mingot Tallo nació en 1897, fue abogado y oficial de intendencia de la Armada. Se casó con Ederlinda Lorenzo, con la que tuvo dos hijos. Falleció en Cartagena en 1926.

José María Mingot Tallo nació en 1901. Fue abogado y funcionario del Ayuntamiento de Lorca. En noviembre de 1930 fue elegido secretario de la Diputación Provincial de Alicante. Se casó con Dolores Millana, con quien tuvo tres hijos.

Gervasio Mingot Tallo nació en 1901. Siendo teniente de Infantería con destino en el Regimiento de la Princesa, de guarnición en Alicante, se casó en 1929 con Carmen Valero de Palma, hija del marqués de Valero de Palma, celebrándose la boda en el oratorio que los padres de ella tenían en su casa de Valencia. Tuvieron cuatro hijos. En octubre de 1935 fue destinado a Valencia como capitán del Regimiento de Tarifa n.º 4.

Manuel Mingot Tallo nació en 1903. Fue abogado y militar. En enero de 1924 fue destinado como alférez a la Academia de Voluntarios. Siendo teniente de Infantería, contrajo matrimonio el 8 de abril de 1929 con Luisa Salvetti Sandoval.

Juan de Dios Mingot Tallo nació el 20 de diciembre de 1913. Estudió Medicina en la Universidad de Salamanca. El 14 de julio de 1936, acabado el sexto curso y como cada verano, vino a Alicante para pasar las vacaciones con su familia.

OTRAS RAMAS

En 1915 había un Mingot que se ganaba la vida como traductor, al menos durante el verano. En *Alicante Obrero* del 13 de agosto de aquel año, se lee:

«Con el propósito de admirar las salinas de Santapola y á bordo de un pailebot inglés, salieron ayer dos elegantes "turistas", acompañados del intérprete de lenguas, don Manuel Mingot Ñarac».

En enero de 1932 Antonio Mingot Sala presentó una instancia en el ayuntamiento, para instalar dos motores de medio caballo de fuerza cada uno, en el número 41 de la avenida de Maisonnave. Y justo un año después presentó otra para trasladar los dos motores a la avenida de Aguilera, 25.

Un héroe telegrafista

Gregorio Mingot Gosalbez trabajaba ya el primer día de 1902 como oficial de cuarto grado en el gabinete de Telégrafos de Alicante. En noviembre de 1930 ascendió de segundo jefe de sección a jefe de administración. Y el 16 de abril de 1932, con motivo de su jubilación, *Diario de Alicante* recordaba cómo, durante el desastre de Annual en 1921, «supo defender, con riesgo de su vida, la Estación telegráfica de Nador, sufriendo posteriormente las penalidades del asedio de la famosa Fábrica de Harinas, desde donde se hizo una defensa heroica del poblado. Este acto valió al señor Mingot la admiración y el homenaje unánime del Cuerpo de Telégrafos y elevadas recompensas del Gobierno». El reputado periodista Ortega Munilla le dedicó una épica crónica en el diario *ABC*. Pero el recuerdo imborrable de aquella hazaña que le quedó a Gregorio para el resto de su vida fue una herida de bala en su muslo izquierdo.

Su hijo, Manuel Mingot López, también fue herido, pero durante unas maniobras militares llevadas a cabo en Mula el 3 de octubre de 1930. Era sargento de complemento del regimiento de la Princesa, pero su profesión civil era la de maestro. Antes, había trabajado como redactor para *El Día*. En diciembre de 1927 cubrió la plaza de maestro interino en Miraflor y en septiembre de 1931 fue destinado a una escuela nacional de Orense.

En mayo de 1909 Ángel Mingot Cortés era redactor de *Diario de Alicante*, pero el 28 de julio este mismo periódico anuncia que «ha sido nombrado practicante del hospital de Marina de Cartagena para donde saldrá mañana». Resulta que Ángel simultaneaba sus labores periodísticas con las de practicante, pues en 1908 ya trabajaba como tal en la Casa de Socorro y en marzo de 1909 había sido elegido contador del flamante Colegio de Auxiliares de Medicina y Cirugía de la provincia de Alicante, decantándose al final por esta última profesión. No obstante, Ángel había estudiado Dibujo en la Escuela de Artes y Oficios, obteniendo muy buenas calificaciones: sobresaliente en el tercer curso (1907).

En aquella primera asamblea de practicantes celebrada en marzo de 1909 fue elegido presidente José Mingot Valero, quien trabajó durante muchos años en la Casa de Socorro, donde también trabajaba en 1908 otro practicante con el mismo apellido: Alberto Mingot.

Un pintor y La Decoradora

José Mingot Cremades sustituyó hacia 1915 al fundador de La Decoradora, José Mingot Fuster, en la dirección de dicha tienda, que se convirtió en una sala de exposición importante. El 1 de marzo de 1920 se inauguró en este local una exposición de cuadros pintados por Buforn, Varela y Parrilla. Fue todo un éxito. El 8 de marzo *El Luchador* informaba de que «un distinguido diplomático mejicano, que se encontraba de paso en Alicante, ha adquirido tres cuadros de Emilio Varela» que figuraban en dicha exposición.

José Mingot Cremades regentó La Decoradora hasta su muerte, ocurrida en mayo de 1931, sucediéndole José Mingot Cours, que tenía solo 14 años.

DURANTE LA GUERRA CIVIL

RAMA BORRACHERO

Leoncio Mingot Minguilló aparece en una de las listas de alicantinos que dieron dinero (5 pesetas) en agosto de 1936 al Comité Pro-auxilio de las Milicias Provinciales. Fue uno de los pocos miembros de la rama Borrachero que apoyó la defensa de la República. Pero durante aquel mismo mes de agosto, Leoncio y su familia sufrieron una enorme tragedia: la menor de sus hijas murió abrasada al prenderse fuego sus ropas accidentalmente.

Tres meses más tarde, la tragedia volvió a flagelar la rama Borrachero de los Mingot alicantinos: Juan de Dios Mingot Tallo, el estudiante de sexto curso de Medicina, murió fusilado junto con otros cincuenta falangistas en el cementerio alicantino el 29 de noviembre de 1936.

Su hermano Gervasio, capitán del regimiento de Infantería n.º 12, se encontraba arrestado. En diciembre de 1936 fue procesado por traición. Estaba acusado de conocer y permitir la entrada de insurrectos en el cuartel alcoyano donde prestaba servicio en la madrugada del 19 de julio, los cuales cargaron ametralladoras y armamento en varios camiones. Un compañero suyo, Zacarías Jiménez, testificó a su favor, afirmando que «no era enemigo de la República y no le consideraron jamás como faccioso».

Sin embargo, en algún momento, Gervasio se pasó al bando sublevado puesto que, al final de la guerra, continuó con su carrera militar. Lo mismo puede decirse de su hermano Manuel.

En cuanto al otro hermano, José María Mingot Tallo, que fuera secretario de la Diputación Provincial, su apoyo al golpe militar debió ser evidente, ya que nada más finalizar la guerra (abril de 1939) dirigió el Juzgado Provincial de Responsabilidades Políticas.

DESPUÉS DE LA GUERRA CIVIL

Durante la posguerra y en las décadas de 1950 y 1960 no fueron pocos los Mingot que contribuyeron a la recuperación económica de la ciudad de Alicante, especialmente a través del comercio.

RAMA BORRACHERO

Después de la guerra muchos de los Mingot de esta rama se fueron a vivir fuera de Alicante. Así sucedió con Ana Tallo, viuda de Mariano Mingot Shelly, que falleció en Madrid el 5 de julio de 1958. También fallecieron en Madrid sus hijos José María (27-9-1960) y Ana Mingot Tallo (2-6-1998).

Los hermanos Gervasio y Manuel Mingot Tallo fallecieron aquí, en Alicante. El primero en 1990, siendo teniente coronel de Infantería retirado; el segundo en 1980, siendo comandante de Infantería, también retirado.

La mayor parte de la siguiente generación vive o vivió fuera de Alicante.

María del Perpetuo Socorro (hija de Gervasio Mingot Tallo) se casó con el ingeniero Manuel de la Barreda, caballero de Santiago, conde de la Cañada y Grande de España.

OTRAS RAMAS

Gregorio Mingot López, hijo del telegrafista héroe en la guerra de Marruecos de 1921, trabajó antes de la guerra civil en el *Diario de Alicante* y en el ayuntamiento como oficial de Intervención. En 1944 instaló una fábrica de colonias en el número 31 de la calle Gerona. Su hermano Miguel abrió un aserradero de mármoles con seis electromotores en 1948, en la calle Foglietti, esquina con la de San Agatángelo. Otro Mingot López, pero Santiago, abrió en 1963 una tienda de venta de aparatos electrodomésticos en nombre de la empresa Electrolux S.A., en la avenida Alfonso el Sabio, 47. Y en 1957 abrió sus puertas Publicidad Mingot, cuyas oficinas se hallaban en los bajos del número 38 de la avenida Benito Pérez Galdós, siendo su propietaria Pilar García Polo, la mujer con quien se casó Gregorio Mingot López el 12 de marzo de 1936.

Enrique Borrás Mingot (nacido el 12 de marzo de 1918) montó en 1946, en la avenida de Aguilera, n.º 24, un taller de cerrajería mecánica; y, tres años después, abrió en el número 18 de la misma avenida un taller de reparación de automóviles. Le debió de ir bien porque, en 1955, aumentó en tres pisos y un ático su casa de la calle Alona (ángulo a la avenida Aguilera y la calle Carratalá), que compartía con su hermano Antonio. Este instaló en 1957 una estación de servicio DIESEL con reparación de bombas inyectoras con electromotores en la avenida de Aguilera, 7. Y en 1960, ambos hermanos ampliaron sus bienes inmuebles con tres viviendas en el cuarto piso y la construcción de un ático con dos viviendas.

Mariano Mingot Ruescas abrió en 1948 un salón de limpiabotas en la calle Médico Manero Mollá, n.º 19. Era un negocio modesto pero que le dio suficiente beneficio como para aumentar en un piso su casa de planta baja, situada en el número 40 de la calle Pérez Medina, en 1963.

José Mingot Cours obtuvo permiso para vender materiales de bellas artes en 1953, en la ya conocida tienda La Decoradora, ubicada en la calle Rafael Altamira, 18. Cedió la regencia de la tienda y galería de arte a su hijo Federico Mingot Román en 1999 y falleció en abril de 2010.

Josefina Mingot Soler abrió en 1961 una pastelería en la calle Castaños, n.º 19.

Y otra Josefina Mingot, pero Cazorla de segundo apellido, instaló un cine de verano en La Albufereta en 1962, y otro muy cerca al año siguiente, en el camino de Campello a la Albufereta.

SIGLO XXI

En la actualidad residen en la ciudad de Alicante un total de 114 personas apellidadas Mingot: 67 con el primer apellido, 47 con el segundo y ninguna con ambos.

RAMA BORRACHERO

Entre ellos hay todavía descendientes de la rama Borrachero. Por ejemplo, Santiago y Francisco Xavier Dusmet Mingot, ambos empresarios. Su primo hermano Rafael de la Barreda y Mingot (quinto y último hijo de Manuel de la Barreda, conde de la Cañada, y María del Perpetuo Socorro Mingot y Valero de Palma) nació en Alicante el 21 de agosto de 1973, pero tiene su residencia en Madrid.

Existe un Camino de Mingot en La Alcoraya, la partida rural donde Mariano Aureliano Mingot Valls poseía una finca y desde la que una empresa por él administrada suministraba agua a la ciudad en el siglo XIX.

OTRAS RAMAS

Carlos Iván Mingot Latorre es profesor de la Universidad de Alicante, experto en Lenguajes y Sistemas Informáticos. Francisco Llorca Mingot es empresario transportista. Y Manuela Cristina Quintar Mingot es procuradora.

La Decoradora

La Decoradora estuvo regentada por Federico Mingot Román hasta 2003 (falleció en diciembre de 2014) y después por su hijo Federico Mingot Gea.

«A los alicantinos, en general, nos falta interés por nuestra historia, por eso me parece muy bien que *Información* dedique una serie de reportajes a los apellidos alicantinos»

Federico Mingot Gea nació el 10 de marzo de 1977 en la casa que sus padres tenían en la calle Capitán Segarra. Desde el año 2003 regenta La Decoradora, una tienda y taller de artículos relacionados con el arte de la pintura, que trasladó en 2008 a la Canalejas, 22. Es la quinta generación de Mingot que regenta esta tienda y galería de arte, fundada 125 años atrás en la calle Rafael Altamira, 18.

—En el mundo artístico de la ciudad, La Decoradora es un pilar fundamental porque durante más de un siglo la familia Mingot nos hemos dedicado a apoyar a los pintores alicantinos —explica Federico, que se lamenta de lo poco que valoramos los alicantinos a los pintores nacidos en nuestra tierra—: Un varela valdría mucho más si hubiese recibido el apoyo institucional y popular que se merece. —Pone como ejemplo.

Federico conoce el origen de su apellido:

—Procede de un francés que vino a guerrear contra los moros. Y en su crónica, Viravens cita a un Gerónimo Mingot que tenía una casa en la que se hospedaba Jaime I.

Pero se queja del poco interés que, en su opinión, tienen los alicantinos por su propia historia:

—La mayoría cree que la avenida de Salamanca se llama así por la ciudad, y no por el empresario que trajo el ferrocarril. Por eso me parece muy bien que *Información* contribuya a difundir la historia de la ciudad y dedique una serie de reportajes a los apellidos alicantinos.

PALACIOS

GENTE CORRIENTE

Actualmente hay censadas en Alicante 685 personas apellidadas Palacios: 327 con el primer apellido, 351 con el segundo y 7 con ambos.

El primer alicantino Palacios del que se tiene constancia documental se llamaba Juan. Estaba casado con Isabel Pérez y bautizó el 3 de febrero de 1598, en la iglesia de Santa María, a su hija María.

Pero Juan murió poco después y su viuda se casó en segundas nupcias con otro Palacios, de nombre Hernando, con quien tuvo cuatro hijos, siendo el primogénito Roque (1600).

Roque Palacios Pérez fue mercader. Se casó tres veces. La primera con Úrsula Salinas en 1625, con quien tuvo una hija. La segunda con Ana María Bosch, en 1628, con quien tuvo tres hijos. En terceras nupcias desposó en 1640 a Angélica Pérez, bautizando a tres hijos.

En este siglo XVII también encontramos otra rama muy fructífera de los Palacios, que arranca con Francisco Palacios y Vicenta Sellés, padres de seis hijos, siendo su primogénito Francisco (1612).

Francisco Palacios Sellés se casó en 1636 con Leonor Serra. Tuvieron una hija al año siguiente. Su hermano José (1623) se casó con Catalina Oliver en 1644, con quien tuvo ocho hijos. Uno de ellos, Vicente Palacios Oliver (1649), contrajo matrimonio con Apolonia Burgos en 1685 y tuvieron dos hijos.

De una rama distinta de estas dos era el notario Florencio Palacios, de quien se conserva, en el Archivo Municipal, un documento sobre pleitos fechado en 1655.

SIGLO XVIII

A lo largo del Setecientos las ramas de los Palacios siguieron diversificándose. Una de las más importantes, por su extensión, fue la que nació con el matrimonio formado por Vicente Palacios (hijo de Vicente y Josefa Pérez) y la viuda Ana María Copet, casados en 1721. Tuvieron once hijos.

Vicente Palacios Copet (1723) se casó en 1756 con Josefa Guardiola. Tuvieron nueve hijos.

José Palacios Copet (1740) contrajo matrimonio en 1769 con Rita Sevila. Bautizaron a siete hijos.

Juan Bautista Palacios Sevila (1769), mancebo, desposó en 1791 a María Pastor. En 1808, su hermano Francisco (1775) se casó con Victoria Guijarro. Y otro hermano, José Vicente (1778), contrajo matrimonio con Josefa Ramón en 1802.

PALACIO O PALACIOS

La confusión entre los apellidos Palacio y Palacios viene produciéndose desde siempre. Algunos ejemplos los encontramos en los libros de registros de la parroquia de San Nicolás. Así, el 16 de febrero de 1815 fue bautizado Antonio Palacios, hijo de Vicente y Rosa Molina, naturales de Callosa d'Ensarriá, quienes tenían otro hijo mayor, llamado Vicente. Éste, que fue alpargatero, bautizó a su vez unos años más tarde (entre 1839 y 1850) en dicha iglesia a los cuatro hijos que tuvo con Josefa Tordera, pero en los registros los cuatro aparecen con el apellido Palacio.

Otro ejemplo algo más rocambolesco lo tenemos en los hermanos M.ª Ángeles, José, Rafael y M.ª de la Soledad, bautizados en 1888, 1893, 1895 y 1898, respectivamente. La mayor y la benjamina aparecen en sus registros bautismales con el apellido Palacios y la misma referencia de sus ascendientes (padres: Miguel Palacios, de Alicante, y Francisca Llorens, de La Nucía; abuelos paternos, desconocidos); mientras que los dos hermanos varones figuran en sus respectivos registros con el apellido Palacio (en el de Rafael se dice que su padre se llamaba Miguel Palacio Expósito).

Por cierto, a José Palacios (no Palacio) Llorens lo encontraremos, ya en el siglo XX, presentando dos autorizaciones municipales para abrir una carnicería en San Isidro, 2 (1939) y construir un panteón en el cementerio municipal (1963).

SIGLO XIX

En su *Diccionario geográfico-estadístico-histórico de España y sus posesiones de Ultramar*, Pascual Madoz describe la quinta de recreo que poseía cerca de esta ciudad, hacia 1845, el comerciante Vicente Palacios:

«Entre Santa Faz y San Juan á orillas del camino se encuentra una hermosa quinta de recreo propia de D. Vicente Palacios de Alicante, llamada de Buena Vista, la cual contiene buenas habitaciones con toda clase de comodidades, un pequeño jardín hacia el S., al que se baja desde el piso principal y galería de la casa por una grande y espaciosa escalera, en el que hay 3 cenadores, uno con mesa, otro con un columpio y otro con un estanque de peces y varios gallineros para pavos reales, gallinas de Guinea, tórtolas y otras aves; un patio cuadrado á la entrada de la posesion con bancos y arcadas de cipreses que hacen muy buen efecto, y luego un huerto de frutales con su noria y balsa, en la que hay tambien peces de colores y sirve para los gansos y patos. La situacion de esta quinta es la mas ventajosa, pues domina por el norte hasta las montañas y por el sur hasta el mar».

Otro comerciante de esa época era Manuel Palacio, el cual reclamó al alcalde alicantino el 17 de noviembre de 1855 el pago de los mil reales que se le debían desde hacía cuatro años, por la estatua de un Neptuno de mármol blanco que el ayuntamiento le había encargado y que había sido colocada en la plaza Isabel II (actual Gabriel Miró).

El comerciante Manuel Palacios

En 1884, en una relación confeccionada para la renovación de la junta municipal, encontramos a un Manuel Palacios (no sabemos si es el mismo que el anterior), con domicilio en la calle San Fernando, que ocupaba el puesto decimoquinto entre los propietarios con una riqueza imponible superior a 3 000 pesetas. También aparece (Manuel Palacios y Sobrinos) en el puesto vigésimo cuarto entre los comerciantes al por mayor y rentistas, con domicilio asimismo en la calle San Fernando. No sabemos si es la misma persona el Manuel Palacios que figura en el apartado de Artes y Oficios, con residencia en la calle Bilbao. En cualquier caso, no aparece en esta extensa relación ningún otro alicantino apellidado Palacio o Palacios, ni siquiera entre los propietarios cuya riqueza imponible era menor de 500 pesetas.

En su edición de 28 de diciembre de 1887, *El Constitucional* anunciaba la próxima boda de Manuel Palacios, «con una bella señorita de nuestra culta y selecta sociedad». No hemos conseguido averiguar el nombre de la novia ni la fecha exacta de la boda, pero es más que probable que este Manuel Palacios sea el mismo comerciante citado en la relación de 1884 antes mencionada.

Los hermanos Sánchez Palacios

Carlos y Ricardo Sánchez Palacios fueron secretarios de la Sociedad Económica Amigos del País (1881) y literatos de cierta reputación.

Carlos fue secretario del jurado de la Exposición Agrícola e Industrial celebrada en la ciudad en agosto de 1878. Escribió una Memoria sobre el clima de Alicante, que fue publicada en 1881 por la Sociedad Amigos del País. En este mismo año era presidente de la Sociedad Literaria de Alicante, y el 17 de noviembre de 1882 fue elegido vicepresidente de la Sociedad de Escritores y Artistas alicantinos. Fue secretario de la comisión que organizó el servicio de bomberos en 1883. A mediados de la década de 1880 se trasladó con su esposa e hijas a Barcelona, pero venían con frecuencia a Alicante, en cuyo término municipal poseían la finca denominada Balsas de García. En la Ciudad condal ocupó el cargo de vicegerente de la empresa Trasatlántica, siendo autorizado en enero de 1901 a «instalar un depósito flotante de carbón en el Puerto de Barcelona» (*El Íbero*, 1-2-1901). Falleció en Barcelona en febrero de 1904.

Ricardo colaboró con varios periódicos y revistas alicantinos, publicando casi siempre poemas. Pero, como su hermano, su verdadera profesión estaba ligada al puerto, y más concretamente a la Compañía Trasatlántica Española, de la que era consignatario en Alicante. Fue varias veces nombrado vocal o vicepresidente de la Junta de Obras del Puerto, a propuesta del Consejo Provincial de Agricultura, Industria y Comercio. El 28 de abril de 1931 noticiaba *Diario de Alicante*: «(…) ha fallecido el prestigioso señor don Ricardo Sánchez Palacios (…). Fue un colaborador frecuente del *Diario* (…), probado alicantinismo que dio muestra desde cuantos puestos ocupó en diversos organismos y especialmente en la Cámara de Comercio de la que fue secretario largos años». Sus herederos siguieron dirigiendo durante unos años en el puerto de Alicante la consignataria Sánchez Palacios.

Un circo ecuestre junto al Teatro Principal

Lorenzo Palacios Gabarrón y su esposa, Carolina García, bautizaron en San Nicolás a sus hijos Lorenzo y Carlos el 25 de abril de 1873 y el 21 de mayo de 1875, respectivamente. En el primer registro parroquial se lee que el padre era marino de la Armada; en el segundo, que era contador de fragata, pero Lorenzo se dedicó en Alicante al negocio del espectáculo.

El 16 de diciembre de 1880 presentó en el ayuntamiento un escrito solicitando permiso para instalar «un circo ecuestre» en la plaza del Teatro, en «el terreno comprendido entre la fachada de levante del teatro principal y la del cuartel llamado del Rey». Entre las bases para la concesión que proponía Palacios, se decía que «la fachada del Circo, aunque de madera, será construida de forma que contribuya, con la del Teatro Principal, al embellecimiento de la calle»; se autorizaría a que el circo pudiera transformarse en teatro-circo, el cual debía cerrarse durante la temporada de ópera del Teatro Principal (desde primero de noviembre hasta primero de marzo); y que la cesión del terreno por parte del municipio sería de diez años.

En sesión celebrada el 17 de diciembre, la Corporación acordó autorizar la construcción del circo de Palacios, pero con algunas modificaciones en las bases por él propuestas, como la no aceptación de que pudiera transformarse en teatro-circo sin permiso previo, ni de concederle la exclusividad durante diez años; la prohibición de abrir, desde el 1 de marzo hasta el 31 de mayo, las noches en que hubiera funciones de ópera en el Teatro Principal; y la obligación de pagar 50 pesetas mensuales por alquiler de la vía pública.

Lorenzo aceptó las condiciones impuestas por el ayuntamiento, pero reiteró su petición de que se le concediese la exclusividad durante al menos cinco años, de manera que en dicho plazo no se autorizara la instalación de ningún otro circo o teatro-circo en la ciudad, lo que fue aceptado por la Corporación el 28 de enero de 1881. Ocho días más tarde, se firmó ante el notario Nereo Albert y Mira la escritura por la que el ayuntamiento cedía la plaza del Teatro (1 239,69 metros cuadrados) a «D. Lorenzo Palacios y Gabarron, de treinta años de edad, casado, natural de Cartagena, oficial de Marina, domiciliado en esta Ciudad de Alicante en la Calle de Labradores numero veinticinco piso segundo».

Lorenzo contrató como arquitecto a José Guardiola Picó. Tuvieron ciertas desavenencias y Guardiola cesó en la dirección de las obras, pero la retomó al cabo de dos días.

El 4 de marzo tres vecinos se dirigieron al alcalde para protestar porque el circo ocupó, además de la plaza del Teatro, la antigua arboleda que formaba la prolongación de la calle Moratín, que dejaba un espacio «con la edificación de enfrente y entre la cual se encuentra el Cuartel, las propiedades de los recurrentes y otras que terminan en la llamada fonda de Bossio», dificultando con ello el tránsito de los carruajes que entraban por la puerta de Alcoy. Pero el ayuntamiento desestimó la reclamación de los vecinos tras recibir el informe del arquitecto municipal, José Ramón Mas, que indicaba «que el emplazamiento y obras del referido Circo se están ejecutando conforme al plano aprobado, y á lo acordado por el Excmo. Ayuntamiento».

El 13 de abril del año siguiente, Lorenzo volvió a dirigirse por escrito al alcalde para quejarse de que, a pesar de que su circo ecuestre era «uno de los primeros de España: tal vez podríamos llamarle el primero en su clase», su coste había excedido en más del doble lo inicialmente presupuestado. «Por otra parte, en estos locales, se funciona siempre á precios bajos, siendo sus espectáculos adecuados, á la vez que á las clases acomodadas, muy particularmente á las de escasa fortuna, que son las mas numerosas». Por todo ello, solicitaba a la corporación que la cesión del terreno se prorrogase por otros diez años, «á contar desde el mismo día en que terminan los diez primeros años concedidos», y que se prorrogasen también hasta diez años los cinco hasta entonces concedidos de exclusividad.

El ayuntamiento rechazó las peticiones de Lorenzo, pero este insistió en septiembre, proponiendo que quedasen anuladas las bases de concesión que imponían restricciones de fechas en la apertura del circo, porque así «podría aspirar á ver compensados los sacrificios que se ha impuesto en bien de la poblacion». Esta vez la corporación accedió en sesión celebrada el 14 de septiembre. Pero solo cuatro días después fue presentado un recurso por Enrique Cutayar González, administrador del Teatro Principal, advirtiendo que el ruidoso circo perturbaría la audición de las obras teatrales y líricas programadas, y que, además, la construcción de madera del circo, tan cercana al Teatro Principal, ponía a éste en riesgo en caso de que se produjera un incendio.

La protesta del representante de los propietarios del Teatro Principal fue definitivamente rechazada por el ayuntamiento el 30 de agosto de 1884, tras recibir el informe del nuevo arquitecto municipal (José Guardiola Picó, el mismo que había construido el circo), quien aseguraba que la solidez de la construcción era suficiente, aunque resultaba insuficiente la seguridad en caso de incendio, por lo que proponía una serie de medidas de precaución para aislar el circo de los edificios próximos.

El circo ecuestre de Lorenzo Palacios se mantuvo en la plaza del Teatro solo unos pocos años más.

SIGLO XX

El Graduador, en su edición del 5 de julio de 1900, menciona a un «gobernador interino Sr. Palacios». El 11 de enero de 1902, *La Correspondencia Alicantina* creía «que la interinidad de Palacios se prolongará bastante tiempo», al frente del Gobierno Civil. En 1904, el gobernador interino se llamaba Ángel del Palacio, aunque no parece que se trate de la misma persona. Pero en enero de 1918 encontramos a Francisco Palacios «probo secretario de este Gobierno civil» (*La Unión Democrática*), que fue gobernador interino en febrero de 1919 (*Diario de Alicante*).

Al principio de la década de 1910 Joaquín Palacios era portero del Gobierno Civil. Tenía dos hijas: Rosa, que en mayo de 1911 aprobó el segundo curso de maestra con sobresalientes y notables; y Encarnación, que falleció siendo niña en la noche del 2 de julio de 1912.

Lola Palacios Carrasco era «una mujer de vida airada» que solía ser mencionada en los breves que los periódicos dedicaban a sucesos menores. Así, en *La Correspondencia de Alicante* del 28 de abril de 1908, se cuenta que riñó en la plaza de San Cristóbal la tarde anterior con un tal Alfredo Miralles, quien debió ser atendido en la Casa de Socorro de ligeras contusiones. Y es que Lola debía defenderse bastante bien. El 27 de junio de 1912, *El Popular* informaba de que «Salvador Tamarit y Dolores Palacios, riñeron ayer causándose ambos varias lesiones de las que fueron curados en la Casa de Socorro». No obstante, era ella quien acostumbraba a salir peor parada en estas riñas, como la que tuvo con Ángel Flores el 6 de agosto de 1917 (*La Correspondencia Alicantina*) o con Enrique Campos Viudes el 21 de marzo de 1913 en la calle Pizarro, quien le propinó una «tremenda paliza» (*Diario de Alicante*). Este último periódico informaba el 26 de noviembre de 1915 de que Lola Palacios era «dueña de una taberna frente a la calle de León».

«Una joven llamada Emilia Palacios Sánchez, intentó suicidarse tomándose una dosis de permanganato» noticiaba *El periódico para todos* el 6 de junio de 1916.

Aurelia Palacios Mira y Vicente Pastor Ferrándiz se casaron el 23 de abril de 1918. En 1952, hicieron construir en el cementerio municipal un panteón para ellos y para sus hijos Vicente y Elier. Un año antes, Vicente Pastor Palacios abrió en Pintor Gisbert, 10 un local de compra de chatarra. Hermano de Aurelia era Ángel Palacios Mira, más conocido por su alias de Chupa, quien se pasaba más tiempo en la cárcel que fuera de ella a causa de su afición por lo ajeno, según *El Luchador* (2-7-1925).

Manuel Palacios García era director de la Escuela de Comercio en 1935. Su hija Elena aprobó dicho año en Valencia el primer curso del grado de Intendencia Mercantil. En la noche del sábado 20 de junio de 1936, Manuel asistió a la cena de fin de curso que los alumnos de Comercio organizaron en Ivroy. Y el 16 de octubre del mismo año, donó 200 pesetas al Comité Pro-Auxilio de las Milicias Provinciales.

Javier Seguí Palacios abrió en 1940 un horno de pan en Maestro Caballero, 18.

Jaime Giner Palacios abrió en 1950 un taller de pintor decorador en Trafalgar, 30. En ese mismo año, y en el siguiente, su hermano Pedro pidió autorización para plantar la barraca de la que era presidente, «*Tot per la festa*», en la plaza de España.

Francisco Palacios López abrió en 1957 un taller de tallista en Doctor Buades, 11 y aumentó un piso en esta casa en 1962. El año anterior presentó un proyecto de obras de aumento de un segundo piso y un ático, con reforma de fachada y construcción de un mirador, en Botella de Hornos, 6.

PERFECTO PALACIO CORTÉS

Aunque su apellido era Palacio, en muchos periódicos y documentación oficial se le menciona como Palacios. Nació en Alcoy el 14 de agosto de 1908, en el seno de una familia humilde. Su madre murió tras el parto.

Cuando tenía 12 años vino a Alicante andando porque quería ser marinero. En el puerto conoció a Toni, un pescador de Campello, quien lo llevó a su casa y escribió a su familia. Poco después fue a vivir con unos tíos suyos que vinieron desde Alcoy. Trabajó con 14 años en un bar de San Vicente y luego se alistó voluntario en la Marina de Guerra.

Empezó estudiando en la Escuela de Radiotelegrafistas de la Armada, pero pronto se pasó a la de la Marina Mercante, formando parte de la primera promoción. Sin embargo, nunca navegó como marino mercante.

En noviembre de 1925 compartió novillada en Elche con Manuel Mora y el Niño de la Alhambra (*El Luchador*, 18-11-1925).

Casi diez años después, fue elegido vocal de la junta directiva del Santa Cruz Fútbol Club, que jugaba en el estadio Bardín, situado junto al barranco de Benalúa y el cuartel del Regimiento de Infantería de San Fernando, 11 (*El Luchador*, 31-5-1935).

Cuatro años antes, en 1931, se casó con Esperanza Fuente Val. Tuvieron cuatro hijos: Perfecto, Pilar, Esperanza y Antonio.

Un comisario rojo muy peculiar

Poco antes del inicio de la Guerra Civil ingresó en la Academia de la Policía, obteniendo el puesto de inspector. Ya durante el conflicto armado, el gobernador Monzón le nombró delegado gubernativo para la Vega Baja.

En Orihuela, Perfecto y su familia vivieron en el piso de arriba de la Comisaría, en cuyas celdas encerraban a los falangistas y demás sospechosos de simpatizar con los golpistas. Pero en su propia vivienda tuvieron escondido a un sacerdote (el padre Belda), quien decía misa en secreto los domingos y festivos.

En 1939 fue destinado a Cuenca como subcomisario de policía. Cuando finalizó la guerra estaba apresado en la cárcel porque había participado en un complot contra la República. Lo liberaron y regresó a Alicante pensando que no tomarían represalias contra él, pero fue detenido e ingresado en la cárcel de Benalúa, donde estuvo ocho meses. Fue juzgado en el ayuntamiento, acusado principalmente de haber robado el tesoro de la catedral de Orihuela, pidiendo el fiscal que fuese condenado a dos penas de muerte. Pero Esperanza recurrió al que fuera obispo de Orihuela, quien dio testimonio ante el tribunal de que Perfecto le había entregado el tesoro catedralicio para que lo escondiera. Fue sentenciado a 17 años y un día de prisión, pero lo liberaron a las pocas semanas.

Se ganó la vida como vendedor ambulante de pescado y más tarde como representante de calzado. Organizó en 1960 la Asociación Sindical de Representantes y Viajantes, que desde Alicante se extendió en poco tiempo por toda España. Fue elegido presidente de dicho sindicato y de su montepío.

Edificio Representantes

El 4 de mayo de 1962, Perfecto Palacio Cortés envió una carta al alcalde como presidente de la Cooperativa de la Vivienda Nuestra Señora de la Esperanza de los Representantes y Viajantes de Comercio (constituida el 23-10-1961), ofreciendo la compra de una pequeña parcela de propiedad municipal.

La Cooperativa era propietaria de unos terrenos (anteriormente ocupados por la antigua Cerámica de Borja) limitados por la avenida del Poeta Carmelo Calvo, calle del Capitán Amador, prolongación de la calle del Pintor Velázquez y la apertura para unión de Carmelo Calvo con la avenida de Alcoy, en los que pretendían construir un grupo de viviendas. Pero para cumplir con los requisitos que exigía el Plan General de Ordenación, debían completar la manzana anexionándose esa pequeña parcela que era propiedad del ayuntamiento.

Tras emitirse los informes favorables del arquitecto municipal, del letrado consistorial y de la Comisión de Fomento, en sesión ordinaria del 31 de marzo de 1964 la Corporación acordó la enajenación de la parcela requerida por la Cooperativa (de 80,75 metros cuadrados) por un total de 104 975 pesetas (1 300 por metro cuadrado).

La escritura de compraventa se formalizó el 4 de agosto de 1964 en la notaría de José Luis Pardo López, firmando por parte de la Cooperativa el representante de comercio Perfecto Palacio Cortés, con domicilio en la misma sede de la cooperativa (Valencia, 59).

El Edificio Representantes, como es conocido popularmente, fue inaugurado en noviembre de 1967. Tiene 26 plantas y 90 metros de altura.

Procurador en Cortes

Apadrinado por el ministro secretario del Movimiento José Solis Ruiz, que también era el delegado nacional de Sindicatos, Perfecto fue nombrado en noviembre de 1967 procurador en Cortes en representación de la Agrupación Sindical de Representantes de Comercio, formando parte de la Comisión de Comercio. Fue procurador hasta 1971. Obtuvo varias distinciones honoríficas, como la encomienda de la Orden de Cisneros (1970), de la Orden de Isabel la Católica (1971) o la medalla al Mérito Civil (1972). Falleció en junio de 1988.

Los Palacio que transformaron el puerto

Perfecto Palacio de la Fuente es el primogénito de Perfecto Palacio Cortés. Nació el 19 de diciembre de 1933 en Barcelona, donde a la sazón trabajaba su padre en la empresa La Voz de su Amo. Pero cuando tenía dos meses la familia regresó a Alicante. Acabados sus estudios en el Instituto de Enseñanza Media, marchó a Barcelona para matricularse en la Escuela Oficial de Náutica y Máquinas. Obtuvo el título de marino mercante en 1953.

Navegó durante 9 años, retirándose como capitán de barco en 1962. Trabajó para varias empresas marítimas de España, Estados Unidos y Brasil.

Se casó el 15 de octubre de 1963, en la colegiata de San Nicolás, con María Teresa López Salas. Tuvieron tres hijos: Perfecto, Maite y Javier. En 1968, mientras trabajaba de gerente en la alicantina Marítima de Levante, observó que en algunos puertos de América se usaban *containers* para transportar las mercancías; un modo de transporte desconocido hasta entonces en España. Reunió en la Cámara de Comercio a los grandes empresarios del puerto de Alicante, a quienes les propuso implantar aquí el uso de contenedores, pero no le hicieron caso. Tampoco se lo hizo el entonces jefe del puerto, pues suponía instalar grúas y conducir camiones hasta los muelles.

Quien sí le hizo caso fue el director del puerto de Valencia. Perfecto fundó en 1969 la empresa Marítima Valenciana y compró en Austria una grúa que instaló en el puerto valenciano. Fue el nacimiento de la Terminal Pública de Contenedores del Puerto de Valencia, que es actualmente el primero del Mediterráneo en cuanto a tráfico de contenedores.

«El puerto de Alicante no fue el primero en España en utilizar contenedores por culpa del "menfotismo" que tanto nos caracteriza a los alicantinos», se lamenta. En 1996, a través de la empresa Marina Deportiva de Alicante, construyó el puerto deportivo alicantino.

Su primogénito, Perfecto Palacio López (tercera generación con el mismo nombre), nació en Alicante el 14 de julio de 1964. Estudió en los Jesuitas y después se licenció en Administración de Empresas en la Universidad estadounidense de Columbia State. Tiene el máster de Gestión Portuaria y Transporte Internacional por la Universidad de ICADE-IPEC. Está diplomado en Logística y Distribución de Contenedores por la Academia de Transporte de la Universidad de Cambridge y tiene el título de Comisario Marítimo de Averías.

En 1989 empezó a trabajar en el sector marítimo, en Nápoles, como apuntador en el puerto. Después trabajó en Las Palmas como director de operaciones de una naviera. Se fue a Valencia en 1993, donde trabajó en la Marítima Valenciana (empresa creada por su padre), primero como director comercial y luego como director ejecutivo. En 1999 la empresa fue vendida a Dragados y Construcciones, pero Perfecto siguió vinculada a ella como director general y después como consejero delegado.

Volvió a Alicante en 2003. Se incorporó a Marina Deportiva como consejero, pero poco después empezó a trabajar por su cuenta con sus propias empresas. El 30 de marzo de 2015 fue elegido presidente del Instituto de Estudios Económicos de la Provincia de Alicante (INECA).

Contrajo matrimonio con Berta Navarro el 10 de diciembre de 1993. Tienen tres hijos: Jorge (1995), que estudia Administración de Empresas en la Universidad de Carolina del Sur; Álvaro (1996), que estudia segundo curso de Marketing y Comunicación en Madrid; y Borja (1998), que estudia en el Colegio Aitana.

PASCUAL

PLEBEYOS HONORABLES

Este apellido patronímico, derivado del nombre propio Pascual, tiene sus raíces en el valle de Zárate, señorío de Vizcaya (actual provincia de Álava). Allí nació en 1210 el caballero Juan Pasqual, quien se estableció en Cataluña y sirvió al rey Jaime I de Aragón en su conquista del reino de Valencia.

En sus *Trovas* (hacia 1276), mosén Jaime Febrer cuenta del caballero Juan Pasqual: «Su sangre y valor son bien conocidos; su antiguo hogar está en Vizcaya. Estuvo en Jijona, donde se quedó cuando la ganó el Rey; y hoy vive en Alicante, disfrutando de sus premios y honras; pues pública es la fama de sus proezas».

Su escudo de armas era un cordero andante sobre campo de sinople abrazado a una bandera blanca con una cruz de gules al modo de Montesa, sobre una fuente de la que sale un caño de agua, y una bordura de oro con una inscripción en azur que dice: «*Sub cuyus pede fons vivus emanat*».

Falleció en 1268, dejando como heredero a su primogénito Francisco (1231-1290), hijodalgo y caballero. El linaje continuó con los sucesivos primogénitos: Jaime, Berenguer, Juan y Pedro. El primogénito de este último, Francisco, se casó con Constanza French, con quien tuvo tres hijos.La familia Pasqual fue creciendo rápidamente en la ciudad de Alicante a través de otras ramas derivadas de vástagos no primogénitos

Fueron los tres hijos de Francisco Pasqual y Constanza French quienes añadieron a su primer apellido otros que sirvieron para distinguirles a ellos y a sus descendientes: Guillem Pasqual del Pobil y French, Tomás Pasqual de Bonanza y French, y Pedro Pasqual de Ibarra y French. Posteriormente fueron componiéndose otros apellidos compuestos: Pasqual de Riquelme, de Orán, de Verónica, etcétera, quedándose el de Pasqual o Pascual a secas como un apellido plebeyo, que será el que seguiremos a partir de ahora, dejando los demás para otra ocasión.

Pasqual o Pascual

El apellido se escribió indistintamente Pasqual o Pascual casi desde el principio. Si bien era Pasqual la forma primitiva, muy pronto apareció la de

Pascual. En el acta de insaculación de 1493 (elección para un cargo público mediante extracción del nombre de un saco, cántaro o urna) aparecen 13 Pasqual y un Pascual. A partir de entonces ambas formas convivieron durante siglos en numerosos documentos y todavía en la prensa de la década de 1900 se encuentra este apellido escrito de las dos maneras.

Pero volvamos ahora a finales del siglo XV, concretamente a 1490, año en que se le otorgó a Alicante el título de ciudad. Según el cronista Viravens, Pascual era entonces uno de los 44 apellidos de caballeros «procedentes de casas nobilísimas».

SIGLO XVI

Aunque los Pasqual aristocráticos y de apellido compuesto ocuparon durante generaciones muchos de los cargos municipales de la ciudad, también algunos de los Pascual a secas hicieron carrera política o lo pretendieron. En las Cortes de Aragón que se reunieron en Monzón en 1543 y 1547, fueron como representantes del Concejo alicantino los síndicos Tomás Pascual y Pedro Pascual, respectivamente.

También ocuparon cargos municipales Jacobo Miguel Pasqual (1562 y 1563); Jaime Pascual (1564); Antonio José Mingot Pascual (1558 y 1591) y su hermano Nicolás (1567 y 1572); Guillem Juan Pasqual (1569); y Luis Pascual (1594). El 7 de febrero de 1518, en el acto de entrega del santuario de Santa Verónica a la orden franciscana, estuvieron presentes Jaime y Juan Pascual como jurados de la ciudad.

Viravens cita como hija célebre de Alicante a sor Eugenia Pasqual, que precisamente era monja clarisa en el monasterio de Santa Verónica. También hubo un fray Gerónimo Pascual, que testó el 11 de noviembre de 1509. Y el 25 de septiembre de 1569, Melchor Pascual, vicario foráneo de San Nicolás, recibió las reliquias de San Nicolás de Bari y de San Roque traídas desde Roma.

Miguel Pascual fue uno de los alicantinos que participó en la batalla naval de Lepanto (1571), consiguiendo volver vivo. Y, al menos entre 1491 y 1504, hubo un notario alicantino que se llamaba Guillermo Pasqual.

SIGLO XVII

Guillén Pascual, que era jurado en 1600, fue excomulgado temporalmente por el obispo de Orihuela durante la polémica que enfrentó a este con el Concejo alicantino, a causa del nombramiento de concatedral, título al que aspiraban las dos parroquias de la ciudad: Santa María y San Nicolás. Por cierto que otro Pascual, Pedro, formó parte del primer cabildo de la colegiata como procurador.

En 1655 había un Alejandro Pascual abogado y al menos entre 1680 y 1705 un notario llamado Victoriano Tredós y Pascual, que ocupó el cargo de escribano municipal (secretario del ayuntamiento).

Luis Pascual y Canicia era sargento mayor de la plaza de Alicante cuando esta fue duramente bombardeada por la escuadra francesa en 1691. Catorce años antes ya tenía dicho oficio y se presentó voluntario para dirigir el buque que el Concejo alicantino había fletado con víveres para la guarnición de Orán.

SIGLO XVIII

El Setecientos comenzó con los festejos del primer centenario de la elección de la colegiata de San Nicolás. Se celebró un certamen poético en cuyo tribunal estaba Tomás Pascual Pérez de Sarrió, auditor de la capitanía general.

En 1735, Miguel Pasqual era el guarda de la renta de la pólvora; en 1752, Carlos Marquina Pascual era el administrador y juez real de las aguas del pantano de Tibi y del riego de la huerta; y un año antes, en 1751, Nicolás Escorcia Pascual figuraba como comisario en el *Libro del Manifiesto del vino*, si bien en 1761 ya había sido ascendido a fiel de la puerta.

En este siglo aparece el primer promotor-constructor propiamente dicho del que tenemos constancia, una de las profesiones preferidas por los Pascual alicantinos. Se trata de Marcos Pasqual Mingot, que en 1737 compró un solar del arrabal de San Francisco, para construir casas sujetas a un censo de 143 libras.

SIGLO XIX

Rafael Pasqual participó como regidor de fiestas en la procesión de la Santa Faz que partió de la parroquia de Santa María el 16 de mayo de 1845.

Antonio Pascual era el cargo municipal que controló el pago de la contribución extraordinaria a mediados de 1860.

José Pascual Porcel era miembro de la comisión de venta de propiedades y derechos del Estado, dependiente del Gobierno Civil, en 1869 y 1874; elegido diputado provincial por el distrito de Pego en 1875, fue ascendido a vicepresidente de la comisión en 1883 y nombrado depositario municipal al año siguiente.

En 1811 había un arquitecto llamado José Pasqual y en 1821 un albañil Antonio Pasqual. Pero eran los contratistas quienes empezaban a hacerse cargo de la mayoría de las obras urbanas. Como Antonio Pascual, que construyó una casa en la calle Babel en 1853 y otras dos años después.

Agustín Pascual era maestro en 1847. En septiembre de 1894, Agustín Giménez Pascual presentó en el Gobierno Civil la documentación para publicar el semanario *La Voz Federal*, pero falleció el 2 de diciembre siguiente. Joaquín Pomares Pascual era profesor de música en 1875. Rafael Pascual era carnicero en 1856. Manuel Pascual fue editor del semanario *Una Nube de Verano* (1862-1863). A finales de siglo había otro periodista llamado Álvaro Pascual Leone. Y Miguel Pérez Pascual, que era sereno, pidió en 1869 que no se le rebajara el sueldo.

Solo hemos encontrado un militar con apellido Pascual en este siglo: el soldado de caballería Nicolás Pascual, quien fue arrestado por discutir con un paisano en 1854. También hubo un prófugo: Julio Fernández Pascual (1889).

Como vemos, la mayoría de los Pascual en este siglo tenían por lo general oficios bastante humildes. Los había incluso pobres de solemnidad, como Josefa Pascual, que pidió una subvención para lactancias en 1869.

Pero también los hubo con suficiente dinero como para hacerse construir cómodas casas de recreo en la huerta. Es el caso de Pedro Pascual Martínez, quien mandó levantar en el último tercio de siglo una gran casona en la finca que poseía en Villafranqueza. Ya en 1909, este Pascual y su esposa adoptaron a un expósito.

SIGLO XX

En 1903 había en la ciudad un notario llamado Joaquín Botella Pascual (1903); y una matrona, M.ª Consuelo Pascual, que ofreció en 1906 sus servicios para la atención de mujeres enfermas pobres.

Había dos médicos hermanos: Andrés y Ángel Pascual Devesa. Ambos formaban parte del Cuerpo de Beneficencia Municipal. El 24 de septiembre de 1921, Andrés obtuvo licencia para permanecer un mes junto al prestigioso Dr. Peña, en Madrid, y así ampliar sus estudios. Ángel merece una mención aparte debido a la importancia que adquirió como figura relevante de la sociedad alicantina.

También encontramos dos comerciantes: Emeterio Pascual Blay, que trasladó en 1930 su taller mecánico a la avenida de Aguilera, 14, y Jesús Raduán Pascual, que abrió en la calle Mayor, 7, una tienda de venta menor de aparatos de radio y discos.

Pero era ya sin duda la construcción el negocio preferido de los Pascual. Antonio Pascual Soler solicitó al ayuntamiento durante las tres primeras décadas del siglo numerosas licencias para construir.

Otros contratistas de obras que trabajaron por aquella época fueron José Pascual Ferré (1911-1916), Rafael Pascual (1921-1924) y Santos Pascual Pérez (1923-1935).

II República

A finales de 1932 el ayuntamiento alicantino aprobó la ampliación del consultorio de Urología de la Casa de Socorro, nombrando como jefe del mismo al médico Andrés Pascual Devesa, ya mencionado.

Además del también antes mencionado Santos Pascual Pérez, otros constructores alicantinos solicitaron permisos de obras durante este período, como Vicente Pascual Cerdá, quien adquirió una parcela en la calle Saturnino Milego, sobre la cual construyó un edificio de cuatro plantas en 1935, y compró otra parcela en la prolongación de la calle Valencia al año siguiente.

También se dedicaba a la construcción, pero con especialidad funeraria, Joaquín Pascual Berenguer, que en 1934 solicitó permiso municipal para la colocación de lápidas en el cementerio.

En 1933, Ildefonso Montañés Pascual dirigió los dos números de *Forja*, una publicación quincenal editada por la Escuela de Magisterio.

En 1936, Gabriel Marqués Pascual abrió una farmacia con laboratorio.

Los hermanos falangistas Manuel y Santiago Pascual fueron fusilados el 7 y 13 de octubre de 1936, respectivamente. Al acabar la Guerra Civil, el ayuntamiento cambió el nombre de la plaza Castellón por la de Hermanos Pascual.

Ángel Pascual Devesa

Nació en Finestrat el 12 de febrero de 1890, pero siendo aún niño vino a vivir a Alicante, donde su padre, Salvador Pascual Cabot, natural de Callosa d'Ensarriá, abrió una farmacia en la plaza de San Francisco (hoy Calvo Sotelo).

Tenía tres hermanos: Ana, Josefa y Andrés. Las hermanas trabajaron en la farmacia del padre, pero fue Josefa quien la heredó (por cesión en vida del padre) el 7 de mayo de 1927. Andrés fue médico de la Casa de Socorro, masón y republicano; murió el 25 de mayo de 1938 durante el llamado «bombardeo del mercado», hallándose en su domicilio.

Ángel se licenció en 1911 en la facultad de Medicina de Valencia, a los 21 años. Abrió su consulta en un edificio anexo a la botica de su padre, que hizo reconstruir en 1920 (entonces plaza Reina Victoria, esquina con las calles Sagasta y Teatinos).

Ganó plaza por oposición en el Cuerpo de Beneficencia Municipal, especializándose en puericultura. Estaba a cargo de los distritos del Casco Antiguo y Tabarca, por lo que semanalmente hubo de viajar varias veces a la isla. También hizo guardias en la Casa de Socorro, donde se ganó el respeto y reconocimiento general por su labor como primer puericultor de la beneficencia alicantina.

Fue inspector municipal de Sanidad y durante varios años atendió a los niños pobres en el Instituto Municipal de Puericultura, más conocido popularmente como Gota de Leche. También trabajó como médico de la RENFE, de la Fábrica del Gas y del Reformatorio de Adultos. Entre 1932 y 1935 presidió el Colegio de Médicos.

Casado con Vicenta Megías Medina, tuvieron seis hijos, pero solo cuatro alcanzaron la edad adulta: Tomás, Ángel, Josefina y Vicente. Los tres varones se licenciaron en Medicina.

Perteneciente a la burguesía progresista (poseía un chalé, «Villa Vicenta», en la zona de la actual Bola de Oro), fue miembro de la Logia Constante Alona (con el nombre simbólico de Asclepiades) y vicepresidente primero del Ateneo de Alicante, en 1930. En este mismo año fundó en la ciudad Acción Republicana. En marzo del año siguiente fue nombrado presidente de Alianza Republicana en Alicante y más tarde se incorporó a Izquierda Republicana, de la que fue presidente local.

Formó parte de la Comisión Gestora de Fogueres desde su creación en 1930, siendo elegido presidente en 1935. Cuatro años antes, había sido elegido presidente de la Foguera Plaza del 14 de Abril (Calvo Sotelo). Aficionado a la poesía y al teatro, colaboró en numerosos *llibrets* y creó, el 7 de septiembre de 1935, *Fogueres de Alicante*, antecesor del actual *Boletín Fogueres*. Mucho más corta fue la existencia de la revista *La Festa*, organizada con su amigo Eduardo Irles en 1936.

Colaboró con varios periódicos escribiendo artículos. Durante la Guerra Civil fue redactor de *El Luchador*.

Fue detenido tres días después de acabada la Guerra Civil y encarcelado en el Reformatorio de Adultos, donde él había estado trabajando durante años y donde había atendido, durante la contienda, a infinidad de reclusos, entre los que había religiosos y falangistas. Aun así, acusado de «apoyar a los gobiernos marxistas y masones», fue condenado por el Tribunal especial para la Represión de la Masonería y el Comunismo a doce años de cárcel. Estuvo en penales de Chinchilla y Ocaña hasta el 26 de junio de 1948, fecha en la que la Dirección General de Prisiones autorizó su puesta en libertad condicional debido a su grave estado de salud.

Falleció en su chalé de «Villa Vicenta» el 20 de junio de 1950, a los sesenta años. Recuperada la democracia, el ayuntamiento alicantino puso su nombre a una calle en la partida de Vistahermosa. Y el 28 de noviembre de 2011 se le concedió el título de hijo predilecto de la ciudad a título póstumo.

Los tres hijos varones de este eminente médico y foguerer alicantino fueron médicos, especializados en Aparato digestivo, Otorrinolaringología y Urología. Uno de ellos, Ángel Pascual Megías, tiene una calle con su nombre en la zona del Garbinet. También la tiene su hermana, Josefina Pascual Devesa, en la Playa de San Juan.

Posguerra

Finalizada la Guerra Civil, el comercio alicantino fue recuperándose lentamente. A ello contribuyeron no pocas personas apellidadas Pascual, que trataron de ganarse la vida abriendo comercios de muy variado género. Muchos de estos establecimientos consiguieron prosperar y mantenerse activos durante años.

Como decíamos, el sector de la construcción ha sido el preferido de muchos de los Pascual alicantinos, en cuanto a actividades económicas y productivas se refiere. Echemos un vistazo, aunque sea muy por encima, a las décadas de 1940 y 1950:

Sin entrar en detalles en cuanto a las obras realizadas por cada uno, mencionemos a Antonio Pascual Orts, cuya actividad más intensa la desarrolló entre los años 1939 y 1957, Antonio Sevilla Pascual (1941-1963), Juan García Pascual (1941-1962), José Soler Pascual (1944-1963), José Pastor Pascual (1950-1962), Rafael Pascual Bertomeu (1952-1963) y Felipe Bartolomé Pascual (solicitó permiso en 1963 para construir 33 viviendas y dos locales comerciales en avenida Novelda, 28). Francisco Bañuls Pascual construyó dos panteones, uno en 1961 y otro en 1963.

Mención especial merece José Aznar Pascual, uno de los mayores constructores alicantinos durante la posguerra. Entre otras obras, se encargó en 1940 de la demolición de la manzana de casas que permitiría la apertura de la Rambla hacia el puerto; en 1944 erigió un edificio de tres plantas en calle Pozo, 54; en 1949 construyó un almacén en Catedrático Soler, esquina Alona y García Andreu; pidió licencia en 1958 para levantar un grupo de 70 viviendas en la carretera de Villafranqueza; otro grupo de 48 viviendas y 12 locales comerciales en la calle Sidi-Ifni, en 1960; y un edificio de diez pisos en 1963.

Actualidad

Hoy, en la ciudad de Alicante, según el departamento de Estadística del ayuntamiento, hay censadas 1 570 personas con apellido Pascual. Apellidadas Pasqual no hay ninguna.

Algunas de las personas que hemos citado probablemente no nacieron en la ciudad de Alicante, pero ello no fue óbice para que se convirtieran, por su amor a esta tierra y echar raíces en ella, en auténticos y honorables alicantinos. Ángel Pascual Devesa es un claro ejemplo. Como él, otros Pascual vinieron de diferentes localidades de la provincia, como Miguel Romá Pascual, que fuera subdirector general de la Caja de Ahorros y Monte de Piedad de Alicante (natural de Sella) o Carolina Pascual, la gimnasta oriolana que da nombre a una glorieta; o incluso de otras provincias, como Emilio Soler Pascual, historiador, escritor y expolítico, nacido en Barcelona pero residente en Alicante desde que era niño.

«Los Pascual nos hemos especializado en sanar alicantinos»

Los ocho nietos del médico Ángel Pascual Devesa, hijo ilustre de la ciudad, sienten una profunda veneración por la memoria de su abuelo, transmitida por sus padres, ya fallecidos, aunque el único que guarda algún recuerdo es el mayor, Eliseo Pascual Gómez, que tenía cinco años cuando aquél falleció.

—Recuerdo jugar con él y que estaba en la cárcel pero que era bueno —dice Eliseo, hijo de Tomás, el primogénito de Ángel Pascual Devesa. Tomás fue urólogo y su hijo es reumatólogo.

Eliseo estudió en la Universidad de Pensilvania y hace un mes que se jubiló como catedrático de Medicina en la UMH y director del departamento de Radiología del Hospital General, aunque sigue activo como profesor emérito. Por publicaciones, está considerado el 5.º experto mundial en gota y el 2.º europeo. Además es un gran aficionado a la fotografía. Está casado con Teresa Ruiz, con quien ha tenido dos hijos. Su hermana Emma, nacida en 1948, es viuda y tiene tres hijos.

—Nuestro abuelo fue condenado por auxilio a la rebelión, aunque los rebeldes más bien eran los otros. Se salvó de ser fusilado por los pelos, porque había curado a mucha gente del otro bando —explica Ángel Pascual Mora, hijo de Ángel, segundo hijo de Ángel Pascual Devesa. El nieto es también médico y con la misma especialidad que su padre: digestivo—. Los Pascual nos hemos especializado en sanar alicantinos.

Ángel nació en 1951 y está casado con Carmen Esteban. Tiene dos hermanas: Mónica (el mayor de sus tres hijos es médico especializado en aparato digestivo) y Elisa, que también tiene tres hijos.

—Cuando murió el abuelo, el Gobierno Civil ordenó que no se le homenajeara, pero se reunió mucha gente y sacaron su féretro espontáneamente a hombros, llevándolo por la calle Sevilla hasta la Fábrica de Tabacos. Desde allí lo trasladaron en un coche al cementerio —cuenta Gaspar Mayor Pascual, hijo de Josefina.

Gaspar es economista, director del Plan RACHA y del Patronato de la Vivienda. Nació en 1952, en Maisonnave, esquina Portugal, donde estaba la fábrica de Chocolates Samalli, de la que eran propietarios su padre y sus tíos. Casado con Maite Ripoll, tienen dos hijos. Su hermana Matilde nació en 1956, es viuda desde hace un año y tiene dos hijos.

Mercedes Pascual Arteaga es hija del cuarto hijo de Ángel Pascual Devesa, Vicente, que se especializó en Otorrinolaringología. Es farmacéutica, da clases de Salud Ambiental en el instituto Almadraba de Benidorm y es profesora honorífica de las Universidades de Alicante y Miguel Hernández. Está casada con el arquitecto José Luis Camarasa y tiene dos hijos.

Los padres de estos ocho Pascual alicantinos sufrieron una dura posguerra tras el encarcelamiento y muerte del patriarca.

—Les embargaron todos sus bienes. Eran antifranquistas, demócratas, aunque no militaron en ningún partido clandestino. Eran de izquierdas, pero acabaron situándose bien económicamente porque tenían profesiones liberales. Cuando acabó la guerra quemaron los archivos de la Logia Alona —dice Ángel, antes de contar la siguiente anécdota—: Mi padre y mis tíos enterraron las joyas de su madre en el huerto de Villa Vicenta. Vendieron este chalé tras la muerte del abuelo y los nuevos dueños convirtieron la casa en una pensión. Hace unos diez o doce años derribaron la casa para construir en su lugar un bloque de viviendas. La dueña, que sabía lo de las joyas enterradas, nos avisó por si queríamos buscarlas. Fuimos mi tío Vicente, que todavía vivía, mi cuñado Enrique (marido de Mónica) y yo con un detector de metales. Repasamos todo el terreno pero no encontramos nada.

PASQUAL DE BONANZA

EN ALICANTE DESDE EL SIGLO XV

Es uno de los 44 apellidos de caballeros que había en Alicante, cuando le fue concedido el título de ciudad, en 1494, según el cronista Viravens. A diferencia del apellido Pascual, ha conservado la qu original. Los primeros alicantinos en tener este apellido compuesto fueron los hermanos Francisco, Juan, Jaime y Tomás Pasqual de Bonanza y Martínez, hijos de Juan Pasqual de Bonanza y Eugenia Martínez. Juan, el padre, fue magnífico, caballero, justicia (1493-1494) y jurado (1497), y era el primogénito del noble Tomás Pasqual y French, y su esposa Beatriz Bonanza.

SEGUNDA GENERACIÓN

Los cuatro hermanos Pasqual de Bonanza y Martínez fueron jurados.

Tomás fue, además, generoso y justicia (1555-1556). Se casó dos veces: con Valentina Pasqual de la Parra, sin descendencia, y con Valenzola López de Barea, que dio a luz seis veces: Pedro, Juana, Tomás, Juan, Luis y Gaspar. Murió en 1563.

TERCERA GENERACIÓN

Pedro Pasqual de Bonanza y López de Barea fue doctor en leyes, justicia y baile. Casado con Práxedes Berenguer, fueron padres cinco veces: Honorato, Marco Antonio, Miguel, Ana e Isabel.

Juana Pasqual de Bonanza y López de Barea contrajo matrimonio con el justicia Francisco Pasqual de Guillén, siendo padres de Josefa (1572).

Tomás Pasqual de Bonanza y López de Barea desposó con Leonor López de Barea y fueron padres de Beatriz.

Juan Pasqual de Bonanza y López de Barea (1555) se casó en 1584 con Ana Tárrega.

Luis Pasqual de Bonanza y López de Barea fue generoso y noble. Casado con la contestana Mariana Bartolí, fueron padres de Tomás y Josefa.

Gaspar Pasqual de Bonanza y López de Barea fue magnífico y jurado (1575). Casado en primeras nupcias con Estefanía Maltés (1575), fue padre de Luis; y casado en segundas bodas con Gerónima Bonarina, fue padre de Jaime (1577) y Gaspar (1580).

CUARTA GENERACIÓN

Beatriz Pasqual de Bonanza y López de Barea se casó con Luis Juan Mingot.

Luis Pasqual de Bonanza y Maltés contrajo matrimonio con Isabel Pasqual. Fueron los progenitores de Jaime (1599) y Juan José (1616).

P. de Bonanza-Bartolí

Tomás Pasqual de Bonanza y Bartolí se casó el 6-1-1609 en segundas nupcias con Gerónima Boacio. Tuvieron siete hijos: Gaspar (1609), Jacinta (1611), Gaspar (1613), Félix (1615), Lucas (1616), Gerónima (1617) y Vicenta (1619).

Josefa Pasqual de Bonanza y Bartolí contrajo matrimonio con César Escorcia y fue madre de Antonio.

P. de Bonanza-Berenguer

Honorato Pasqual de Bonanza y Berenguer fue doctor en Derecho, justicia y jurado de Alicante, regente de la Audiencia de Valencia (1616), canciller real, y gobernador del Reino de Valencia (1626). Obtuvo el privilegio de nobleza en 1616. En segundas nupcias se casó, en Valencia, con Juana Girón de Rebolledo. Tuvieron ocho hijos, nacidos en Valencia, aunque dos de ellos, Gerónimo y Pedro, vivieron en Alicante, como veremos.

Marco Antonio Pasqual de Bonanza y Berenguer (1564) fue síndico (1600-1604) y caballero de Montesa (1611). En el Archivo Municipal se conserva un pergamino fechado el 1-10-1604, que recoge la sentencia por la que se le condenaba a pagar 700 libras que debía. Murió soltero.

Miguel Pasqual de Bonanza y Berenguer (1566) fue caballero de Montesa.

Ana Pasqual de Bonanza y Berenguer (1569) se casó con Fernando Zanoguera, caballero de Santiago y virrey de Mallorca.

Isabel Pasqual de Bonanza y Berenguer (1571) contrajo matrimonio en primeras nupcias con el capitán lorquino Nicolás Bienvengut, sin descendencia, y en segundas bodas con Bernardino de Calatayud.

QUINTA GENERACIÓN

Antonio Escorcia y Pasqual de Bonanza fue caballero de Montesa.

Jacinta Pasqual de Bonanza y Boacio se casó en 1639 con Francisco Canicia.

Juan José Pasqual de Bonanza y Pasqual fue generoso y capitán. Casado con Isabel Canicia, fueron padres de Beatriz (1649), Miguel (1650), Isabel (1653), Juan José (1656) y Luis (1658).

P. de Bonanza-Girón de Rebolledo

Gerónimo Pasqual de Bonanza y Girón de Rebolledo nació en Valencia (1604), fue caballero de Montesa (1628) y se casó con Ana María Granada el 4-3-1651. Tuvieron cinco hijos, pero solo llegaron dos a edad adulta: Gaspar y Francisco. Fue patrono del convento de Santa Verónica (Sta. Faz). Instituyó un vínculo y mayorazgo en su testamento, fechado el 3-1-1659, en el que se citaban las propiedades que poseía en la calle del Barranquet (hoy, Bailén): torre, once casas, jabonería, huerto, almacén y parador de carros. Murió en Alicante, siendo sepultado en la capilla de San Diego, del convento de San Francisco.

Pedro Pasqual de Bonanza y Girón de Rebolledo también nació en Valencia, pero fue baile de Alicante, donde se casó el 26-10-1678 con Jacinta Boacio, viuda de Francisco Pasqual de Bonanza y Granada. Tuvieron a Mariana (1679), Juana (1680) y Josefa (1682). En 1711 fue denunciado por una deuda de 98 libras que debía por el alquiler de una casa en Valencia.

SEXTA GENERACIÓN

Mariana Pasqual de Bonanza y Boacio desposó el 18-11-1699 con Vicente Pasqual del Pobil, doctor en Derecho.

P. de Bonanza-Granada

Gaspar Pasqual de Bonanza y Granada nació en Valencia (1635). Caballero de Montesa y jurado de Alicante en 1677. Fue patrono del convento de Santa Verónica. Contrajo matrimonio en San Nicolás, el 17-7-1666, con Hipólita Pasqual de Ibarra. Tuvieron seis hijos: Ana María, Teresa, José, Vicenta, Luisa y Gerónimo.

Francisco Pasqual de Bonanza y Granada también nació en Valencia. Fue caballero de Montesa (1656). Se casó en primeras nupcias con Catalina Caponi y, en segundas, en Alicante el 17-3-1675, con Jacinta Boacio, sin descendencia.

P. de Bonanza-Canicia

Miguel Pasqual de Bonanza y Canicia se casó el 27-5-1671 con Alfonsa Ansaldo y fueron padres de Társila (1672), Josefa (1673) y Jaime (1674).

Luis Pasqual de Bonanza y Canicia fue caballero de Montesa. Se casó dos veces: con Josefa Martínez de Vera en 1658 y con Vicenta Mojica en 1707.

SÉPTIMA GENERACIÓN

Társila Pasqual de Bonanza y Ansaldo se casó con Gaspar Castillo.

P. de Bonanza-P. de Ibarra

Teresa Pasqual de Bonanza y Pasqual de Ibarra (1669) desposó el 26-4-1696 con Cristóbal Martínez de Vera.

José Pasqual de Bonanza y Pasqual de Ibarra (1671) fue noble (1702) y poseía una finca en San Juan llamada La Loixa (casa, torre y huerta), que en 1717 tenía arrendada a Crispiliano Orts, y que en 1739 dejó en herencia al convento de Santa Verónica. También heredó el vínculo fundado por su abuelo, con posesiones en la calle Barranquet. Se casó el 17-8-1693 con Andrea Luisa Canicia. Fueron progenitores de María Antonia (1694), Jacinta (1696), Hipólita (1697), José (1698), Gaspar (1700), Miguel (1702), José (1704), María Ventura (1709), Margarita (1711) y Francisco Javier (1713).

Vicenta (1672) y Luisa (1673) Pasqual de Bonanza y Pasqual de Ibarra (1672) fueron monjas en el convento de Santa Verónica.

Gerónimo Pasqual de Bonanza y Pasqual de Ibarra fue carmelita.

OCTAVA GENERACIÓN

P. de Bonanza-Canicia

María Antonia Pasqual de Bonanza y Canicia se casó el 15-8-1694 con Pablo Salafranca, regidor perpetuo.

Hipólita Pasqual de Bonanza y Canicia contrajo matrimonio en 1747 con Pablo Pasqual de Ibarra.

José Pasqual de Bonanza y Canicia fue canónigo magistral de San Nicolás.

Miguel Pasqual de Bonanza y Canicia se casó el 4-6-1740 con Josefa Fernández de Mesa, viuda del marqués de Espinardo. Tuvieron seis hijos: Miguel (1741), Luisa (1742), José Antonio (1743), Mariano (1744), María Manuela (1745) y Gaspar (1746). En el *Libro del Manifiesto del vino* de 1749 aparece como comisario. Heredó las posesiones en la calle Barranquet, cuyo vínculo y mayorazgo hubo de demostrar documentalmente en 1776, al reclamarlas como públicas el síndico personero José García.

María Ventura Pasqual de Bonanza y Canicia falleció soltera.

Francisco Javier Pasqual de Bonanza y Canicia fue coronel, gobernador de Aranjuez y caballero de Santiago. Murió soltero en Madrid.

NOVENA GENERACIÓN

P. de Bonanza-Fernández de Mesa

Miguel Pasqual de Bonanza y Fernández de Mesa fue caballero de San Juan (1793), maestrante, y el primer prior del consulado marítimo y terrestre (inaugurado en 1795 en la plaza del Mar). Formó parte, por el estado noble, de la Junta de Gobierno que se constituyó el 2-6-1808, y fue nombrado once días después capitán de las milicias urbanas. Regidor del primer ayuntamiento constitucional (1812). Contrajo matrimonio el 4-10-1768 en la casa de sus suegros con María Concepción Vergara. Fueron padres de Florentina (1769), Luisa (1770), Josefa (1772), Teresa (1774), Miguel (1775), Concepción (1776), Juana (1777), Francisca (febrero 1778) y José Manuel (diciembre 1778).

Luisa Pasqual de Bonanza y Fernández de Mesa se casó el 25-4-1764 con el ilicitano Bernardo Juan y Santacilia, caballero de San Juan.

José Antonio Pasqual de Bonanza y Fernández de Mesa fue caballero de Montesa (1781) y comandante principal de los Tercios Navales de Levante. Se casó en 1791 con Antonia Fernández de Bedoya. Murió en Ibi el 22-6-1805.

Mariano Pasqual de Bonanza y Fernández de Mesa fue caballero de la orden de San Carlos (1790) y canónigo de San Nicolás.

María Manuela Pasqual de Bonanza y Fernández de Mesa murió siendo niña.

Gaspar Pasqual de Bonanza y Fernández de Mesa fue caballero dc Montesa (1781), subrigadier de Corps, coronel de caballería y gobernador de San Felipe (Ferrol), en 1792.

DÉCIMA GENERACIÓN

P. de Bonanza-Vergara

Miguel Pasqual de Bonanza y Vergara fue caballero de la orden de Carlos III. Contrajo matrimonio el 2-7-1796, en el oratorio de la Princesa Pío (marquesa de Castelrodrigo), con la oriolana Mariana Roca de Togores, hija del conde de Pinohermoso. La ceremonia fue cooficiada por el tío del novio, Mariano Pasqual de Bonanza y Fernández de Mesa. Tuvieron a Mariana (1797), Concepción (1798), Miguel (1801), Juan (1803), Rosa (1805), María (1806), José (1808), Luisa (1810), Clara (1812) y Francisca (1815). El 22-9-1843 solicitó «certificacion de corresponder á la clase de nobles como está tenido y reputado, tanto él y su esposa». Falleció el 17-4-1844.

Teresa y Concepción Pasqual de Bonanza y Vergara fueron monjas del convento de la Sangre. Concepción heredó 1.905 libras de su madre, en 1778. Murió siendo superiora el 12-12-1811.

Juana Pasqual de Bonanza y Vergara se casó el 30-9-1811 con Nicolás Soler de Cornellá. Formó parte de la comisión de damas alicantinas que se encargó en 1808 del suministro de material sanitario en los hospitales de sangre.

UNDÉCIMA GENERACIÓN

P. de Bonanza-Roca de Togores

Mariana Pasqual de Bonanza y Roca de Togores desposó el 2-6-1812 con Miguel Lacy Burguñó, general de infantería y caballero laureado de San Fernando. Falleció el 22-10-1875.

Concepción Pasqual de Bonanza y Roca de Togores contrajo matrimonio el 17-3-1821 con Pedro Soler de Cornellá, conde de Berbedel. Murió el 20-2-1855 en Zaragoza.

Juan Pasqual de Bonanza y Roca de Togores fue nombrado en 1849 síndico del recién fundado Sindicato de Riegos de la Huerta. Fue director de la fábrica de Tabacos (1848), alcalde (1867-1869) y presidente de la diputación (1875). En 1873 y 1875 solicitó al ayuntamiento que se suspendiera el cobro de la contribución que le correspondía pagar por su casa. Casó con Josefa Pasqual del Pobil el 8-7-1837. Tuvieron a Consuelo (1838), Rafaela (1839), Inés (1841), los mellizos José y Miguel (1843), Juana (1847) y Juan (1850). Murió el 4-8-1882 en una finca que poseía en la huerta.

Rosa y Luisa Pasqual de Bonanza y Roca de Togores vivieron juntas. Ambas murieron solteras: Rosa el 9-9-1884; Luisa, el 2-2-1902. Rosa nació en Ibi el 17-1-1805. Ambas fueron damas de la asociación religiosa Escuela de María. Ambas eran propietarias de una casa en la plaza del Progreso, de otra en plaza San Cristóbal, 4 y de otra en el Postiguet. A finales de 1861 reclamaron al ayuntamiento una indemnización por el terreno que cedieron al municipio, sobrante de la edificación que hicieron en la calle San Agustín, esquina plaza del Progreso; les fueron abonados 1 100 reales. También poseían una finca de recreo en el término de San Juan llamada La Princesa, y de otra en Muchamiel, con el nombre de Rocheletes. Luisa pidió al alcalde en 1871 «una dotación de agua a cuenta del crédito que tiene contra el Ayuntamiento, por alquileres de la casa en la plaza del Progreso».

Clara Pasqual de Bonanza y Roca de Togores nació en San Juan (25-10-1812). Casó en Santa María el 6-9-1829 con Juan Antonio Pardo de Donlebún, mariscal de campo. Fueron padres de Miguel y Clara. En 1862 recibió una denuncia municipal por tener en estado ruinoso una casa situada en Labradores 12. Falleció viuda, en Madrid, el 2-1-1863.

Francisca Pasqual de Bonanza y Roca de Togores falleció soltera el 12-11-1835.

Miguel Pasqual de Bonanza y Roca de Togores

Fue alcalde (1838-1839, 1844-1847 y 1865-1866) y diputado provincial (1867-1868).

Heredó de su familia un puesto permanente en la Junta de Regantes de la Huerta, hasta que en 1849 se fundó el Sindicato de Riegos de la Huerta. En 1846 formó parte de la junta de gobierno de la recién constituida Compañía Alicantina de Fomento, cuyo objetivo era «fomentar todas las vías de la riqueza pública de la provincia de Alicante».

En 1845 dirigía la sociedad Herederos de M. Bonanza, que aquel año ocupaba el tercer puesto en la lista de rentas más altas de la ciudad (21 390 reales); y entre 1847-1850 fue el sexto mayor propietario urbano (25 116 reales). En 1852 fue denunciado por tener en estado ruinoso la casa situada en San Agustín, 19; y en 1854 recibió varias notificaciones municipales instándole a reedificar varias casas que poseía en las calles Bailén, Quevedo y Villegas, por estar en estado ruinoso, dándole en la última de ellas un plazo de quince días para derribarlas y reedificarlas, bajo la amenaza de venderlas en pública licitación, si no lo hacía. Pese a ello, no realizó las reedificaciones hasta 1859.

Se casó con María Rafaela Soler de Cornellá el 28-9-1825, hija del conde de Berbedel. Fueron progenitores de Miguel (1826), Leonardo (1827), Mariana (1829), Rafaela (1831), José (1833), María (1836), Luis (1839), Juan (1841), Joaquín (1844) y Rafael (1847).

DUODÉCIMA GENERACIÓN

P. de Bonanza-Soler de Cornellá

Miguel Pasqual de Bonanza y Soler de Cornellá fue director (1871) y vicedirector (1879) del Sindicato de Riegos de la Huerta. En 1873 pidió permiso municipal para enlucir la fachada de su casa, situada en Mayor, 14. Se casó con su prima Rafaela Pasqual de Bonanza y Pasqual del Pobil el 25-3-1858. Fueron sus hijos Rafaela y Mariano.

Mariana Pasqual de Bonanza y Soler de Cornellá desposó el 26-11-1857 con José Joaquín de Rojas y Canicia, caballero, arquitecto y miembro de la Real Academia de Bellas Artes de San Fernando. Tuvieron a Juan, Luis y Alfonso (diputado, y alcalde entre 1903 y 1905). Era propietaria de una casa en Virgen de Belén, 22 y de la finca El Serení, en San Juan. En diciembre de 1903 fue nombrada vicepresidenta del establecimiento benéfico de Nuestra Señora del Remedio. Murió el 18-10-1914.

Rafaela Pasqual de Bonanza y Soler de Cornellá se casó con Joaquín Cruz Casaprim, con quien tuvo un hijo: Luis. Vivía en Princesa, 11, donde hizo colocar en 1880 varios balcones y repisas. Falleció, viuda y en Elche, el 21-3-1898.

José Pasqual de Bonanza y Soler de Cornellá nació el 21-8-1833. Ingresó en la academia de Artillería en 1848. Fue destinado a Cuba en 1856 con el empleo de alférez de caballería. Fue ascendiendo según participaba en diferentes campañas (Santo Domingo, Cuba, guerra carlista, rebelión cantonal de Cartagena). En 1877, ya con el grado de general, volvió a Cuba, donde ocupó los cargos de comandante general y gobernador civil de las provincias de Matanzas y Pinar del Río. Regresó en 1880 a la Península como mariscal de campo, para ocupar los puestos de capitán general de Valencia y comandante general de Ceuta, entre otros. Fue diputado a Cortes en 1897. Casó en primeras nupcias con Abigail Socarrás, y en segundas con Pilar Berriz. Murió en Madrid el 23-5-1892. El Ayuntamiento de Alicante puso en su honor el nombre de General Bonanza a una calle.

Luis Pasqual de Bonanza y Soler de Cornellá contrajo matrimonio con Juana Pasqual de Bonanza y Pasqual del Pobil. El 2-10-1871 se dirigió por escrito al alcalde, como apoderado de su padre, para reclamar el cobro de un censo de trescientos sueldos de pensión anual que su familia tenía desde 1699 contra el ayuntamiento, y que no habían cobrado desde el fallecimiento de su abuelo, Miguel Pasqual de Bonanza y Vergara. Como «los años transcurridos son ya veinte y ocho», se les debía 3.794 reales. Falleció el 22-3-1873 en su casa de Prim, 11.

Juan Pasqual de Bonanza y Soler de Cornellá ingresó en la Armada en 1858. Era propietario de la finca Torre de Bonanza, en el término de San Juan. Siendo teniente de navío, se casó el 12-7-1872, en Cavite (Filipinas) con Andrea Custodio. Fueron padres de Rafaela y Carmen, nacidas en Cavite. Andrea murió en Alicante el 12-7-1872.

Joaquín Pasqual de Bonanza y Soler de Cornellá murió soltero el 27-6-1906.

Rafael Pasqual de Bonanza y Soler de Cornellá ingresó en la Armada en 1861. En marzo de 1887, siendo teniente de navío, fue nombrado comandante de la fragata Numancia. Desposó a la cubana Josefa Bernarda Castillo el 14-11-1864 en La Habana. Fueron progenitores de Miguel, Rosa, Luz y Luis. Después de servir durante cuatro años en Filipinas, al mando del crucero Castilla, regresó a la Península en septiembre de 1896 con el empleo de capitán de fragata. Ascendido a capitán de navío, fue nombrado comandante del puerto de Alicante. Rafael murió el 10-9-1910 y su viuda el 17-5-1927.

P. de Bonanza-P. del Pobil

Consuelo Pasqual de Bonanza y Pasqual del Pobil desposó el 7-10-1870 con su primo Miguel Pardo de Donlebún y Pasqual de Bonanza (hijo de su tía Clara Pasqual de Bonanza y Roca de Togores), capitán de navío y comandante del puerto en 1895. Miguel falleció el 8-5-1909. Consuelo murió el 13-1-1919.

Rafaela Pasqual de Bonanza y Pasqual del Pobil se casó, como hemos visto más arriba, con su primo Miguel Pasqual de Bonanza y Soler de Cornellá. Rafaela falleció en Madrid en noviembre de 1903.

Miguel Pasqual de Bonanza y Pasqual del Pobil nació el 17-12-1843. Ingresó en la Armada el 1-1-1858. Era propietario, por herencia, de la casa número 22 de la calle Jorge Juan, esquina con Niágara, conocida como Casa Bonanza. En 1899 alquiló al ayuntamiento dos almacenes contiguos que poseía en la calle Gravina, donde se instaló la casa-cuartel de la guardia municipal. También era propietario, por herencia, de la finca Capucho, próxima a San Juan. Se casó el 30-8-1869 con su prima Clara Pardo de Donlebún y Pasqual de Bonanza (hija de su tía Clara Pasqual de Bonanza y Roca de Togores), en el oratorio de sus suegros (plaza Progreso, 4). Fueron padres de Juan, Miguel, José, Josefina, Clara y Ana. Falleció en 1928, siendo capitán de navío.

Juana Pasqual de Bonanza y Pasqual del Pobil casó en primeras bodas con Luis Pasqual de Bonanza y Soler de Cornellá, y en segundas nupcias con José Pascual del Pobil y Martos, barón de Finestrat.

DECIMOTERCERA GENERACIÓN

P. de Bonanza-Custodio

Rafaela Pasqual de Bonanza y Custodio se casó en Alicante con Miguel Pasqual de Bonanza y Castillo el 25-3-1858.

Carmen Pasqual de Bonanza y Custodio murió en Alicante, soltera.

P. de Bonanza-Castillo

Miguel Pasqual de Bonanza y Castillo nació el 3-10-1875. Fue redactor-jefe y director (1898) de *El Liberal*, y colaboró habitualmente con otros periódicos, como *La Correspondencia de Alicante*, *La Correspondencia Alicantina* y *La Tarde*. Obtenido el título de abogado, fue posteriormente funcionario de Hacienda (interventor en Murcia hasta junio de 1919, que vino destinado a Alicante como administrador de Contribuciones; ocupó después el puesto de delegado provincial y, por último, a partir de abril de 1927, el de recaudador). En noviembre de 1913 tomó posesión del cargo de cónsul de Cuba. Se casó en primeras nupcias el 9-11-1898 con Leonor Ferrer Cutayar, con quien tuvo a Miguel († 9-11-1922). Tras morir Leonor en Murcia el 15-11-1901, casó en segundas bodas con su cuñada Elvira Ferrer Cutayar, el 25-4-1904, quien falleció el 10-10-1918. Se casó por tercera vez con su prima Rafaela Pasqual de Bonanza y Custodio, citada más arriba. Miguel falleció el 30-1-1945.

Rosa y Luis Pasqual de Bonanza y Castillo murieron solteros. Luis estuvo comprometido con Julia Palao, natural de Villena, que vivía en Alicante durante el invierno con una tía suya. Pero la noche del 7-2-1908, Luis disparó siete veces contra Julia y después intentó suicidarse, aunque la bala solo le hizo un rasguño leve en la cabeza. Al parecer, ella no quería casarse mientras él no consiguiera un medio de ganarse la vida; algo que a él no le preocupaba, por cuanto vivía de las rentas familiares. Julia tenía 24 años y logró sobrevivir, pero le quedaron graves secuelas cerebrales («afasia y un foso de neurosis en el parietal izquierdo»). En diciembre de 1909 regresó a Villena, donde falleció el 27-5-1910. Luis estuvo encarcelado hasta que concluyó el juicio que, en marzo de 1911, se celebró en la Audiencia Provincial. El jurado le declaró loco el día 14, y el juez le condenó en consecuencia a ser recluido «en un Manicomio y á disposición de la Sala».

Luz Pasqual de Bonanza y Castillo se casó con Eduardo Cernuda el 29-7-1908. El 20-9-1916 nació su hija María Josefa. Posteriormente tuvo otra hija, según se deduce de la noticia publicada por *El Luchador* el 24-6-1929: «Llegó de Don Benito, acompañada de sus hijas, la señora doña María de la Luz P. de Bonanza, esposa del interventor del Banco de España en dicha ciudad, don Eduardo Cernuda Más».

P. de Bonanza-P. de Bonanza

Rafaela Pasqual de Bonanza y Pasqual de Bonanza se casó con el militar Federico Escario.

Mariano Pasqual de Bonanza y Pasqual de Bonanza murió siendo niño.

P. de Bonanza-Pardo de Donlebún

Miguel Pasqual de Bonanza y Pardo de Donlebún nació el 15-7-1870. Heredó de su padre la casa situada en la esquina de las calles Niágara y Jorge Juan. Se casó con Clementina Curt Amérigo el 18-6-1930, sin descendencia. Murió el 23-11-1957.

José Pasqual de Bonanza y Pardo de Donlebún fue presidente del Sindicato de Riegos (1927-1935) y alcalde: El 8-1-1936, el gobernador civil cesó al ayuntamiento presidido por Santaolalla y nombró una gestora que tenía como presidente a José; pero, once días después, una nueva orden gubernamental cesaba a la gestora y reponía a la Corporación de 1934, presidida por Lorenzo Carbonell; hasta el 14 de febrero, que el gobernador volvió a suspender el Ayuntamiento de Carbonell, para reponer a la Junta Gestora encabezada por José; que duró solo seis días, ya que las urnas le dieron el triunfo el 16 de febrero al Frente Popular y Carbonell tomó posesión de nuevo como alcalde. Es decir, José fue alcalde dos veces en 1936, por un total de 17 días y por mandato gubernativo. El 17-7-1945, el ayuntamiento le concedió permiso para construir en su finca Villa Lorenza, en el Garbinet, varios chalés, junto con su socio José Sellés. Contrajo matrimonio con Ana Almodóvar. No tuvieron hijos.

Josefina Pasqual de Bonanza y Pardo de Donlebún murió soltera, en San Juan, el 24-11-1959.

Clara Pasqual de Bonanza y Pardo de Donlebún heredó la finca Capucho. Se casó en 1887 con Victorio Die Die. Fueron padres once veces.

Ana Pasqual de Bonanza y Pardo de Donlebún nació el 27-8-1872. Casó el 30-5-1901 con el valenciano Fernando Trenor Palavino, ingeniero de caminos. No tuvieron hijos.

«Durante cuarenta años he ido reconstruyendo Torre Bonanza»

Pilar Poveda Pasqual de Bonanza heredó en 1977 Torre Bonanza. Al edificio fortificado medieval se anexaron con el tiempo otras construcciones, que Pilar ha ido cambiando, rediseñando la finca, hasta convertirla en una vivienda de gran belleza. «Durante los últimos 40 años he ido reconstruyéndola poco a poco, sin ninguna ayuda económica institucional».

Pilar se casó en la colegiata de San Nicolás el 17-2-1960 con el madrileño Pedro Meseguer. Se separaron en 1982. De este matrimonio, anulado por la Iglesia en 1988, nacieron Pilar (8-12-1960), Victoria (3-1-1962) y Pedro (16-4-1963). Pilar es licenciada en Derecho y Económicas, contrajo matrimonio en 1986 con Enrique Seco y tiene tres hijos: Pilar, Marta y Enrique. Victoria es licenciada en Ciencias de la Información (especializada en Imagen), se casó en 1990 con Fernando del Caño Palop y es madre de Fernando y Victoria. Pedro es economista, especializado en auditorías, y se ha casado dos veces: con M.ª Victoria Monfort, con quien tuvo tres hijas: Victoria, Elena y Ana; y con Ana Torregrosa, con quien tuvo a los mellizos Pedro y Carmen.

Pilar es la mayor de cuatro hermanos. El segundo, José Miguel, nació en Lorca el 6-4-1939, es empresario, y vive en un chalé lindante con Torre Bonanza, en tierras que pertenecieron a sus padres y que ellos (los cuatro hermanos) se repartieron cuando heredaron. Está casado con Matilde Brú y tienen dos hijos. «Mi hermano se cambió hace años el orden de los apellidos, para que no se perdiera el de Pasqual de Bonanza», dice Pilar. De ahí que los hijos de José Miguel y Matilde lo mantengan como primer apellido. Ambos nacieron en Alicante y son empresarios: José Miguel Pasqual de Bonanza y Brú es economista, está casado con Isabel Montahud, y es padre de tres hijos: Miguel, David y Victoria Pasqual de Bonanza Montahud; David Pasqual de Bonanza y Brú es soltero.

Elvira Poveda Pasqual de Bonanza también edificó su vivienda en tierras que antes pertenecieron a la finca de Torre Bonanza. Nació en 1940, se casó con José Antonio Bonmatí Corona y tuvo tres hijos: José Antonio, Elvira y Verónica.

La cuarta hermana, M.ª Carmen Poveda Pasqual de Bonanza, nació en 1942, contrajo matrimonio con José M.ª García Tapia y es madre de Beatriz y Elena.

Pilar, José Miguel, Elvira y M.ª Carmen son hijos del comerciante alicantino José Poveda López (1902-1958) y de Elvira Pasqual de Bonanza y Ferrer (1909-1977). Se casaron el 14-9-1935. «Mi madre trabajó en la delegación de Hacienda hasta que se jubiló. Los primeros años iba a trabajar con señorita de compañía». *Diario de Alicante* siguió con interés los avances académicos de Elvira: en junio de 1926 obtuvo matrícula de honor en Geografía en la Escuela de Comercio, y el 1-9-1928 noticiaba este periódico que «en las oposiciones a plazas de oficiales de Hacienda ha obtenido plaza la señorita Elvira Bonanza Ferrer, hija de nuestro querido amigo el ex delegado de Hacienda don Miguel Bonanza».

La madre de Pilar tenía una hermana: M.ª Concepción Pasqual de Bonanza y Ferrer, que nació el 26-11-1914. «Mi tía se casó con Juan José Griñó Rabert, que era abogado. Tuvieron tres hijos: Juana, ya fallecida, Juan y Jaime». Juan José, que había nacido en Olot el 23-7-1913 y falleció en Vigo el 9-5-1990, era el II barón de Griñó.

Elvira y M.ª Concepción eran hijas de Miguel Pasqual de Bonanza y Castillo, y de Elvira Ferrer Cutayar. «Mi abuela fue la segunda esposa de mi abuelo. Antes había estado casado con una hermana de ella, Leonor Ferrer Cutayar, con quien tuvo un hijo, Miguelito, que murió a los 21 años en Madrid, de tifus, creo». Al volver a enviudar, Miguel se casó en terceras nupcias con una prima suya, Rafaela Pasqual de Bonanza y Custodio, con quien no tuvo descendencia. «Mi abuelo era delegado de Hacienda. Tenía una mente muy abierta. Todos los que se han casado tres veces la tienen. Por eso no le importó que una de sus hijas, mi madre, se pusiese a trabajar siendo aún muy joven».

Rafaela, la tercera esposa de Miguel, heredó Torre Bonanza, junto con su hermana Carmen, de su padre, Juan Pasqual de Bonanza y Soler de Cornellá. «Rafaela y Carmen nacieron en Filipinas. Yo me crie con ellas; sobre todo con Carmen, que era soltera. Pasé toda mi infancia oyendo tagalo de fondo».

PENALVA

MÁS QUE UN ABAD

Este apellido es de origen toponímico, derivado del sustantivo dialectal peña-alba (peña blanca), nombre de una población de la provincia de Huesca, que fue transformándose en Penalba o Penalva durante la repoblación del antiguo reino de Valencia.

De esta transformación quedan huellas visibles en los registros de las dos parroquias más antiguas de la ciudad de Alicante: Santa María y San Nicolás. Aunque la forma más numerosa es la de Penalva, y también la más antigua (matrimonio en 1575 de Ginés Penalva con la viuda Luisa Marco en San Nicolás), durante los siglos XVI y XVII se registraron bautizos y desposorios con los apellidos Peñalva y Penalba.

Con Peñalva solo hay tres asientos, los tres de bautismos en San Nicolás (de Josefa, en 1676, pese a que sus cuatro hermanos fueron registrados como Penalva; de Francisca, en 1689; y de Ramón, en 1732), mientras que con Penalba son bastantes más los registrados hasta la actualidad.

Como ocurre con los Peñalva, la confusión entre Penalva y Penalba se repite a lo largo de los siglos. Así, encontramos en una misma familia a hermanos registrados en sus bautizos con uno u otro apellido: Penalva/Penalba-González en 1702-1708, Penalva/Penalba-Rubert, Penalva/Penalba-Moreno y Penalva/Penalba-Pastor, en la primera mitad del siglo XIX.

En la actualidad, la provincia alicantina es la que cuenta con más Penalva censados de toda España, con muchísima diferencia con respecto a la siguiente, mientras que es la tercera (después de Barcelona y Madrid) en cuanto a Penalba censados.

SIGLO XVIII

Juan Penalva, natural de Novelda, en 1696 contrajo matrimonio en San Nicolás con María Molina. Él tenía 23 años y ella 21. En esta misma iglesia bautizaron a sus dos hijas: Rita (1698) y Rosa (1701). En 1713 fueron denunciados por el mercader Juan Casajus porque les había alquilado un horno para cocer pan en el barrio del Carmen durante dos años, pero lo dejaron al mes sin pagarle el arriendo del resto de tiempo. Juan (que se encargaba de buscar y cargar la leña) y María (que horneaba) declararon ante el juez que lo acordado con Casajus era que, si al mes no les convenía continuar con el horno, podrían dejarlo, como así hicieron.

Penalva-Revert

El 1-6-1755, Pedro Penalva y Vicenta Revert contrajeron matrimonio en San Nicolás. Él había nacido en Novelda y ella en Onteniente, pero según apuntó el cura que los casó, eran «ambos desde su pequeñez vecinos de esta Ciudad». En este mismo templo bautizaron a sus hijos Josefa (1756), José (1758), Matías (1762), Vicenta (1764), Antonio (1768) y Juan Bautista (1771).

Penalva-Rubert

Juan Bautista Penalva Revert se casó el 24-12-1796, también en San Nicolás, con M.ª Dolores Rubert. En esta misma iglesia bautizaron a sus hijos Manuela (1797), José (1799), Juan (1801), Josefa (1803), Manuela (1805), M.ª Rafaela (1808), M.ª Carmen (1810) y Antonio (1812), y en la parroquia de Santa María a Rafael (1815), María (1816), Rafael (1818) y Benito (1821).

SIGLO XIX

Penalva-Moreno

José Penalva Rubert contrajo matrimonio en Santa María con Vicenta Moreno, el 19-4-1818. En esta misma parroquia bautizaron a sus hijos Vicenta (1819), Juan Bautista (1821), José (1823), Francisco (1825), María (1827) y Pedro (1829), y en San Nicolás a las mellizas Dolores y Juana (1832) y a los mellizos Tomás y Juan (1834). Tras enviudar, se casó en segundas nupcias con la viuda Mariana Salgueiro el 30-10-1836, en San Nicolás.

En 1884, Pedro Penalva Moreno figuraba en la relación de propietarios con una riqueza imponible de entre 500 y 1 000 reales.

Penalva-Muñoz

Antonio Penalva Rubert era albañil. En 1821 construyó una casa en la Montañeta y en 1840 denunció un robo en dicha casa. Tres años antes, concretamente el 12-10-1837, contrajo matrimonio en San Nicolás con Francisca Muñoz. Como no podían tener hijos, adoptaron a Luis, nacido en Alcoy en 1844.

Luis Penalva Muñoz

Hijo adoptivo de Antonio Penalva Rubert y Francisca Muñoz.

Fue tenedor de libros en varias casas de banca alicantinas, como la Caja de Descuentos, pero su genio emprendedor le llevó al mundo del comercio vitivinícola, en auge por aquella época en toda la provincia y, muy especialmente, en el puerto alicantino. Entró en contacto con las empresas francesas Moulle Jeune y L. Dueuix Liger, a las que convenció no solo de que les permitiese representarlas aquí, en Alicante, sino también para que financiasen la construcción de una bodega y unos almacenes que le permitiesen llevar a cabo una exportación de vinos a gran escala.

El 10-10-1886 inauguró la bodega San Augusto, situada en el Llano de la Cueva, junto a la carretera de San Vicente del Raspeig. Con una superficie de 7 200 metros cuadrados, el complejo San Augusto era mucho más que una simple bodega. Así lo describía dos días después un redactor de *El Graduador*: «(…) dos grandes patios cercados (…), tres bodegas de vastas dimensiones en los que se encuentran colocados veinte y cinco conos gigantes, circundados por una galería en su parte más alta para que puedan ser recorridos é inspeccionados con facilidad, otro almacen de pipería, un depósito de alcohol con existencia casi constante de 30 000 litros, un taller de tonelería, y el departamento central destinado á la operación que podemos llamar decisiva, para entregar ya, los bocoyes llenos, pintados y pesados, á los encargados de su trasporte á nuestros muelles (…). Todas estas operaciones, permiten dejar ultimado un bocoy cada minuto, ó sean de 600 á 700 cada doce horas de trabajo. Los conos (…) son 2 de cabida 1 150 hectolitros, 9 de 1 050, 11 de 700 y 3 de 550. O sea un total de 21 100 hectolitros (…). El coste total del edificio, es de 36 000 duros. La cantidad que exporta anualmente el Sr. Penalva asciende á la fabulosa de 30 000 pipas, equivalentes á 160 000 hectolitros. El motor es un precioso aparato sistema Lenoir. Este motor a gas, es el primero establecido en España. El coste del que nos ocupa, es de 8 000 pesetas (…)».

En 1890, siendo concejal, entregó al ayuntamiento la primera estufa de desinfección con que contaba la ciudad para combatir los focos de infección y la propagación de cualquier epidemia. La había comprado en París por seis mil pesetas.

A finales de siglo se había convertido en un acaudalado banquero. En febrero de 1896 fue nombrado segundo administrador numerario de la sucursal del Banco de España.

El 15-10-1874, con 30 años, contrajo matrimonio en San Nicolás con Carmen Estela Chaques, de 19 años. Bautizaron en la colegiata a sus hijos Carmen y Luisa (1876, gemelas), Luis (1877) y Casimiro (1879).

Vivían en la plaza de la Constitución, esquina con la calle Calatrava (actual Portal de Elche, esquina Médico Manero Mollá). Republicano convencido, en enero de 1897 obsequió con un espléndido banquete en su casa a Nicolás Salmerón, el que fuera primer presidente del Gobierno de la República, y a la sazón diputado por el Partido Democrático, que se hallaba de visita en Alicante. Ese mismo año cedió 4 000 metros cuadrados que poseía en la avenida Doctor Gadea (pertenecientes anteriormente al marqués del Benalúa), para que en ellos se construyera el nuevo edificio del colegio Jesús y María, que se hallaba entonces en la calle Gravina.

En 1899 se anunciaba en la prensa como agente de la naviera francesa Havraise, con oficina en Explanada, 3. Y en 1903 anunció como cosechero sus Bodegas de Villa Carmen, aledañas al almacén San Augusto, cuyo depósito general para la venta estaba ubicado también en Explanada, 3. Entre otros vinos, ofrecía el *Champagne* Penalva.

En 1909 construyó en un solar de su propiedad, situado en la confluencia del parque de Canalejas con la avenida Doctor Gadea, el Teatro de Verano.

También poseía en Villena una fábrica de sal (en la partida del Zaricejo, que sufrió un incendio que le afectó parcialmente en mayo de 1904), así como terrenos de cultivo que regaba con aguas extraídas de los manantiales Consuelo y La Previsora. Poco antes de morir, el 20-6-1911, demandó a la Sociedad del Canal de la Huerta de Alicante, por haber sido despojado de sus derechos sobre dichos manantiales. Fueron su viuda e hijos quienes prosiguieron con la demanda judicial, hasta conseguir la recuperación de aquellos derechos según sentencia de la Audiencia del 25-4-1913.

Penalva-Arques

Juan Bautista Penalva Moreno era contratista de obras. En 1870 el ayuntamiento le adjudicó la construcción de varias aceras.

El 21-12-1843, con 22 años, se casó en San Nicolás con Dolores Arques, que también tenía 22 años. En la colegiata bautizaron a sus hijos: Dolores (1844), Juan (1846), Patrocinio (1847), Francisco (1849), José Valero (1851) y Francisca (1852).

Penalva-Lavale

Tras quedarse viudo, Juan Bautista Penalva Moreno se casó en segundas nupcias con Lorenza Lavale, de 28 años, el 18-3-1855, también en San Nicolás. Con ella tuvo seis hijos, aunque algunos murieron siendo niños: Mariana (13-12-1855), Francisco (1857), Rafael (1859), Francisco (1861), Francisco (1864) y Luis (1867).

Penalva-Bosch

José Valero Penalva Arques era ebanista y republicano. Fue concejal (1897). En 1875 se casó en San Nicolás con Teresa Bosch, con quien tuvo seis hijos: José (1876), Ilida (1877), Julio (1879), María (1881), Emilio (1883) y María (1885). Falleció el 29-7-1910.

El abad Penalva

Francisco Penalva Uríos nació en Orihuela el 19-2-1812. Estudió en el colegio de Santo Domingo. En 1827 ingresó como dominico en el convento de Murcia, donde completó sus estudios de Filosofía y Teología. Fue ordenado sacerdote. La exclaustración de 1835 le obligó a dejar la orden de Santo Domingo, pero el obispo le nombró profesor de la Escuela Normal de Orihuela y predicador de la Diócesis.

En 1847 vino a Alicante, para hacerse cargo de la cátedra de religión y moral del Instituto Provincial de Segunda Enseñanza, cátedra que desempeñaría hasta su muerte. Fue nombrado párroco de Santa María y, previa oposición, ganó en 1853 la canonjía magistral de la colegiata, siendo su abad a partir del año siguiente.

Durante la terrible epidemia de cólera de 1854, repartió ropas y medicinas y recogió a los niños abandonados. Improvisó hospitales durante la epidemia de fiebre amarilla de 1870 y el bombardeo de 1873. Creó en el Arrabal Roig una obra benéfico-social que favoreció a los pescadores, librándoles de la usura y proporcionándoles trabajo.

Fue propuesto para los obispados de Huesca, Málaga y Almería, pero rehusó con humildad. Restauró las iglesias de Gracia y de la Virgen del Carmen. En 1852 bendijo la capilla que, con sacristía y depósito de cadáveres, se construyó en el cementerio de San Blas, gracias al dinero que dejó para este menester María del Rosario Bismanos en su testamento. En 1857 gastó 30 000 reales en arreglar el órgano de la colegiata, pero esta cantidad la obtuvo de su propio peculio y de algunos donativos que recaudó entre varios parroquianos.

Todos los Viernes de Cuaresma, descalzo y seguido de gran multitud, visitaba la iglesia de la Santa Faz.

Colaboró con varias publicaciones alicantinas, como *La Nube* —cuyo subtítulo rezaba: «Periódico para todas las cosas (¡Menos de política y de religión!)»— y *La Educación*. También fue censor de *El Semanario Católico*. Polemizó con la revista espiritista *La Revelación*, de cuyo fundador (Ausó y Monzó) fue, sin embargo, un gran amigo.

Murió a las siete de la mañana del 13-12-1879, en la calle Mayor, 29. Su entierro fue todo un acontecimiento en la ciudad. A propuesta del alcalde, José Bueno, el ayuntamiento acordó solicitar la autorización del Gobierno para que el cuerpo del abad fuese inhumado en la cripta central de la nave de la colegiata, debajo del coro y cerca del altar mayor. Para ello se pidió el apoyo del obispo, que consintió. El Gobierno dio su permiso, siempre y cuando el cadáver fuese embalsamado.

El alcalde le pidió a Manuel Ausó Monzó, catedrático de Historia natural y doctor en Medicina y Cirugía, que procediese a realizar el embalsamamiento de quien había sido su amigo en vida, pero el homeópata y espiritista no gozaba de buena salud, por lo que desvió la responsabilidad de aquella operación hacia sus hijos, Manuel y José, licenciados también en Medicina y Cirugía.

El féretro de terciopelo y oro donde estaba el cadáver del abad, que había sido puesto sobre una mesa cubierta de crespones negros que había en el zaguán de la casa mortuoria, fue trasladado hasta la colegiata acompañado por una larga comitiva, encabezada por las autoridades civiles, militares y eclesiásticas. Tras recorrer las calles de San Nicolás, Mayor, Muñoz y Labradores, abarrotadas de un público triste y silencioso, el féretro fue colocado sobre un catafalco que se erigió en el centro del templo, celebrándose a continuación una misa de *Requiem* con acompañamiento de orquesta. Después, el féretro fue trasladado a uno de los salones de la colegiata, donde los médicos Manuel y José Ausó procedieron a su momificación, por medio de una concentración de cloruro de mercurio inyectada en la carótida. Colocado luego el cuerpo en una caja de cinc, y esta a su vez dentro del ataúd de madera forrada de terciopelo y oro, fue inhumado a las cuatro de la tarde del día 16, según consta en el acta, «en la cripta que existe en forma de bóveda debajo del coro de esta insigne Colegial, colocándole en un nicho de obra construido al efecto junto á la pared, debajo de un relieve ovalado en cuyo centro hay un San Nicolás de Bari, en el testero que da frente á la entrada de dicha cripta, cuyo ingreso se encuentra delante de la verja ó baranda de hierro del banco exterior de la izquierda del coro».

El ayuntamiento decidió que la plaza donde está la entrada principal de la colegiata se llamara del Abad Penalva. Muchos años después, en 1964, un pasaje privado del barrio de los Ángeles fue rotulado Penalva, en su honor. La cripta donde fue inhumado el abad Penalva es visitable desde el 17-3-2007, día en que se reabrió la concatedral tras su restauración. Durante las obras fue encontrada la entrada de la cripta, que se hallaba completamente tapada y olvidada.

SIGLO XX

Francisco Penalva era un contratista de obras que en 1907 obtuvo la concesión municipal de limpieza de cloacas y alcantarillas.

Manuel Lorenzo Penalva fue canónigo de San Nicolás (1907-1935) y párroco de Santa María. Dirigió el Liceo Escolar (1934). En 1959 se rotuló una calle del Pla del Bon Repos con el nombre de Canónigo Manuel L. Penalva.

Antonio Penalva Ronda fue bautizado en San Nicolás el 15-10-1884. Su padre, Antonio, era natural de San Fulgencio, y su madre, Teresa, de Villafranqueza. En 1913 era vigilante de la cárcel. En 1939, con 54 años, fue destituido como funcionario de prisión y sometido a un consejo de guerra, acusado de haber maltratado a los presos de derechas durante la Guerra Civil. Fue enviado a la cárcel de Santoña, de donde vino trasladado el 7-8-1943 a la de Alicante, para extinguir condena.

Penalva-Carbonell

Rafael Penalva Lavale solicitó en 1908 permiso municipal para cercar un solar en la partida de San Blas, donde construyó a continuación dos casas. Contrajo matrimonio el 25-3-1888, en San Nicolás, con Juana Carbonell. En esta misma iglesia bautizaron a sus hijos Rafael (29-12-1888) y Emeterio (1890). Rafael Penalva Carbonell heredó una casa en la calle Unión y en 1941 solicitó la baja en el padrón del arbitrio no fiscal sobre solares sin edificar, por enajenación del situado en Pintor Gisbert, 15.

Penalva-Zaragoza

Luis Penalva Lavale se casó el 15-12-1894, en San Nicolás, con Ana Zaragoza, de 20 años de edad. En 1909 abrió una tienda de comestibles en Alfonso el Sabio, 9.

Penalva-Estela

Luis y Casimiro Penalva Estela eran hijos del banquero y cosechero Luis Penalva Muñoz. Luis heredó el Teatro de Verano, fue empresario del Teatro Principal y consejero de la Caja de Ahorros y Monte de Piedad. Se casó con Carolina Faes Porcel.

Casimiro estudió Ingeniería en Madrid, se casó en 1904 con Carmen Vaillo y vivió fuera de Alicante muchos años (fue presidente de la Diputación Provincial de Ciudad Real), pero en 1956 mandó construir un panteón en el cementerio alicantino.

Penalva-Asensi

José Penalva Bosch, nacido el 19-3-1876, fue representante en Alicante de la casa comercial Mateu y Bonet. Casado con Inés Asensi, fueron padres de José, Gabriel, Ángeles, Luisa y Carmen Penalva Asensi. Vivían en Miguel Soler 18. En 1933 pidió permiso municipal para construir un panteón en el cementerio.

José Penalva Asensi contrajo matrimonio el 25-6-1930 con Francisca Llorca Llorca, con quien tuvo una hija el 6-2-1933.

Carmen Penalva Asensi abrió en 1958 un taller de modista en Antonio Galdó Chápuli 13.

Gabriel Penalva Asensi

Estudió Arquitectura en Oviedo. Siendo aún muy joven, en 1933, participó en el proyecto de la Ciudad Satélite junto con otros arquitectos veteranos y prestigiosos. En ese mismo año firmó su primera obra: la construcción de una casa de planta baja y piso en la calle Sargento Vaillo, por encargo de F. Amorós Payá.

A partir del año siguiente, Gabriel Penalva fue haciéndose un arquitecto conocido y prolífico, hasta convertirse en uno de los que más obras dirigió en la ciudad de Alicante a lo largo del siglo XX. En el Archivo Municipal se conservan 692 autorizaciones de obras suyas, fechadas entre los años 1934 y 1965, muchas de ellas relativas a construcciones de gran envergadura. En 1934 fueron 17, y 23 al año siguiente. Durante los años de la Guerra Civil descendió el número de obras que dirigió (8 en 1936, 1 en 1937 y 2 en 1939), pero después fue aumentando paulatinamente, habiendo años que superaron la cuarentena (48 en 1945, 42 en 1949, 41 en 1956) e incluso la cincuentena (53 en 1958).

En 1935 trasladó su oficina a Méndez Núñez, 30. Su carrera empezaba a despegar y en sendas entrevistas publicadas en este mismo año por *El Luchador* (22 junio) y *El Día* (20 diciembre) le presentaban como un arquitecto de prestigio y con un gran futuro.

Algunos de los permisos municipales que solicitó fueron para obras particulares propias, como la de aumentar un cuarto piso en la calle General Goded (1942) o la demolición de una finca en San Vicente 51, para la construcción de un edificio nuevo (1953-1956).

Fue enterrado el 26-8-1980 en el panteón 321 del cementerio alicantino.

José Penalva Arnau

Hijo de Francisco y Rosa, fue bautizado en San Nicolás el 31-1-1864.

Con 23 años, pidió permiso a la diputación para contraer matrimonio con una expósita. Se le concedió el permiso después de que el ayuntamiento informara de que «ha observado siempre y sigue observando en la actualidad una conducta irreprensible» (10-6-1887). Era albañil y vivía en San Juan, 3.

Contrajo matrimonio con Petronila Plasencia, en San Nicolás, el 9-7-1887. Al año siguiente construyó una casa en Torrijos, 55, donde abrió posteriormente un local para la venta de «cartón cuero para tejados». En diciembre de 1900 ganó en subasta el servicio municipal de limpieza de cloacas y letrinas, y en 1909 realizó obras en Valencia, 57. En 1931 y 1932 era el contador de la Hoguera «Los Perturbadores de la República», situada entre las calles Pascual Pérez y Torrijos.

Penalva-García

Francisco Penalva Miso era sobrino del anterior. Hijo de Francisco Penalva Arnau y Rafaela Miso, fue bautizado el 7-12-1890 en San Nicolás. Contrajo matrimonio el 1-11-1910 con Antonia García. Tuvieron tres hijos: Ángeles, Francisco y Manuel. En 1945 abrió una cuadra en Pintor Velázquez, 28, que en 1948 convirtió en una fábrica de gaseosas. Los tres hijos heredaron la fábrica de gaseosas tras la muerte del padre (Hijos de Francisco Penalva, S.R.C.). La trasladaron a una nave industrial que en 1961 construyeron entre las calles Primitivo Pérez, Francisco Carratalá e Ingeniero Sanchiz Pujalte. Los tres hermanos construyeron un panteón común en 1958.

Manuel Penalva García abrió en 1960 un bar-repostería en el estadio Bardín y en 1962 construyó una fábrica de gaseosas en el Llano del Espartal.

Estadísticas PENALVA

LUGAR	APELLIDO 1.º	APELLIDO 2.º	AMBOS APELLIDOS	TOTAL	% ESPAÑA	% PROVINCIA
ESPAÑA	2 039	1 917	6	3 962	100	-----
PROVINCIA ALICANTE	1 106	1 006	5	2 117	53,43	100
ALICANTE CIUDAD	188	178	0	366	9,23	17,28

Fuentes: INE y Ayto. Alicante

Estadísticas PENALBA

LUGAR	APELLIDO 1.º	APELLIDO 2.º	AMBOS APELLIDOS	TOTAL	% ESPAÑA	% PROVINCIA
ESPAÑA	812	780	0	1 592	100	-----
PROVINCIA ALICANTE	24	56	0	80	5,02	100
ALICANTE CIUDAD	6	10	0	16	1,00	20,00

Fuentes: INE y Ayto. Alicante

La restauradora de la tribu Penalva

Gema Penalva Iribas nació en Alicante en 1981. Estudió en el colegio Calasancio, en el instituto Jorge Juan y en el Centro de Turismo de Alicante. «Empecé con 15 años a hacer tartas en mi casa. Estudié informática, pero decidí que quería ser restauradora. Cuando se lo dije a mi madre, se alegró: "¡Qué bien, restauradora de muebles!", dijo. Pero cuando se lo aclaré se disgustó mucho».

Trabajó de cocinera en varios restaurantes (Dársena, Hotel Amérigo, Hotel Villa Venecia, de Benidorm), antes de abrir en marzo de 2012 el Restobar Gema Penalva, en Canalejas, 9. «Me habían ofrecido trabajo fuera de España y mi madre se volvió loca buscando locales para que no me fuera. Hasta que lo encontramos. No quería ponerle mi nombre porque si envenenaba a alguien tendría que cambiar de nombre o irme al extranjero, pero mis padres me convencieron», bromea.

Los bisabuelos paternos de Gema se llamaban Antonio Penalva Davó y Antonia Pacheco Tristán. Vivían y se casaron en Crevillente, donde había nacido él (ella era natural de La Algueña). Tuvieron cuatro hijos: Antonio, Vicente, Pilar y Argentina Penalva Pacheco.

Antonio Penalva Davó se dedicaba al transporte, como sus antepasados. Cuando venía a Alicante, visitaba el bar La Parra, situado en la avenida Maisonnave, donde solían reunirse los camioneros. Allí se establecían relaciones laborales: se hacían contratos de negocios y se buscaba trabajo. Una de las veces salió del bar con un contrato para transportar plátanos de Betancourt (Canarias), desde el puerto de Alicante hasta Madrid.

Decidió venirse a Alicante con toda la familia. Era el año 1955. Alquilaron tres casas juntas en la avenida de Aguilera, con un garaje donde guardar los camiones de la empresa Antonio Penalva, en la que también trabajaban los hijos varones. En una de las casas vivían Antonio y Antonia con sus hijas: Pilar, que poco después se casó y se volvió a vivir a Crevillente, y Argentina, que se casó años después con José Poveda, con quien tuvo dos hijos. Otra casa estaba ocupada por el mayor de los hijos, Antonio, que se había casado en Crevillente con Isabel Puig y ya tenían una hija: Isabel, nacida el año anterior. En Alicante tuvieron tres hijos más: Antonio (1956), Julio (1959) y M.ª Jesús Penalva Puig (1967). Y en la tercera casa vivía el otro hijo varón, Vicente, que se había casado también en Crevillente, poco antes de venir a Alicante, con Asunción Verdú Alfonso. Aquí tuvieron cinco hijos: Asunción (1956), Vicente (1957), Amparo (1961), Clemente (1965) y Juan Penalva Verdú (1967).

En 1959, como los camiones de la empresa eran más grandes y no cabían en el garaje, las tres familias se trasladaron a la calle General Lacy, esquina Pintor Cabrera, donde ocuparon tres de los seis pisos del edificio, además del amplio garaje que había en los bajos. «Éramos como una tribu —explica Asunción Penalva Verdú—. Hablábamos en valenciano, pero yo pensaba, siendo niña, que fuera de nuestra casa todo el mundo hablaba castellano, como en el colegio. Cuando mi madre me mandaba a comprar a la tienda de la Juanita, en la avenida de la Estación, señalaba lo que quería porque no sabía explicarme bien en castellano. Muchos años después me enteré de que la Juanita también hablaba valenciano».

Antonio Penalva Davó cedió la empresa de transporte a sus hijos Antonio y Vicente unos años antes de morir (1982). Cuando en 1989 abandonaron el edificio de la calle General Lacy, hacía ya unos años que los hermanos Penalva Pacheco habían dividido la empresa en dos. Trasladaron sus respectivas empresas (llamadas como ellos: Antonio Penalva y Vicente Penalva) al Pla de la Vallonga, pero en locales contiguos.

Con el paso del tiempo, la empresa Antonio Penalva pasó a manos de Antonio Penalva Puig, y la empresa Vicente Penalva fue heredada por Vicente Penalva Verdú, nietos ambos del crevillentino fundador de la empresa originaria.

Vicente Penalva Verdú se casó con Ana Climent y tienen un hijo: Vicente. Su hermana Asunción acaba de jubilarse; era profesora de Educación Física y está soltera. Amparo es administrativa en la UA, está divorciada y tiene un hijo: Pau Mena Penalva. Clemente es profesor de Sociología en la UA y tiene una hija, Angela, con Susana Moreno. Juan es bombero y tiene dos hijos, Samuel y Paula, con Pilar Robles.

Antonio Penalva Puig se casó con Marisol Iribas Sellés y tuvieron dos hijas: Gema (nuestra entrevistada) y Soledad (nacida en 1982), que trabaja de enfermera en el hospital Medimar, está casada con Francisco Cantó y tiene una hija, Ana, que nació el año pasado. Antonio y Marisol se divorciaron, y ambos volvieron a casarse. Antonio lo hizo con M.ª José Martín, con quien tuvo en 1993 un hijo, Antonio, que estudia oposiciones para Policía Nacional y trabaja con su hermana Gema.

Isabel Penalva Puig trabaja en la empresa de transporte de su hermano, se casó con Tomás Fernández y tiene un hijo: Tomás. Su hermano Julio tiene un kiosco de prensa en el centro comercial Venecia y tiene una hija, Mar, con Carmen Lozano. Por último, M.ª José Penalva Puig es copropietaria de una empresa de exportación de calzado, está casada con Manuel Fernández y tiene un hijo: Jorge.

ROVIRA

NOBLEZA ANTIGUA

Antes de que llegaran a nuestra ciudad los Rovira jijonencos ya residían en ella otros del mismo apellido: La primera constancia documental se remonta a 1568, año en el que Jaime Rovira y su esposa María bautizaron en la iglesia de San Nicolás a su hijo Baltasar.

RAMA JIJONENCA

Juan Onofre Rovira y Sanz de la Llosa, nacido en Jijona en 1646, formaba parte de la séptima generación de los Rovira jijonencos. No hemos podido confirmar que viniera él a vivir a Alicante, pero desde luego sí que lo hicieron, en la década de 1690, su esposa, Vicenta Torres Despuig, y al menos tres de sus ocho hijos.

Vicenta Torres falleció en Alicante el 27-6-1715.

Juan Bautista Rovira Torres, el primogénito de Juan Onofre y Vicenta, era regidor alicantino en 1743, y su hermano José formó parte del primer Ayuntamiento borbónico de Alicante por la Nobleza (1708).

Rovira-Salafranca

Por su parte, Esteban Rovira Torres, el benjamín de la familia (nacido el 5-3-1670 en Jijona), fue también regidor por el estado noble en Alicante. Se casó en San Nicolás el 19-11-1692 con la alicantina Mariana Salafranca, con quien tuvo doce hijos: Águeda (nacida en 1693), Vicenta (1695), Juana (1696), María (1698), Juan Manuel (1700), Pablo (1701), bautizados en Santa María, y Nicolasa (1703), Joaquín (1705), José (1710), Teresa (1712), Victoria (1714) y Manuel Rovira Salafranca (1717), bautizados en San Nicolás.

Vicenta Rovira Salafranca desposó en 1716, en la colegiata, con Nicolás Pasqual del Pobil y Forner, barón de Finestrat y señor de Benasau. Murió en 1762.

Águeda, María y Juana Rovira Salafranca fueron monjas de coro en el convento de la Santa Faz.

José Rovira Salafranca fue jesuita.

Manuel Rovira Salafranca fue monje de San Bernardo, vicario general en Aragón y Navarra, y abad del monasterio de Valldigna.

Rovira-Fernández de Mesa

Juan Manuel Rovira Salafranca fue caballero de la orden de Montesa y regidor perpetuo alicantino por la clase de caballeros (1735-1763). Se casó en San Juan el 29-7-1726 con Vicenta Fernández de Mesa y Escorcia, nacida en Alicante. Seis días antes y en la propia universidad de San Juan, los padres de ambos contrayentes firmaron un contrato matrimonial. Los padres de ella, José Fernández de Mesa, gentilhombre de cámara y regidor, y Josefa Manuela Escorcia, donaron a su hija por dote 4 000 libras de un censo que rentaba 4 000 sueldos anuales, de los que respondía la ciudad de Jijona y que Josefa Manuela había heredado de sus padres. Por su parte, los padres del novio donaron a este el «tercio y quinto en los vienes libres que de presenten tienen», que le correspondería por herencia si fallecieran, pero que se lo adelantaban por la boda. En el mismo contrato se especificaba que los recién casados vivirían en casa de los padres de él, quienes garantizarían su alimentación cediéndoles en usufructo los bienes que poseían en Jijona. Como anexo, se detallaban los bienes del matrimonio Rovira Salafranca, entre los que destacaba «una heredad, con su casa y que consta de 100 tahullas poco menos de tierras en la huerta, plantada de viñas casi toda con algunos arboles, y seis ylos y un quarto de agua».

Juan Manuel y Vicenta tuvieron once hijos: M.ª Antonia (1727), Mariana (1728), Esteban (1729), José (1731), M.ª Ana (1732), Francisca (1735), Vicenta (1737), Antonio (1738), bautizados en San Nicolás, y Francisco Javier (1740) y las gemelas M.ª Dolores y M.ª Soledad Rovira y Fernández de Mesa (1744), bautizados en Santa María. Juan Manuel falleció el 12-9-1763.

General Francisco Javier Rovira

En 1927, el ayuntamiento decidió cambiar el nombre de la Travesía de la calle de San Miguel (en el barrio de San Cruz) por el de calle del General Rovira. Con este motivo, Francisco Montero Pérez firmó un artículo el 8 de octubre de aquel año en *Diario de Alicante*, en el que ofrecía al lector un resumen biográfico de dicho militar. Pero se equivocó al llamarle «Francisco Javier de Rovira y Salafranca».

El periodista y cronista empezaba su artículo diciendo que el teniente general «vio la luz primera en la ciudad de Alicante en 1740», lo cual es cierto, pues fue bautizado el 14-7-1740 en Santa María. En el registro correspondiente, se lee que era hijo de Juan Rovira Salafranca y Vicenta Fernández de Mesa y Escorcia, y que fueron sus padrinos «D. Estevan Rovira, hermano del bautizado (que debía tener 11 años) y D.ª Victoria Rovira, doncella».

Así, pues, el verdadero nombre del que sería teniente general era Francisco Javier Rovira y Fernández de Mesa. El resto de lo que contaba el bueno de Montero («*Quandoque bonus dormitat Homerus*», escribió Horacio: «A veces hasta el buen Homero se despista») era cierto: Nació en una casa «situada en la plaza de Quijano esquina a la calle del Carmen (…) casa en siglos anteriores solariega de la linajuda familia de los Rovira»; estudió con los jesuitas, entró a servir en la Armada como guardia marina a los 14 años; estuvo «en la defensa del Morro de la Habana, saliendo gravemente herido en la cabeza»; ascendió a teniente general y fue «Profesor de Artillería en la Academia de Guardias Marinas de Cádiz y Comandante general del Cuerpo de dicha Arma en el Departamento de Cartagena y después, Comisario general y Comandante en jefe de todo el Cuerpo de Artillería de la Armada. Murió en Valencia en 24 de Mayo de 1823; siendo Caballero de Justicia en la Orden de San Juan de Jerusalen o de Malta y poseía la Gran Cruz de San Hermenegildo».

Publicó varios tratados sobre Artillería y Matemáticas.

La calle General Rovira desapareció y en 1955 el ayuntamiento dedicó otra calle (en Altozano-Conde Lumiares) a Rovira y Salafranca, que como ya sabemos no sustituyó a aquella, puesto que el general no se apellidaba Salafranca, sino que debe estar dedicada a su padre.

Rovira-Micó

En sustitución de su padre fallecido, Esteban Rovira y Fernández de Mesa fue nombrado regidor en 1764. También fue caballero de la orden de San Juan.

En 1766, Esteban fue detenido junto con su primo Juan Pasqual de Pobil por orden del corregidor José Ladrón de Guevara, quien les acusó de repartir papeletas con los nombres ya escritos durante las primeras elecciones que se celebraron para síndico personero y diputados del Común.

Contrajo matrimonio el 26-1-1763 en San Nicolás con Antonia Micó. Tuvieron siete hijos: M.ª Antonia (1764), Juan Bautista (1765), Luis (1767), M.ª Pascuala (1769), José (1775), nacidos en Alicante, y M.ª Josefa (1771) y Clara, que nacieron en Valencia.

Luis Rovira Micó fue caballero de la orden de San Juan (1781) y guardia marina en Cádiz (1782). Participó en la batalla de Trafalgar y murió soltero.

José Rovira Micó ingresó también en la Armada (1790) y fue caballero de la orden de San Juan. Murió soltero.

Mª Josefa Rovira Micó se casó en Valencia con un capitán de fragata y caballero de la orden de Calatrava.

Clara Rovira Micó fue religiosa en el convento de la Santa Faz.

Rovira-Pasqual del Pobil

Juan Bautista Rovira Micó fue caballero de la orden de San Juan. Durante muchos años litigó con el Ayuntamiento de Alicante de resultas del molino que en 1809 construyó en la cima de la Montañeta el arquitecto Antonio Jover, por orden del gobernador José Sanjuán, con el objetivo de asegurar la harina para la población si la ciudad era sitiada por el ejército napoleónico. Las dos muelas que se instalaron en el molino fueron extraídas previamente de otro molino situado a las afueras de la ciudad y sin autorización del propietario, que era Juan Bautista. En el litigio intervinieron la Regencia y la Real Hacienda, pero en 1816 todavía Juan Bautista no había recuperado sus muelas ni se le había abonado indemnización alguna.

En 1814, poseía una casa con cochera en la calle Rovira por un valor de 60.000 reales, otra en la calle del Baile (2 000 reales), cuatro más en la calle San Agustín (60 000), otra en la calle San Roque (6.000) y otra en la de San Alberto (4 000).

Contrajo matrimonio el 13-8-1794 en Santa María con María Josefa Pasqual del Pobil y Guzmán, con quien tuvo siete hijos: Joaquín (1808), nacido en Valencia, M.ª Rosario (1797) y José (1813), nacidos en Alicante, y Juan (1811), M.ª Luisa (1796), Antonia y Pascuala, nacidos en San Juan.

Joaquín Rovira y Pasqual del Pobil poseía en 1814 una casa en la calle Empedrado, con un valor de 18 000 reales, y otra en la calle Porchinos (12 000). En 1844 reedificó la fachada de una casa en la calle Mayor y, en 1859, reconstruyó una casa en la calle San José. Se casó en Jijona el 11-2-1823 y tuvo diez hijos, pero vivieron fuera de Alicante.

Juan y M.ª Rosario Rovira y Pasqual del Pobil hicieron su vida en Valencia.

José Rovira y Pasqual del Pobil murió joven.

Así fue cómo esta rama noble y de procedencia jijonenca se extinguió en Alicante.

OTRAS RAMAS

En 1756 había un notario llamado Vicente Rovira, en 1782 un regidor Francisco Pérez Rovira y en 1785 el rey nombró a Tomás Rovira contador del Consulado recién fundado.

En 1796, Esteban Pastor Rovira era escribano municipal, pero en 1814 ya aparece como regidor y en 1847 como notario. En 1814 fue nombrado regidor el comerciante Vicente Rovira, propietario de una casa en la calle Mayor valorada en 50.000 reales, tres más en la calle San Agustín (22 000), otra en calle del Carmen (3 000) y otra más en la calle San José (3 000).

Juan Rovira Tresarrio, que era secretario del Tribunal de Comercio en 1836, fue obligado en 1843 a reconstruir su casa de la calle Santos Médicos por hallarse en estado ruinoso. Diez años más tarde, pidió al ayuntamiento que trasladase la fuente de San Agustín a otro lugar y exigió indemnización por los daños que dicha fuente había causado a una propiedad suya cercana. En 1860 solicitó la demarcación de línea foral en unos terrenos suyos ubicados en la puerta de la Reina y en la calle San Vicente, y al año siguiente construyó una casa en esta última calle.

José Antonio Rovira Carbonell era un turronero jijonenco con más de 20 años de experiencia, que cada campaña de Navidad, desde 1873 (año en el que le premiaron en la Exposición de Madrid), abría una tienda en Mayor 23-25, en la que vendía, entre otros dulces, las célebres peladillas de Alcoy. En diciembre de 1906 anunció en la prensa que trasladaba su tienda a Princesa 15 (esquina al callejón de la Santa Faz), pero al año siguiente el mismo anuncio cambiaba de titular, al llamarse el establecimiento Turronería de la Viuda de José A. Rovira.

Francisco Rovira Aguilar

Hijo de Francisco y M.ª Rosa (casados en 1834), fue el primero de tres hermanos. Nació el 2-2-1836. Fue abogado, poeta y novelista. Su bufete y residencia estaban en Infanta 24. El 6-9-1865 fue nombrado secretario de la diputación.

Dirigió el semanario *El Bostezo* (1862), la revista *Álbum literario* (1863) y el periódico *La Provincia* (1868), fue redactor del semanario *Una nube de verano* (1862-1863) y colaboró con *El Comercio de Alicante*, *El Vapor*, *La Tarde*, *La Violeta*, *El Eco de la Provincia* y *El Lucentino*. En 1874 se ordenó sacerdote y en marzo de 1878 fue nombrado canónigo de la catedral de Ávila. Murió en Madrid el 21-1-1884.

Felipe Rovira Sogorb

Era hijo de un escribano, autor del folleto de 1844 titulado *Relación de los sucesos ocurridos en Alicante desde el 28 de Enero último en que tuvo lugar la Rebelión del Coronel Boné hasta la entrega de la Plaza,* según Montero Pérez.

Con «dos marinas y una cabeza» ganó en 1860 la medalla de plata de la Exposición celebrada en Alicante. Autor de las láminas que ilustran la *Crónica de Alicante,* de Rafael Viravens (1868). Pintor escenógrafo del Teatro Principal (1871) y delineante de la Diputación Provincial (1875).

Semanarios satíricos alicantinos como *El Fígaro* (del que fue administrador) y *El Pollo* publicaron sus ingeniosas caricaturas. La prestigiosa revista madrileña *La Ilustración Española y Americana* le encargó en 1875 un dibujo representativo de la inauguración de las obras de la ermita de San Roque, llevada a cabo el 25 de julio de aquel año.

El Constitucional daba puntual y elogiosa cuenta de cuantas obras ejecutaba el pintor: «Cuadro. El que acaba de terminar nuestro paisano D. Felipe Rovira, es de un tamaño regular y representa la vista de Alicante, desde el mar. Este cuadro es notable por la riqueza de detalles, por su admirable perspectiva y por la verdad del colorido» (28-7-1877). Pero entre tanto elogio, *El Constitucional* mencionó un detalle pictórico que se trocó en un disgusto en 1878, cuando un periódico madrileño se hizo eco de la noticia: el pintor alicantino había sustituido en un cuadro la cabeza de Amadeo de Saboya por la del monarca Alfonso XII, para así poder exhibirlo a tiempo en la fachada de la diputación. Felipe lo desmintió. Al año siguiente pintó otro cuadro real: el retrato de la que sería reina María Cristina, que se expuso en la fachada del Consistorio.

Durante aquellos años era enorme la popularidad de este pintor: En muchas mansiones de la burguesía alicantina se exhibía alguna de sus obras; en los salones de los mejores balnearios (La Estrella, 1876; La Esperanza, 1883), colgaban colecciones de marinas por él pintadas; y no había ningún alcalde o diputado en la provincia que no anhelara ser retratado por él.

Se dice que su vida fue muy modesta, que era un auténtico bohemio y que vivía en una buhardilla. Será cierto, pero también lo es que en 1875 poseía una casa en Riego, 36, otras dos en las calles Trafalgar y Gallo (1878), y aumentó en dos pisos otra que tenía en Cid, 30 (1884). En sus últimos años trabajó en las oficinas del arquitecto municipal.

Se cuentan numerosas y pintorescas anécdotas por él protagonizadas, como aquella que propalara Manuel Tordera Bosio, quien se encargó de ir a su buhardilla para convencerle de que volviese a la diputación, de donde se había ido muy airado. Era el año 1875 y Felipe estaba terminando un retrato de Alfonso XII que debía ser exhibido en el salón de actos de dicha corporación. Varios diputados curiosos se acercaron a ver el retrato y uno de ellos se permitió indicarle al artista que el rey tenía el bigote más grande del que había representado en el cuadro. Enfurecido, Felipe agrandó con dos pinceladas los bigotes del monarca hasta salirse del lienzo y se marchó a su casa. Falleció el 10-12-1890.

SIGLO XX

Las hermanas María y Ana Rovira Pérez (66 y 60 años, respectivamente) vivían en 1912 en Floria, 6. Ana falleció el 22 de julio de aquel año y María solicitó que la ingresaran en un asilo benéfico.

José Rovira Reus fue jefe de los carteros alicantinos. El domingo 3-2-1935, ya jubilado, recibió un homenaje en el restaurante del balneario Madrid. Su hijo, José Rovira Gomis, obtuvo plaza como empleado también de Correos al aprobar la oposición en octubre de 1927. El 31-5-1934, se casó con Elena Sánchez. Su hermano Juan fue maestro. En noviembre de 1942, siendo jefe de sección administrativa de Enseñanza, compró al ayuntamiento junto con otros maestros una parcela de 233 m² (Álvarez Sereix, esquina Médico Pascual Pérez), a razón de 250 pesetas m², para la construcción de viviendas protegidas.

El comerciante Manuel Rovira Rizo (n. 1893) era presidente del Centro Católico antes de la Guerra Civil. Al finalizar esta, fue concejal de cementerios. El 29-1-1940 fue nombrado contador del Patronato de la Santa Faz, y el 7 de octubre de este último año cesó como concejal. En 1926 encargó la construcción de un panteón para él solo.

Francisco Rovira Fenollar, maestro nacional, se casó el 20-3-1934 con Adela Viñes y abrió, en 1939, un salón de baile en Cano Manrique, 6.

Un tipo afortunado

Rafael Escolano Rovira, que vivía en la calle Nueva Alta y era conocido por el alias de Benicau, fue detenido el 11-5-1907 por causar heridas a Bautista Sempere. La noche del 10-10-1919, en la calle Díaz Moreu, estuvo a punto de perecer a manos de Vicente Ferrando, quien empuñaba un revólver. Pero el Benicau tuvo la fortuna de que otro individuo interviniera a tiempo para desarmar a Vicente.

El 15-10-1927 fue denunciado Rafael por maltratar a María Soler en su domicilio de Catedral, 4; y el 27-9-1929 volvió a ser denunciado por escándalo público.

En 1933 regentaba un negocio en Villafranqueza. En la calle Marcelino Domingo, 4 tenía un almacén desde el que distribuía pan. El 8 de marzo de aquel año entregó a un empleado suyo, de 19 años, un carro con 50 kilos de pan para que hiciera el reparto, pero ya no volvió a saber nada más del pan, ni del carro, ni de la caballería, todo ello valorado en unas 500 pesetas, ni por supuesto del empleado.

Pero la suerte de Rafael no había desaparecido. Uno de sus hijos tenía tratos con una hija de su vecino, José Beviá, quien se oponía a tal relación. El 18-9-1935, estando Rafael en la puerta de su casa, se le acercó Beviá escopeta en mano. Le apuntó y disparó, pero el arma era tan vieja que erró el tiro. Ayudado por unos transeúntes, Rafael desarmó a Beviá y lo entregó a las autoridades, que lo encerraron en la cárcel.

Una familia maldita

José Rovira Linares nació en Alicante en 1862. Se casó con Rafaela Coloma, con quien tuvo familia numerosa. Tras enviudar se casó en segundas nupcias con Ramona Blasco. José Rovira tenía una casa de huéspedes en la calle Altamira, en 1915. La noche del 10 de julio de ese mismo año, su hijo Juan apareció muerto con un tiro en la sien derecha, en la calle Virgen de Belén. Tenía 19 años. En un bolsillo de su ropa fue hallado un retrato de mujer con una expresiva dedicatoria. Los policías y el juez que investigaron aquella muerte sospecharon de un detalle: sobre la mortal herida, el muerto tenía puesta una gorra intacta, sin agujero que la atravesara. Pero una semana después fue entregada al juez una carta que el fallecido había enviado a su novia y en la que, de alguna manera, anunciaba su suicidio, por lo que el caso fue cerrado sin practicar más indagaciones. Pocos días después, el 22-7-1915, falleció también muy joven su hermana Josefa.

En abril de 1922, Francisco Rovira Coloma (n. 1900) cayó enfermo de paludismo en Melilla, donde se hallaba sirviendo como soldado de reemplazo. Pero sobrevivió.

A principios de 1926 aparecieron varios anuncios en la prensa alicantina publicitando el nuevo restaurante que José Rovira Linares había abierto en Ciudad Jardín: «Merendero LA ALEGRÍA (antigua Granja Rocamora)…».

José Rovira vivía con su familia en la misma casa donde estaba el restaurante, conocida más vulgarmente como Cagalaolla. Con ellos también vivía desde hacía menos de un año Manuel García González (natural de Orihuela, de 56 años, casado en segundas nupcias), que cultivaba el huerto.

Un día Manuel García le dio un beso a una hija de Rovira, que estaba divorciada. La besó como si fuese su hija, declararía más tarde el hortelano, pero no debió de entenderlo así Rovira (de carácter exaltado, en opinión de algunos vecinos), pues le despidió.

Manuel encontró trabajo como guarda privado en la vecina Colonia Lineal, pero pronto empezó a temer que le despidieran, pues al parecer se había recibido un anónimo que le acusaba de injuriar a los propietarios.

En la noche del 8 de agosto de 1926, Manuel mató a Rovira cerca del almacén de Colonia Lineal. Según Manuel, Rovira fue hasta allí con el deseo de utilizar el teléfono que había en el almacén, para avisar a un taxi. Pero él no se lo permitió porque el administrador de la Colonia tenía prohibido que se usara el teléfono sin su autorización. Entonces Rovira, muy enfadado, le cogió de la pechera y le abofeteó. Manuel reaccionó golpeándole con la carabina en la cabeza. Rovira cayó de rodillas, pero como hizo además de sacar un arma mientras le amenazaba, Manuel volvió a golpearle con el cañón de la escopeta en la cabeza, rompiéndose la culata. Al comprender que le había matado, fue a entregarse.

En el juicio, celebrado en mayo del año siguiente en la Audiencia y presidido por el magistrado José Rovira Argandoña, el abogado defensor dijo que Manuel había actuado en defensa propia, pero tanto el fiscal como el abogado de la acusación particular presentaron otra versión, avalada por los médicos forenses y la viuda e hijos del fallecido, quienes aseguraron que Rovira padecía una sordera ligera pero que le imposibilitaba hablar por teléfono. Según esta versión, que fue la que prevaleció, la noche de autos Manuel llevó engañado a Rovira hasta cerca del almacén, donde le dio a traición un golpe con su carabina en la cabeza, produciéndole desgarramiento del pabellón de la oreja y pérdida de conocimiento. Ya en el suelo, recibió otro golpe en la frente, tan fuerte, que rompió la carabina, causándole el hundimiento del cráneo y la muerte instantánea. Pero aún recibió un tercer golpe en el maxilar con el cañón de la escopeta.

Francisco Rovira Coloma, el hijo del asesinado que sobrevivió al paludismo en Melilla, se negó el 29-10-1931 a pagar a Antonio Pastor las 22,50 pesetas que le debía por el viaje que había hecho en su taxi. El taxista puso una denuncia y el juez declaró en rebeldía a Rovira el 23 de diciembre, porque se había fugado. Fue capturado y encarcelado en Madrid en abril del año siguiente.

El 11-11-1931 fue detenido Julián Rovira Coloma por negarse a abonar las 19 pesetas a que ascendían las consumiciones que había realizado en un restaurante.

En 1932, Rafaela Rovira Coloma tenía 34 años, era viuda y vivía en la calle Torrijos. El 7 de noviembre de aquel año denunció a la propietaria de una casa de prostitución (Navas, 12) porque rompió los cristales de su casa con un zapato y le produjo lesiones leves de las que debió ser atendida en la Casa de Socorro.

El 5-3-1934 fue denunciado Francisco Rovira Coloma, de 38 años, por promover un gran escándalo en la avenida Méndez Núñez, estando embriagado.

En 1953, la sociedad Montahud y Rovira abrió un taller de lencería y bordados en Álvarez Sereix 9. Los socios eran Francisco Rovira Coloma y su esposa, Clotilde Doménech, quienes habían tenido un hijo el 27-7-1934. En 1954 instalaron un grupo electrógeno. Pero en 1958 volvió a solicitarse permiso para abrir en el mismo lugar un taller de confección de ropa interior, esta vez a nombre solo de Francisco Rovira Coloma.

En 1959 Mariana Rovira Coloma abrió una tienda de comestibles en San Luis 19, y en 1962 su hermana Antonia aumentó dos pisos su casa de Huerta, 113.

BAUTIMOS Y MATRIMONIOS (ss. XVI-XIX)

SIGLO	BAUTISMOS ROVIRA PRIMER APELLIDO			MATRIMONIOS VARÓN ROVIRA		
	STA. MARÍA	S. NICOLÁS	TOTAL	STA. MARÍA	S. NICOLÁS	TOTAL
XVI	0	6	6	0	1	1
XVII	5	58	63	3	11	14
XVIII	6	169	175	3	27	30
XIX	48	153	201	10	35	45

«La Transición fue un proceso bello y democráticamente irreprochable»

José Carlos Rovira Soler estuvo preso en la cárcel de Carabanchel desde agosto de 1973 hasta febrero de 1974. En 1970 había ingresado en la célula clandestina del PCE en la facultad de Filosofía de la Universidad Complutense de Madrid. «Me pillaron en marzo de 1971 repartiendo *Mundo Obrero* en la facultad». Estuvo detenido preventivamente 45 días. Le soltaron, pero en el juicio que se celebró en 1972 fue condenado a dos años de prisión. «Me redujeron la condena a la mitad por el indulto de MATESA». Reconoce que no lo pasó muy mal gracias a su tío Agatángelo Soler: «Se movilizó mucho para impedir que me pasara cualquier cosa».

Militó en el PCE hasta 1979 y sus recuerdos de aquellos tiempos son, en general, buenos. «La transición fue un proceso bello y democráticamente irreprochable. Ahora habrá cosas que corregir, pero no hay que renunciar a lo que fueron aquellos años».

José Carlos nació el 7 de enero de 1949 en la calle Belando. Estudió Bachillerato en el instituto Jorge Juan y se licenció en Filosofía y Letras en 1971, en la Complutense.

Fue lector en la Universidad de Florencia entre 1974 y 1976. Ha sido profesor invitado en numerosas universidades extranjeras. Ha publicado unos

120 artículos y varios libros sobre su especialidad latinoamericana. El último, titulado *Miradas al mundo virreinal*, apareció en la UNAM de México en diciembre de 2015. Dirige la revista *América sin nombre*. Ha sido vicerrector de Nuevas Tecnologías (2000-2001) de la UA, desde donde participó en la creación de la Biblioteca Virtual Miguel de Cervantes, y también vicerrector de Extensión Universitaria (2001-2005). Es miembro correspondiente de la cubana Sociedad Económica de Amigos del País y gran oficial de la Orden Al Mérito de Chile.

En 1972 se casó con la abogada Concepción Collado Mateo, a quien conoció cuando ambos tenían 18 años en unos Juegos Florales que él ganó. Tienen dos hijos: José, que nació en Florencia en 1976, y Joan Miquel (Alicante, 1979). José es profesor en la UA de Didáctica de la Lengua y Literatura, y está casado con Celia Caballero. Joan Miquel se licenció en Historia, se dedica a la organización de actividades culturales, está casado con Séfora Bou y es padre de Joan Marc (2014).

El padre de José Carlos nació en Valencia en 1910, pero vino a vivir muy joven a Alicante. Se llamaba Juan Rovira Gomis y, como ya sabemos, fue maestro. Se casó en 1940 con Matilde Soler Llorca y tuvieron cuatro hijos: Matilde (1941), que vive en Madrid; Juan (1944), que vive en Valencia; Agatángelo (1946), que falleció en 2015; y nuestro entrevistado.

«No recuerdo a mis abuelos paternos porque tenía 5 años cuando murió mi abuela y un año cuando murió mi abuelo», dice José Carlos. Pero sí sabe que José Rovira Reus nació en Valencia, que era funcionario de Correos y que vino trasladado a Alicante a mediados de la década de 1920, ya casado con la alicantina Pepa Gomis. Tuvieron dos hijos: José (1908) y Juan.

SELLÉS

UN POETA ENTRE FUNCIONARIOS

En los libros de registros de las dos parroquias más antiguas de la ciudad de Alicante (Santa María y San Nicolás), se encuentran algunas variaciones de este apellido, como Seller o Sellers. Una de las primeras familias de Sellés alicantinos que están documentadas la formaron Juan y Josefa Marco, que bautizaron a seis de sus hijos en Santa María: Beatriz (5-9-1558), Miguel (4-10-1560), Pedro (8-5-1565), Juana (10-4-1569), Francisco Juan (15-7-1571) y Vicente Juan Sellés Marco (6-11-1574).

Esteban Sellés fue un mercader alicantino que vivió a caballo entre los siglos XVII y XVIII, de cuyos procesos judiciales en 1709 y 1711, por deudas debidas y reclamadas, tenemos constancia gracias a los legajos conservados en el Archivo Municipal.

Ya en el siglo XIX, sabemos por el Padrón de propiedades, valores y rentas líquidas de 1814, que Rafaela Sellés, consorte de Juan Diego López, era la propietaria de una casa en la calle de San Roque valorada en 3 000 reales.

Gregorio Sellés era en 1839 un miliciano nacional de caballería que vivía en la calle Santa Faz. El 26 de febrero de aquel año le fue requisado su único caballo, por el que le dieron un papel en el que se le reconocía una deuda de 2 000 reales de vellón. Pero el 1 de marzo se dirigió por escrito al alcalde reclamando que se le pagara el importe en metálico (tal como mandaba la real orden del 5 de febrero), para así poder comprarse otro caballo y poder participar en las funciones gimnásticas que iban a celebrarse en la plaza de toros.

José Sellés era alcaide de la cárcel. En enero de 1839 se le concedió un aumento salarial de seis reales diarios. Su sueldo era de 300 reales. Pero en 1845 fue encerrado en los calabozos del castillo de Santa Bárbara por negligencia.

Entre enero y febrero de 1862, el jornalero de 19 años Francisco Muñoz Sellés cumplió un mes de arresto mayor por haber lesionado a su compañero Onofre Dorio, a quien hubo de indemnizar con 90 reales. Le dio un simple bofetón por insultarle, pero Onofre cayó al suelo y se golpeó la cabeza con el borde de la acera.

Francisco Sellés Ferrándiz era escribiente de la Diputación Provincial. En 1868 tenía un sueldo anual de 300 escudos.

En 1870, Josefa Sellés vivía en la calle Teatinos y estaba casada con el cochero José García. A las diez de la mañana del primer día de aquel año, dio a luz a un niño, al que llamaron Manuel.

José Sellés fue director de las Casas de Beneficencia. Estuvo casado con Ana Lledó. Falleció el 4-2-1887. Su hija Josefina murió siendo niña el 8-2-1893, de gripe. Su hijo Lorenzo Sellés Lledó era el director del colegio de niños El Progreso, en 1899.

Enrique Fayos Sellés abrió en 1900 el salón Le Bonneur en el paseo Méndez Núñez, 11, donde los caballeros podían encontrar servicios de peluquería, duchas y limpiabotas. A los clientes se les obsequiaba con un cupón por cada servicio, teniendo derecho a un retrato de bolsillo, «ejecutado en un acreditado taller fotográfico de esta capital», cuando reuniese 15 cupones, otro de un tamaño mayor por 30 cupones o «un elegantísimo retrato con marco de felpa, surtido de colores», por 40. Muy pronto se le asoció el maestro peluquero Ángel Gómez.

Miguel Sellés González resultó gravemente herido el 2-4-1901, al explotarle en las manos el cartucho de dinamita con el que pretendía pescar en la Cantera.

Nacido el 1-9-1902, Francisco Monerris Sellés solicitó permiso municipal en 1940 para elaborar helados en la calle Hernán Cortés, y venderlos en plaza Chapí, 8 y Francos Rodríguez, 10. Al año siguiente también pidió autorización para vender los helados de manera ambulante en el paseo de los Mártires y calles adyacentes, y para instalar un electromotor en la heladería que tenía en Manero Mollá, 16. Abrió en 1947 un comercio de artículos coloniales en Capitán Segarra, 13; instaló una cámara frigorífica en San Ildefonso, 6, en 1950; un tostadero de café con motor en Navas, 38, y otro en General Goded, 36, en 1952; amplió su negocio en Navas, 38 con venta de quesos y mantecas, en 1953; en 1962 abrió otra tienda de coloniales en Navas, 33 y un depósito de alimentos en Segura, 19, donde también abrió un año después una oficina de agente comercial. Su hermana Lola, que se casó el 26-5-1923 con Joaquín Ibáñez en la iglesia de San Francisco, reformó en 1949 la tienda de ultramarinos que regentaba en Castaños, 24.

El socialista Juan Sellés Peidró fue elegido vocal del comité de la federación de obreros pintores de España en noviembre de 1904, en representación de la sociedad alicantina La Lucha. En marzo de 1913 fue nombrado presidente del Grupo Artístico Obrero, constituido en el Centro Obrero (Castaños, 46). Murió el 14-5-1915.

José Sellés Orts atropelló con el tranvía que conducía a un niño el 13-3-1905, que murió.

Juan Sellés Lloret era calderero de ferrocarril. En 1939 fue condenado a 12 años de prisión, por masón.

Francisco Soler Sellés obtuvo el título de médico en diciembre de 1907. Era concejal en 1935. Se suicidó el 10-8-1938, arrojándose por la ventana de su domicilio al patio de la casa número 1 de la calle Miguel Soler.

José Sellés Miguel, jornalero de 27 años y con domicilio en el pasaje París, 16, obtuvo permiso el 5-3-1896 para casarse con la expósita Consuelo Narciso, de 17 años. El 14-11-1910 fue detenido por pegarse con otro jornalero. Su hijo José Sellés Narciso fue nombrado conserje de la banda municipal el 16-10-1924, pero fue destituido en enero de 1940 por no haberse presentado a la depuración realizada entre los funcionarios tras la Guerra Civil.

José García Sellés estudió en la Escuela de Comercio en los primeros años de la década de 1920. Entre 1945 y 1952 fue oficial del negociado de Fiestas del ayuntamiento; secretario accidental en 1953 y 1954; jefe de negociado a partir de 1957 y de nuevo secretario accidental en 1962-1963. Su hermano Alejandro abrió en 1959 unas oficinas de Seguros La Suiza en Canalejas, 6.

En diciembre de 1927, José Sellés Moltó era presidente de la peña taurina «Mariano Rodríguez» (Castaños, 20). En 1928 construyó dos casas en la avenida Jijona, otra en 1931, y tres más en la calle Francisco Carratalá Cernuda, en 1929. En marzo de 1934 fue denunciado por Joaquín López, y acusado de estafa y alzamiento de bienes, porque el 15-3-1930 le dio López «en concepto de préstamo 2 000 pesetas, para cuya garantía le entregó un documento de compromiso de venta de un solar; y posteriormente 1 500 pesetas al 4 %, y lejos de devolverlas ha vendido el solar y ha quedado insolvente».

Francisco Escobedo Sellés, empleado y con domicilio en Catedrático Ferré Vidiella, 7, entresuelo, se dirigió al alcalde por escrito el 14-11-1963, para denunciar que la industria denominada Inecrón, situada en los bajos de su casa (con entrada por San Juan Bosco, 12), no solo seguía funcionando, produciendo sus motores un molesto ruido día y noche, a pesar de que había sido ordenado su cierre en diciembre de 1959 por «considerarse tal industria y en ese emplazamiento, insalubre, inadecuada y peligrosa», sino que además había sido ampliada. Inecrón fue definitivamente clausurada, y un año después fue el propio Escobedo Sellés quien abrió un almacén en Pintor Lorenzo Casanova, 54, a nombre de Almacenes Generales de Papel.

Luis Sellés Bosch

Nació en 1840. A los 14 años entró de aprendiz en la imprenta de Rafael Jordá. En 1862 fundó el semanario *La Trompeta* y en octubre de 1868 el bisemanario republicano *El Alerta*. Fue, por tanto, el fundador y director de la primera publicación republicana que viera la luz en Alicante.

Cuando la Junta Revolucionaria, tras el triunfo de La Gloriosa en 1868, acordó cambiar de nombre las calles alicantinas relacionadas con la dinastía depuesta, Luis fue la mano ejecutora que hizo desaparecer los azulejos que rotulaban el Paseo de la Reina (pasó a llamarse Méndez Núñez), la plaza Isabel II (Libertad), calle de la Princesa (Prim) y calle de Aparicio (Cádiz). Este último cambio se debió a la creencia de que la calle estaba dedicada al último comandante general de la provincia, Francisco Aparicio Pardo; pero en realidad tenía ese apellido en honor a un ilustre pintor alicantino. Por otra parte, cuatro años más tarde, el Gobierno de Ruiz Zorrilla concedió al brigadier Aparicio Pardo la Gran Cruz del Mérito Militar «por los servicios prestados a la causa del orden el 21 de Septiembre de 1868 en la ciudad de Alicante».

Luis Sellés instaló en 1880 un panorama (bastidor giratorio en el que se disponía un enorme lienzo cuyo discurrir presentaba un cuadro continuo), que anunciaba así en la prensa: «Panorama. En la calle de San Fernando, número 10, se exhibe uno, el cual representa los principales acontecimientos de la inundación de Murcia, y vistas de varios capitales del mundo» (*El Graduador*, 14-3-1880). En ese mismo lugar tenía abierta una galería de arte.

Entre 1882 y 1897 se dedicó a gestionar la conversión de títulos de deuda, y a comprar pagarés de Cuba, Puerto Rico y Filipinas. Primero tuvo su oficina abierta en San Francisco, 53, principal; luego en Jorge Juan, 24, entresuelo; y después en Gerona 4, 2.º.

En 1887 se anunciaba como representante provincial de La Publicidad Postal, una empresa madrileña que se dedicaba a insertar anuncios en los sobres de las cartas, con cinco céntimos de rebaja para los remitentes en la compra del sello postal. Un año después, abrió en la plaza de Alfonso XII, 10 (actual Plaza del Ayuntamiento) La Agencia, dedicada a la colocación de sirvientes de ambos sexos. Y en 1893 anunciaba su tienda de cocinas («para guisar con toda clase de carbones minerales y leña»), cuyo depósito se hallaba en la plaza San Francisco, 16.

En septiembre de 1896 fue detenido por criticar la manifestación de simpatía con que un grupo de alicantinos despidió a los soldados del Regimiento de la Princesa que partieron hacia Cartagena, para embarcarse rumbo a Cuba. Pero el gobernador civil lo puso en libertad a las pocas horas, arguyendo que se trataba de un «republicano anodino, uno de tantos patriotas á quienes el olor de la pólvora les produce mareos». En enero de 1902 fue nombrado administrador del diario *La voz republicana*, pero fue cesado cinco meses después.

En abril de 1908 pidió autorización para instalar durante los meses de verano un pabellón cinematográfico «en la prolongación del paseo de los Mártires, donde se hallaba instalado el Teatro Verano». Vivía entonces en San Fernando 24, 3.º.

Autor de varias obras de teatro, en 1915 acabó *La agencia de criadas*, inspirada en La Agencia que abriera en 1887. Era un «juguete cómico en un acto y en prosa» que tuvo cierto éxito cuando por fin fue estrenado el 5-9-1918 en el teatrito del Orfeón.

Sellés-Llinares

Josefa Sellés Llinares tomó el hábito de agustina el 29-4-1904.

Felipe Sellés Llinares era dependiente de comercio. En abril de 1939, con 31 años, estaba prisionero en Burgo de Osma.

Francisco Sellés Llinares abrió en 1945 una vaquería para dos reses en avenida Condes de Soto Ameno, 43, y una cabrería en el 55 de la misma avenida, en 1954. Entre medio pidió anualmente permiso para vender leche de manera ambulante en las calles Gravina y Benito Pérez Galdós.

Hilario Sellés Llinares pidió permiso municipal en 1962 para aumentar cuatro pisos la casa situada en Manuel Antón, 20, e instalar un ascensor al año siguiente.

Sellés-Buades

José Sellés Buades murió el 7-5-1913.

Bautista Sellés Buades murió el 9-11-1941 en el Hospital Provincial. Había quedado sepultado al derrumbarse la cueva en la que vivía, en el castillo de San Fernando. El hecho fue investigado por el juzgado número 1, pero en el sumario no quedó registrado el lugar donde fue enterrado. De ahí que, 17 años después, el 21-1-1959, su hermano Francisco Sellés Buades recurriese al ayuntamiento para que se le expandiese un certificado de inhumación, el cual fue fechado el 9 de febrero siguiente, indicando que había sido «inhumado en la fosa general del cuadro 19, fila 1.ª, número 11».

RAMA POÉTICA

Llamaremos así a las familias relacionadas con el poeta Salvador Sellés.

Salvador Sellés Gozálbez

Nació el 21-4-1848 en la calle Travesía del Cuartel, 1, esquina con la plaza San Francisco (hoy Calvo Sotelo), enfrente del cuartel que había en dicha plaza. Era hijo de Francisco y María Antonia. Estudió en el Instituto y en el Centro de Artesanos, creado en 1863. También frecuentó la sociedad cultural El Estudio, inaugurada el 30-1-1868, y la Tertulia del Progreso Democrático, donde solía leer sus poesías.

Entró a trabajar como empleado de Correos, pero desde muy joven se dedicó al periodismo y a la literatura. Colaboró con varias publicaciones alicantinas (*Letras Levantinas*, *Peña Alicante*, *El Municipio*, *El Luchador*, *La Ilustración Popular*), de Madrid (*Las dominicales del libre pensamiento*) y de América. Como ferviente espiritista, publicó numerosos artículos y poemas en *La Revelación*, revista fundada y dirigida por Ausó y Monzó. Con el número 18 de esta revista (20-9-1872), salió publicado un suplemento con la «Contestacion de D. Salvador Sellés á *El Látigo*, periódico neo-católico escrito por don Benedicto Mollá», en el que defendía la doctrina espiritista.

Vivió unos años en Alcázar de San Juan y se instaló en Madrid en 1875. Se casó el 5-2-1876 con Lorenza Pastor, que falleció el 21-3-1921 en Alicante, adonde regresó definitivamente Sellés a principio de siglo. No tuvieron hijos.

Reunió la mayor parte de su poesía en 1901, bajo el título *Hacia el infinito*. Fue el primer presidente del Círculo de Bellas Artes de Alicante, creado en 1918. Fue nombrado hijo predilecto de Alicante y se le otorgó la medalla de la ciudad el 21-8-1925; y se le concedió la banda de la Orden de la República el 30-5-1936. Murió el 9-2-1938 de un colapso cardiaco. La casa mortuoria estaba en Castelar, 1. El ayuntamiento corrió con los gastos del entierro y ofreció una sepultura gratuita a perpetuidad.

En 1927, el ayuntamiento cambió en su honor el nombre de la calle donde nació por la de Poeta Salvador Sellés. Dos décadas después, cuando esta calle desapareció tras la urbanización de la plaza de la Montañeta, se rotuló una calle del barrio de Juan XXIII con este mismo nombre.

Sellés-Gozálbez

Eran hermanos del poeta, José (muerto el 18-3-1900, a los 62 años) y Lorenzo Sellés Gozálbez. Lorenzo obtuvo el título de profesor mercantil el 10-1-1889. En octubre de ese mismo año fue nombrado ayudante de la Escuela de Comercio. En noviembre de 1898 fue nombrado vocal de la junta directiva del Colegio Pericial Mercantil. Colaboró con *Semanario Católico*.

Contrajo matrimonio con Dolores Navarro García, siendo padres de Lorenzo y Bienvenido. Murió el 21-11-1905.

Sellés-Navarro

Lorenzo Sellés Navarro fue, como su padre, profesor mercantil y catedrático de la Escuela de Comercio (1905). En noviembre de 1919 se casó con Emma Oliver. Murió el 10-6-1930.

Bienvenido Sellés Navarro abrió en 1945 una bodega en Colón, 19, y en 1955 pidió permiso para tener tres huéspedes en su casa de Guzmán, 1.

Sellés-Miquel

Aurelia y Francisco Sellés Miquel eran sobrinos del poeta Salvador Sellés. Lo sabemos porque los acompañó en un viaje a Madrid (*El Luchador*, 27-9-1924). También viajaba la madre de aquellos, Aurelia Miquel, ya viuda, que era profesora en la Escuela Normal de Madrid.

Aurelia Sellés Miquel fue profesora de piano desde muy joven. Fue la única pariente del poeta que estaba presente cuando este fue homenajeado en Alicante el 22-8-1925.

Federico Sellés Miquel anunciaba en 1929 en la prensa su «Consulta exclusiva de Enfermedades de la Piel y Secretas. De 10 a 1 y de 4 a 7. Plaza de Castelar, 1, entl.», presentándose como «ExAlumno del Hospital St. Louis, de París». Obsérvese que la dirección coincide con la casa donde falleció su tío, el poeta. Ese mismo año de 1929 fue nombrado médico honorífico y gratuito de la Beneficencia Municipal. Trabajó en la Casa de Socorro hasta el final de la Guerra Civil. Fue depurado y cesado por haber sido vocal del Sindicato Médico de la UGT, y condenado el 27-6-1944 a 12 años y un día de prisión.

Sellés-Chaques

Julio Sellés Chaques fue a Madrid en 1927 «para asistir a la boda de su encantadora sobrina Aurelia Sellés Miquel» (*El Luchador*, 5-11-1927). En 1915 presidía la sociedad Orfeón (cofundada por el poeta Salvador Sellés). Fue comerciante y concejal (1916-1920). Vivía en Sagasta, 74 cuando falleció su esposa, Remedios Uriarte (9-1-1918), con quien tuvo cuatro hijos: Roberto, José, Luis y Faustino. En 1936 era presidente de la hoguera Calderón de la Barca, cargo que retomó tras la Guerra Civil (1941-1943).

José Sellés Chaques se casó el 29-7-1916 con Teresa Juan.

Esteban Francisco Sellés Chaques vivía en 1916 en Explanada, 30. Casado con Isabel Arias, fue padre de Francisco y de José. Murió en agosto de 1925.

Manuel Sellés Chaques contrajo matrimonio el 15-6-1923 con Consuelo Espuch. En enero de 1938 fue nombrado contador de la cooperativa de Izquierda Republicana.

Antonio Sellés Chaques pidió permiso en 1932 para realizar obras en su casa de Navas, 22.

Sellés-Rameta

Francisco Sellés Chaques fue padre de Concepción y Félix Sellés Rameta.

Conchita Sellés Rameta se casó el 16-4-1930 con José Alonso Mallol. Dos años después tenían dos hijos y él era el gobernador civil de Sevilla.

Félix Sellés Rameta abrió en 1953 una tienda de artículos de limpieza en Segura, 2.

RAMA NUCIERA

José Sellés Lledó nació en La Nucía en la madrugada del 25-2-1834. A los 17 años ingresó en el Ejército, en el VI Regimiento de caballería de Almansa. Durante los años siguientes fue promovido a sargento segundo (1852), sargento primero (1861), brigada (1862) y alférez del Regimiento de Húsares de Bailén (1864). Tras varios destinos por el sur peninsular, el 3-1-1866, cuando el general Prim se alzó en armas en Villarejo de Salvanés, Sellés le siguió con los hombres que tenía bajo su mando en Ocaña; y cuando el pronunciamiento fracasó, Sellés fue condenado a muerte por un tribunal militar, pero logró huir a Portugal.

En Funchal (isla de Madeira), contrajo matrimonio con Amalia Correira de Nóbrega, con quien tuvo un hijo: Miguel. Ella falleció en el parto. Tras el triunfo de Prim en la Revolución de 1868, Sellés regresó a España, siendo ascendido a comandante y puesto al mando del Regimiento Lusitania Octavo de Lanceros, en Barcelona. Al año siguiente fue ascendido a teniente coronel.

Se casó en segundas nupcias en Barcelona con Magdalena de Arozarena, con quien tuvo dos hijas: María Antonieta y Mercedes Sellés de Arozarena. En 1876 se le concedió la Cruz Sencilla de San Hermenegildo, y dos años después fue ascendido a coronel, con destino en Gerona.

De nuevo viudo, en 1883 se casó con Luisa Marsell Soler, con quien no tuvo descendencia; y en 1884 solicitó la baja en el Ejército, diagnosticándosele en el hospital militar de Valencia «vértigos apoplejicos». Retirado en su finca nuciera del Captivador, viajó con frecuencia a Alicante y Barcelona, para visitar a sus hijos. Falleció el 16-4-1893, en La Nucía, de «una congestión pulmonar».

Mercedes Sellés de Arozarena se casó con Alfonso de Rojas y Pasqual de Bonanza. Fueron padres de Joaquín de Rojas Sellés (16-6-1896), que sería director del Museo Arqueológico Provincial, comisario de la Dirección General de Bellas Artes y director general de prisiones. El 16-3-1920, Mercedes solicitó un donativo al ayuntamiento, como Camarera de la Archicofradía de Nuestra Señora de los Remedios, para reparar el Camarín de la Patrona.

Sellés-Seoane

Miguel Sellés y Correa de Nóbrega nació el 12-11-1867 en Funchal (Madeira). Su segundo apellido, Correira de Nóbrega, se españolizó después de que viniese siendo niño a vivir a España, con su padre. En 1920 era secretario particular del alcalde de Alicante, y en 1925 ocupaba el cargo de jefe de negociado de Fomento del ayuntamiento.

En la tarde del 10-12-1937, alrededor de las 5 y durante poco más de un cuarto de hora, tres buques de guerra rebeldes bombardearon la ciudad de Alicante. Entre los heridos se encontraba Miguel Sellés y Correa de Nóbrega, con domicilio en Jorge Juan, 20, «de 69 años de edad, herido de flexura brazo izquierdo, fractura húmero izquierdo y dos heridas en pierna derecha, conmoción», que fue atendido en la Casa de Socorro, según noticó *El Luchador* al día siguiente. Pero debió de recuperarse pronto, ya que tres meses más tarde el mismo periódico lo volvía a mencionar como «Jefe de Negociado del ayuntamiento».

Se casó a los 25 años de edad con Marcelina de Seoane Segovia. Tuvieron seis hijos: Magdalena, Concepción, José Carlos, María Antonieta, Miguel y Julio Sellés de Seoane.

Concepción Sellés de Seoane se casó con Francisco Orozco, oficial de Aduanas de Valencia, ciudad en la que vivieron. En abril de 1929 tuvieron a su primer hijo.

José Carlos Sellés de Seoane aprobó el 22-11-1916 la oposición como empleado de Correos. El 29-12-1924 contrajo matrimonio en Santa María con Carmen Navarro Soler. Tuvieron un hijo el 21-2-1927; y una hija el 1-2-1933, mientras José Carlos estaba destinado en Sax como administrador de Correos.

En *El Alicantino* del 27-4-1892, se cuenta que «el domingo por la tarde llamó mucho la atención en los jardines de la Esplanada la elegante amazona y bellísima señorita D.ª María Antonieta Sellés, hija de nuestro amigo el coronel de caballería D. José Sellés Lledó». Desposó en abril de 1934 con Alejandro García.

Miguel Sellés de Seoane fue jefe de negociado del Ayuntamiento de Alicante durante las décadas de 1940, 1950 y 1960. Fue presidente de la hoguera Puente-Villavieja en 1950. Casado con Josefa Beltri Bernabeu, el 30-4-1933 bautizaron en Santa María a su hija Josefa.

Julio Sellés de Seoane era en 1931 redactor de *El Luchador* y vocal de la junta directiva de Juventud Republicana. En 1933 era redactor de *Alicante Deportivo*. También colaboró con el semanario *Rebeldía*.

Estadísticas SELLÉS

LUGAR	APELLIDO 1.º	APELLIDO 2.º	AMBOS APELLIDOS	TOTAL	% ESPAÑA	% PROVINCIA
ESPAÑA	3 540	3 481	48	7 069	100	----
PROVINCIA ALICANTE	1 632	1 602	45	3 279	46,38	100
ALICANTE CIUDAD	349	329	7	685	9,69	20,89

Fuentes: INE y Ayto. Alicante.

BAUTIMOS Y MATRIMONIOS (ss. XVI-XIX)

SIGLO	BAUTISMOS SELLÉS PRIMER APELLIDO			MATRIMONIOS VARÓN SELLÉS		
	STA. MARÍA	S. NICOLÁS	TOTAL	STA. MARÍA	S. NICOLÁS	TOTAL
XVI	13	14	27	1	3	4
XVII	30	81	111	9	24	33
XVIII	29	70	99	4	24	28
XIX	27	146	173	4	41	45

Raíces nucieras

Miguel Ángel Sellés Pacheco nació en Alicante el 25-2-1970. Diplomado en Empresariales y máster en Recursos Humanos, ha sido empleado durante 16 años de una multinacional y ahora, además de impartir cursos de formación de Recursos Humanos y Ventas, trabaja para una empresa distribuidora de alimentación.

«Me casé el 31-5-2002 con Cristina Bascuñana Bas y tenemos dos hijos, nacidos en Alicante: Miguel Ángel, el 17-1-2004, y Ariadna, el 17-1-2008».

Su hermana Beatriz nació también en Alicante, el 27-10-1974. Es responsable de equipos de una empresa de gestión de activos inmobiliarios, se casó el 11-6-2004 con Javier Llorca y es madre de dos hijos: Pablo (12-7-2006) e Isabel (18-8-2009).

Miguel Ángel y Beatriz son hijos de Miguel Ángel Sellés Beltri y M.ª Dolores Pacheco, ambos alicantinos, que contrajeron matrimonio el 8-7-1967. «Mi padre tuvo varios trabajos. El último fue en la Delegación del Trabajo, donde entró en 1963. Se jubiló el último día de junio de 2002 y falleció el 21-5-2011».

Miguel Ángel Sellés Beltri había nacido en Alicante el 23-5-1939 y tenía dos hermanas: Josefina, que nació el 18-4-1933, y Cristina (25-6-1947).

Josefina Sellés Beltri se casó en Alicante con el guipuzcoano Jesús Iribas el 28-7-1956. Tuvieron una hija: M.ª Soledad (Marisol), que nació en Alicante el 28-5-1957. Marisol Iribas Sellés trabajó durante 25 años como administrativa en Sanidad; ahora está jubilada. «Me casé en 1980 con Antonio Penalva, con quien tuve dos hijas: Gema (1981) y Soledad (1982). Me divorcié en 1985 y me volví a casar con Eduardo Pociello, que murió en 2001, con quien tuve a Laura (1989), que está soltera y se fue hace cuatro años a Alemania para trabajar de enfermera. Tengo previsto casarme de nuevo en septiembre del año que viene con mi actual pareja, José Antonio Velasco», dice Marisol.

Cristina Sellés Beltri trabajó como administrativa en el ayuntamiento alicantino hasta que se casó, el 27-12-1969, con José Manuel Sanjuán Gisbert, un empresario de Ibi. «Vivimos unos años en Ibi y luego nos vinimos a Alicante», cuenta Cristina, que tiene dos hijos: Cristina (9-10-1971), administrativa, casada con David Bernal y madre de Álvaro; y José Luis (13-5-1973), que es director de Unión de Mutuas y vive en Tibi con su pareja, Marisol.

Los padres de Josefina, Miguel Ángel y Cristina Sellés Beltri se llamaban Miguel Sellés de Seoane y Josefina Beltri Bernabeu. Se casaron el 26-9-1931. Ella había nacido en Alicante (15-12-1911) y él en La Nucía (18-3-1905). «Mi padre se jubiló a los 70 años, después de trabajar más de 50 en el Ayuntamiento de Alicante. Fue jefe de la 5.ª Sección. Antes había trabajado en el periódico *El Día*. Falleció el 11-1-1988», dice Cristina Sellés Beltri, que recuerda: «Vivíamos en Villavieja, 15, 3.º. Hacia 1950, mi padre compró una finca en San Vicente, llamada "San Miguel", que fue expropiada cuando se construyó la Universidad». «Mi abuelo era muy festero y le gustaba mucho disfrazarse. El día de Todos los Santos solía disfrazarse de Belcebú. También procesaba en Semana Santa», dice Marisol. «Salía en cuatro procesiones y era hermano de orden en tres cofradías», puntualiza Cristina. Durante la Guerra Civil, al llegar un día a su casa, Miguel le dijo a su esposa que acababa de volver a nacer. Le contó que en la puerta le estaban esperando varios milicianos para subirle a un camión y darle «el paseo», pero que lo evitó uno de ellos, al reconocerle. Unos meses antes le había ayudado a casarse tramitándole los papeles que precisaba.

Miguel Sellés de Seoane era el quinto de seis hermanos: «José Carlos fue empleado de Correos en Barcelona; Magdalena murió joven; Concepción se casó con Francisco Orozco y vivió en Valencia; M.ª Antonia se casó con Alejandro García Barcia; y Julio fue representante de la casa Valor, se casó con Pilar Lledó y tuvieron un hijo: José Manuel, que fue jefe del Centro Farmacéutico y murió en 2012. Estaba casado con Pilar y tuvieron dos hijos: Antonio y Julio», enumera Marisol con precisión.

Los seis hermanos eran hijos de Miguel Sellés Correa de Nóbrega y Marcelina de Seoane. «Mi abuelo era oficial de primera del Ayuntamiento de Alicante. Falleció en septiembre de 1956», recuerda Cristina.

TEROL

CONSTRUCTORES

En la ciudad de Alicante, el documento más antiguo que se conserva en el que figura el apellido Terol es un registro de la parroquia de Santa María: el 25-11-1536 fue bautizado Melchor Terol, hijo de Pedro. Domingo Terol, hijo de Bertomeu, era un labrador con posibles. El 1-11-1542 compró un olivar cargado con un censal de 20 libras de propiedad y 30 sueldos de pensión, por el precio de 10 libras. El 2-7-1544 compró un trozo de tierra de medio cahíz de sembradura por otras 10 libras. El 27-12-1546 firmó la carta dotal con Catalina Berenguer, aportando al matrimonio 150 libras, por 100 de ella. Y el 23-10-1550 compró por 14 libras un censo que tenía una renta anual de 23 sueldos y 4 dineros. Murió antes del 6-8-1566, puesto que ese día el tutor de sus hijos (su cuñado Luis Berenguer) permutó algunos de sus bienes con su hermano Bertomeu Terol.

Otro Domingo Terol fue denunciado en 1672 por herir con arma blanca a un rival de amores en casa de la viuda Leonor Cremades.

En el siglo XVII fueron bautizados en las dos parroquias alicantinas un total de 142 niños y niñas con primer apellido Terol (87 en Santa María y 55 en San Nicolás), y contrajeron matrimonio 40 varones también con Terol de primer apellido (12 en Santa María y 28 en San Nicolás).

SIGLO XVIII

En este siglo fueron registrados 247 bautismos con Terol de primer apellido (10 en Santa María y 237 en San Nicolás), y 56 desposorios de varones con primer apellido Terol (5 en Santa María y 51 en San Nicolás).

El 7 de febrero de 1697 fue bautizado en Santa María (había nacido el 31 de enero) Vicente Mingot Terol, quien llegaría a ser un arquitecto prolífico y longevo, tal como vimos cuando hablamos del linaje Mingot. Fue contemporáneo de dos maestros de obras llamados Antonio y José Terol. Este último fue denunciado el 23-10-1714 por el marqués de Laconi, por incumplimiento del contrato que firmaron el 26 de junio anterior sobre unas obras que debían realizarse en una casa de la calle del Postiguet, por valor de 46 libras. Terol, que tenía 48 años, declaró ante el juez que no era de su incumbencia el trabajo de albañilería de aquellas obras, debiendo entregar solo la madera al albañil, pero fue condenado a deshacer la obra y rehacerla, con gastos a su costa, según las condiciones reflejadas en el contrato.

Leandro Terol era propietario de un almacén con barriles de atún en 1716. Miguel Terol sostuvo en 1719 un pleito con Juan Benito por unas tierras y olivares. Y Antonio Terol, jornalero de San Juan, fue condenado a la cárcel por no poder pagar los 25 doblones con que fue valorado el caballo que pereció como consecuencia del maltrato que le infringió. Esto ocurrió el 26-10-1722, cuando Manuel Riera, guarda mayor de la ronda a caballo, salió de Alicante en compañía de otros dos jinetes y, al llegar junto al convento de la Santa Faz, dejaron sus cansadas cabalgaduras a tres jóvenes que se ofrecieron a cuidarlas y pasearlas. Pero, en vez de ello, las montaron al galope y fustigándolas hasta la Universidad de San Juan. Quien montaba el caballo de Riera era Antonio Terol. Una hora más tarde, Riera encontró a su caballo sudando y con signos evidentes (silla rota) de haberse caído o golpeado. Lo llevó de vuelta a Alicante, pero murió durante la madrugada siguiente, a pesar de los cuidados que recibió por parte de tres veterinarios.

El arquitecto José Terol intervino en la reedificación del pantano de Tibi que se llevó a cabo en 1726, así como en la construcción del nuevo ayuntamiento (1731). También en estas últimas obras participó un maestro cantero llamado José Terol (1748).

Máximo Terol era regidor en 1735, pero más adelante, en 1758, lo encontramos trabajando como médico en el convento de la Santa Faz, cobrando un salario municipal de 20 libras.

En 1741 había un escribano municipal llamado Vicente Terol. Cuarenta y seis años más tarde (1787) encontramos otro Vicente Terol que era arquitecto; quizá fuera el mismo Vicente Terol que, en 1814, poseía una casa en la calle del Hondo valorada en 6 000 reales.

SIGLO XIX

En este siglo se registraron 329 bautismos con Terol de primer apellido (68 en Santa María y 261 en San Nicolás), y 79 matrimonios de varones con primer apellido Terol (21 en Santa María y 58 en San Nicolás).

José Terol Bernabeu era en 1806 el encargado de las fuentes y lavaderos municipales.

Carlos Terol era practicante del hospital militar en 1837.

El abogado Andrés Charques Terol fue secretario del ayuntamiento y alcalde accidental en 1863. Dos años más tarde ejercía también como notario.

Rafael Terol fue oficial de correos y luego (1881) oficial de la fábrica de tabacos.

Miguel Terol, alias El Melguizo, mató a su esposa, Dolores Manchón, que era ciega, el 12-11-1881 en la casa donde vivían, Huerta 30.

José Terol Llopis fue ecónomo de la parroquia de Santa María (1876), vicario de la iglesia de la Misericordia (1886) y presbítero de la de San Nicolás (1887-1899).

Varios Antonio Terol

Antonio Terol era propietario en 1814 de una casa en la partida de la Cruz (Vistahermosa) por valor de 900 reales. Antonio Terol poseía en 1839 una casa en la calle San Francisco. Antonio Terol era uno de los cinco serenos de la ciudad en 1840. Antonio Terol era maestro en un colegio público en 1843. Antonio Terol era un cargo municipal en 1851. Antonio Terol era un guardiacivil que solicitaba en 1852 ocupar la plaza de guardia municipal que había vacante. Antonio Terol era arquitecto en 1879.

Obviamente, no eran la misma persona, aunque los dos primeros debían estar relacionados con otro Antonio Terol que tenía el oficio de herrero y que en 1851 reclamó al ayuntamiento la deuda que se le debía por los trabajos que había realizado para el municipio. Un año después, este maestro cerrajero llevó a cabo varias obras en la cárcel y construyó una casa-almacén en la calle San Francisco. En 1853 volvió a reclamar al ayuntamiento el pago de los 534 reales que le debían. En 1862 construyó una casa en la calle del Cid. Y en 1872, 1874 y 1880 reclamó nuevamente al consistorio el cobro de atrasos por obras realizadas (respaldos de hierro para el paseo de los Mártires, llaves de paso para fuentes, una reja para la cárcel, grifos, bisagras, etc.) por valor 4 859, 4 200 y 1 423 pesetas, respectivamente. Estas últimas veces reclamó en nombre de Antonio Terol e Hijos.

Terol-Maluenda

Los hijos del herrero se llamaban Rafael, Antonio y Manuel Terol Maluenda. Tenían una hermana, Dolores, casada, que falleció el 20-11-1877.

Los tres hermanos varones heredaron la herrería y el almacén, constituyendo la sociedad Hijos de A. Terol. En 1886 se anunciaban en prensa con el siguiente texto: «Almacenes de hierro y ferretería de Hijos de A. Terol. Calle de San Francisco números 55 y 63, Alicante».

El 27-4-1888, mientras se depositaba un cargamento de hierro, estalló un cartucho de dinamita en el almacén de Hijos de A. Terol, sin causar víctimas personales. Como a la sazón uno de ellos, Rafael, era el alcalde de la ciudad, se sospechó que pudiera haber un motivo político en aquel supuesto atentado, pero enseguida se supo que había sido un accidente: «(…) el mismo vapor que trajo los hierros con destino á dicha casa, llevó desde Almería a Cartagena 111 cajones de cartuchos de dinamita, uno de los cuales se rompió en el camino, esparciéndose los cartuchos; y sin duda al ser recogidos éstos, quedó uno oculto entre el haz de flejes de hierro que hizo la explosión» (*El Alicantino*).

Antonio Terol Maluenda era en 1884 un propietario con riqueza imponible de entre 300 y 1 000 pesetas. En 1887 vivía en San Francisco 49, pero dos años antes reedificó la fachada de la casa 63 de la misma calle, que aumentó en varios pisos en 1889. Murió el 24-1-1894.

Como propietario, Manuel Terol Maluenda tenía en 1884 una riqueza imponible menor de 300 pesetas. Tras la muerte de su hermano Rafael, fue el único propietario del almacén de hierro que heredaron de su padre. Estuvo en litigios por testamentaría en 1906 con La Unión Cerrajera. Casado con Carmen Vidal, tuvo un hijo: Antonio.

Rafael Terol Maluenda

Nació en Alicante el 14-5-1842. Nada más acabar sus estudios en el instituto se dedicó al comercio, en la empresa familiar. Tras tomar parte en la revolución de 1868, fue elegido diputado provincial por la circunscripción de Elche, siendo reelegido varias veces y llegando a ser vicepresidente (1882-1883) y presidente (1883-1884) de la diputación. Lideró el Partido Liberal local desde 1872. Fue presidente del Círculo Progresista, de la Sociedad Económica Amigos del País y del Casino.

Alcalde de Alicante desde el 18-3-1887 hasta el 24-12-1890. Durante su mandato impulsó el ensanche de la ciudad, culminó la construcción de la Explanada y el camino del cementerio, y creó la Banda Municipal y el Instituto Químico Municipal.

Diputado a Cortes en 1893, 1898 y 1901.

Fue miembro de la logia Constante Alona y cofundó la logia Esperanza.

En junio de 1878 fue elegido secretario de la junta directiva de la sociedad de caza.

En 1884 vivía en San Francisco, 57, junto al almacén de la familia, pero en 1888 se mudó a una casa que hizo construir en el número 45 de la misma calle. También era propietario de la casa que había en el número, 15.

Era dueño de una finca en Villafranqueza, que usaba para veranear. Casado con Clotilde Abad, tuvo tres hijas: Clotilde, Carmen y Asunción. Enviudó el 6-2-1892.

Falleció el 13-1-1902. Ese mismo año, el ayuntamiento acordó concederle el título de hijo ilustre de la ciudad y rotular con su nombre la calle que hasta entonces era conocida como Babel o Larga.

Clotilde Terol se casó con el médico Pedro Cabello, con quien tuvo dos hijas, nacidas el 16-2-1897 y el 3-3-1900.

Asunción Terol se casó en 1899 con el abogado Luis Pérez. El 11-6-1909 tuvieron un hijo.

SIGLO XX

Tomás Terol Baldaquín construyó en 1908 tres casas en la calle Jericó; otra casa en la calle Rosa en 1914; otra en la calle Segarra en 1925; y otra en la calle Pintor Murillo en 1926. Su hermano Juan Bautista dirigía en 1898 un colegio de niños situado en Valencia, 38.

Serafina Terol Pastor construyó en 1908 una casa en la calle Carlota Pasarón; en 1912 cercó un solar en Sevilla 106; pidió permiso para levantar un panteón en 1927; aumentó un piso en Benito Pérez Galdós 14 en 1927; e hizo edificar una casa en la calle Segura en 1930.

En 1914, Antonio Terol Vidal (sobrino del alcalde Rafael Terol) vivía en Muñoz, 5. José y Antonio Terol Rocamora probablemente eran sus hijos. José construyó en 1936 un chalé en la calle Vistahermosa de la Cruz. En 1950, Antonio era uno de los tres socios de Antonio Terol y Cía., sociedad que construyó una fábrica de cal hidráulica en la finca La Cruz de Piedra.

Rafael Constantino Terol, que trabajaba para los Sucesores de Juan Rubert, fue elegido en 1923 y 1927 presidente del Colegio Oficial de Agentes y Comisionistas de Aduanas. En 1902 había contraído matrimonio con Elvira Oliver; había construido un edificio en Los Estrecho (barrio de Los Ángeles) en 1909; y dos casas en el camino del Castillo de San Fernando en 1924.

Salvador Terol Lozano pidió permiso en 1909 para la instalación de postes y tendido eléctrico, con vistas al abastecimiento de alumbrado público en Villafranqueza.

Domingo Martínez Terol, que era hijo del director de la cárcel, Juan Martínez, y de Juana Terol, estudiaba medicina en Madrid en 1910. Su hermano Antonio, mucho más conocido por el apodo de La Marquesa, murió el 12-3-1924 junto al edificio de las Escuelas Salesianas, al ser acuchillado con su propia navaja por Ramón Lledó, quien alegó defensa propia en el juicio celebrado el 1 de octubre de ese mismo año.

Fernando Terol Sogorb fue detenido en la calle San Rafael en la madrugada del 17-5-1918, tras herir en una reyerta al banderillero Francisco Martínez

Verdú, Chico de la Estacioneta. El último día de enero de 1925 fue denunciado Fernando por amenazar de muerte a su esposa, Isabel Pons, mientras empuñaba una hoz. El día 22 de ese mismo mes, volvió a ser denunciado por reñir en la calle Castaños; tenía 33 años y vivía en Montengón, 4. El 3 de octubre (mismo año) fue nuevamente detenido por promover un fuerte escándalo en la avenida Alfonso el Sabio y resistirse al agente de la autoridad. Año y medio más tarde se celebró el juicio y fue condenado a dos meses y un día de arresto y 125 pesetas de multa. En abril de 1935, ya con 44 años, era otra vez detenido por pelearse con otro en la calle Carmen Mariano.

Los hermanos Eleuterio y Víctor Hugo Meseguer Terol fueron elegidos en mayo de 1919 secretario y vocal de la Sociedad gremial de Salazones y Coloniales, respectivamente. Otro hermano, Juan, fue elegido en enero de 1930 presidente de la sociedad La Marítima de obreros del puerto.

José Terol Miso abrió en 1955 una imprenta manual en avenida de Alcoy, 34 y una imprenta mecánica en Poeta Quintana 56, en 1958.

Alberto Terol tenía una barbería en la plaza de la Constitución. Murió el 26-6-1923.

En la década de 1920 estaba abierto en Gravina, 15 el Gran Hotel Terol, donde se hospedó «el bizarro general don José Sanjurjo» (*El Luchador*, 9-8-1923).

Rafael Gomis Terol abrió una funeraria en 1924, que fusionó en 1927 con otras dos para constituir La Siempreviva.

Carlos Terol Pascual tuvo durante la década de 1930 un horno de pan en Díaz Moreu, 6, que reabrió después de acabar la guerra.

Pedro Cabello Terol (nieto del alcalde Rafael Terol), pidió dos años de excedencia como médico de la Casa de Socorro en mayo de 1936.

Entre 1946 y 1965, los hermanos Óscar, Tomás y Carlos Terol Moya abrieron varios locales dedicados a la venta y distribución de leche: Benito Pérez Galdós, 44 (venta y distribución), calle Santa Bárbara (venta), Rincón de Nogueroles y carretera de Piqueres (vaquerías). Al comienzo de la guerra, Óscar era el propietario de la sociedad expendedora de leche La Esperanza.

A Bautista Terol Ripoll le robaron la bicicleta en agosto de 1935. En 1949 abrió una cuadra para caballería en Ereta, 9; y en 1953 una verdulería en Santa Catalina, 12 (Villafranqueza), que convirtió en tienda de comestibles en 1955. Esta tienda fue traspasada en 1961 a Roberto Terol Ramos. Un hermano de este, Juan, siendo niño y repartidor de leche, fue atropellado en la carretera de San Vicente el 4-1-1935 por un tranvía. El carrito quedó destrozado, pero el niño solo sufrió heridas leves. Vivía en Villafranqueza.

Vicente Terol Calatayud fue multado con cien pesetas el 10-8-1934 por decir groserías a unas chicas en la Explanada. Durante la Guerra Civil fue policía y militante de Izquierda Republicana. Fue detenido al finalizar la guerra, pero puesto en libertad enseguida. En 1954 abrió una agencia de transportes en plaza Gabriel Miró 9, que cerró diez años después.

Vicente Terol Pérez fue ingeniero municipal desde finales de la década de 1950. En el Archivo Municipal se conservan numerosos expedientes de obras públicas que él coordinó o supervisó. En 1963, siendo todavía ingeniero municipal, abrió su propio taller de instalación eléctrica en Maestro Bretón, 9.

José Terol Romero

En 1914 se anunciaba en la prensa como consignatario marítimo con despacho en Fernando 30. En 1917 abrió un almacén en la calle Doctor Just.

En 1923 vendió al Ayuntamiento por 1 000 pesetas una finca «situada en la ladera sur del Benacantil, compuesta de un edificio que fue cuerpo de guardia de la antigua fortaleza del castillo de Santa Bárbara, próximo al barrio de Santa Cruz, que mide 105 m², y de un patio unido a dicho edificio delante del mismo, que comprende el ancho de la frontera de 15 metros, con una longitud de 25 metros que hacen un total de 375 m²», que fue convertido en cuartel de artillería. A cambio, el Estado cedió el castillo de Santa Bárbara al municipio.

También en 1923 construyó una casa en el Fondo de Roenes. Al año siguiente reformó el Salón Granados, situado en Benalúa, que era de su propiedad.

En 1928 se anunciaba como agente de la compañía de seguros marítimos La Fonciere Alicante, con despacho en Fernando, 21.

En agosto de 1936 hizo un donativo de 50 pesetas al comité pro-auxilio de las milicias provinciales.

Este prestigioso comerciante tenía dos hijos:

Francisca Terol Corbí, casada con el oficial de carabineros Manuel García Rico, tuvo una hija el 2-10-1925, que falleció en El Escorial el 10-7-1926.

José Terol Corbí (nacido en 1902) fue maestro compositor, autor de zarzuelas tales como *La última canción*, *Alfonso el enterao* (1918), *La estrella de Oriente* (1920) y *Flor de la sierra* (1921), con la que obtuvo el primer premio Chapí de zarzuela. Casado con María Irles, tuvo mellizos el 22-3-1926. En 1950 abrió un depósito de mercancías en Poeta Quintana, 26.

José Terol Roig

Constructor que en 1929 edificó un almacén en la calle García Andreu. En 1934 construyó una casa en Pinoso, 28, un almacén en la calle Doctor Buades, aumentó un piso en la avenida de Alcoy, 31 y 33, adelantó la fachada de la casa 91 de la misma avenida, y aumentó un piso en la avenida Benito Pérez Galdós y en la calle Pintor Velázquez. En 1935 aumentó un piso y ático en Villavieja, 4. Después de la Guerra Civil, en 1940, construyó una fábrica de colas en Guijarro, 66 y, en 1946, un edificio para almacén en la calle Cerámica.

En 1961 solicitó permiso municipal para reformar la casa situada en Sevilla, 73, pero en representación de Rafael García Lorca.

En 1940, su hermano Francisco Terol Roig tenía 47 años, estaba casado, vivía en Alemania, 21 y era jornalero almacenista.

Terol-Sala

Ramón Terol Sala era un maestro de obras que, en 1935, tenía su taller en plaza San Agustín, 9. Ese mismo año enlució la fachada del edificio situado en San Carlos, 82 y construyó una casa en la calle Gasset y Artime, que en 1944 hizo aumentar en un piso su esposa, Virtudes Domenech. En los bajos de este edificio, Ramón abrió en 1950 una tienda de frutas secas, en la que también vendería vino a partir del año siguiente y que transformó en bar en 1960.

Gabriel Terol Sala construyó en 1946 una casa y almacén en San Pablo, esquina Dato Iradier. En 1949 abrió un depósito de cal en San Pablo, 15. En 1957 construyó un edificio en San Pablo, 19, y en 1959 un garaje en San Pablo, 21. En 1963 aumentó en tres pisos la casa de Dato Iradier, 21. En 1964 construyó con un socio un edificio en San Vicente, 60 y otro en Alcalá Galiano, 46. Al año siguiente, levantó otro edificio en General Primo de Rivera, 2.

José Buades Terol

Fue agricultor y alcalde pedáneo de Orgegia y la Albufereta desde el reinado de Alfonso XIII hasta los primeros años de la dictadura franquista. Fue también síndico y vicepresidente del Sindicato de Riegos de la Huerta. En 1923 fue multado con 25 pesetas por vender leche de cabra de mala calidad a la fábrica de helados La Ibense.

Durante la Guerra Civil protegió en su casa a personas perseguidas por su ideología, sin importarle su filiación política. Falleció el 12-2-1942 en Torre Santiago (Diana, 30).

A propuesta de Alicante Vivo, el ayuntamiento puso su nombre en mayo de 2012 al parque situado en la confluencia de las calles Tridente y Curricán, en Cabo las Huertas.

Escandalosos

Gaspar Terol Andreu fue detenido el 19-5-1905 por robarle 26 pesetas en el mercado a María Gozálbez Terol. Rafael Terol fue detenido por riña y escándalo en 1910. Rafael Terol Asensi, que tenía 24 años, fue detenido en 1934 por escándalo público. Obviamente, no eran el mismo.

Julio Guerra Terol también fue detenido por escándalo público en 1913. José Terol Garrido fue detenido en 1917, pero por hurto. En 1921, Eduardo Terol Rovira fue detenido cuando pretendía robar un pavo.

En 1916, Rafael Gomis Terol fue detenido por escándalo, pero cuesta creer que se trate de la misma persona que abrió una funeraria ocho años más tarde y de la que ya hemos hablado. En cualquier caso, es más que probable que fuese hermano de José Gomis Terol, alias Pepín Cochero (hijo de Vicente y Concepción), quien fue juzgado el 4-6-1932 por estafa, al negarse a pagar un día de agosto del año anterior las 85 pesetas que costaba la consumición que hizo en el bar El Vaticano. Por aquel entonces vivía en Belando, 19, tenía 51 años, estaba casado y era jornalero. Solo tres meses antes, el 6-3-1932, había sido juzgado también por estafa y también por no haber querido pagar las 85,25 pesetas a que ascendía la consumición que hizo el 12 de febrero anterior en el bar Mi Casa (San Nicolás, 22), en compañía de otros tres hombres. José declaró que él no dijo que invitaba a toda la consumición, tal como denunció el dueño del bar, sino solo a una cerveza y a una tortilla, y el juez le absolvió. En abril de 1935 (tenía 54 años y vivía en Villacampa, 32) fue detenido por robar, en estado de embriaguez, un cuchillo de cortar fiambres en el bar La Parra. En la madrugada del 5-3-1943 fue detenido por pelearse en la calle San Vicente, navaja en mano, con otro hombre. Ambos fueron atendidos de heridas leves en la Casa de Socorro. Tres años antes, el 21-5-1940, fue denunciado por contrabando al aprehendérsele 17 puros. En el sumario incoado por el juzgado se lee que «ya ha sido condenado tres veces por faltas de contrabando». Por errores en su tramitación, este sumario todavía estaba abierto en noviembre de 1953.

Carmen Terol Pontes fue detenida en abril de 1937 por ejercer el delito de escándalo público y corrupción de menores. Ejercía la prostitución en la pensión El Faro (Miguel Soler 12; 2.º derecha). Tenía 22 años y estaba soltera. Estuvo encarcelada solo dos días, al concedérsele la libertad provisional. Dos meses después, el comisario informaba al juez de que continuaba dedicándose a la prostitución en el mismo lugar, donde se admitían a menores «amparándose en su calidad de pension para burlar a las autoridades». Cuatro años antes, el 16-5-1933, su hermano José, de siete años, se cayó desde la azotea (segundo piso) de Canónigo Sala 1. Salvó la vida porque en la caída tropezó con unos cables que amortiguaron el golpe que se dio contra el pavimento.

Estadísticas TEROL

LUGAR	APELLIDO 1.º	APELLIDO 2.º	AMBOS APELLIDOS	TOTAL	% ESPAÑA	% PROVINCIA
ESPAÑA	2 837	2 712	36	5 585	100	-----
PROVINCIA VALENCIA	883	868	11	1 762	31,54	-----
PROVINCIA ALICANTE	890	859	21	1 770	31,69	100
ALICANTE CIUDAD	303	301	11	605	10,83	34,18

Fuentes: INE y Ayto. Alicante

Orgullosa de ser palamonera

Nuria Terol Terol nació el 4 de abril de 1973 en el seno de una familia arraigada en Villafranqueza desde hace muchas generaciones.

Se licenció en Sociología en la Universidad de Alicante en 1995. Fue responsable de Marketing de AIRTEL, trabajó en la joyería de Juan Román (en la calle Maestro Pascual Pérez) y, desde julio del año pasado, es la secretaria del decano de la facultad de Bellas Artes, en Altea, dependiente de la Universidad Miguel Hernández.

En 1996 la eligieron Bellea del Foc. «Fue una experiencia maravillosa. Conocí a muchas personas y recibí el cariño de la gente de Villafranqueza», recuerda con mucha gratitud y algo de añoranza.

Se casó en 2001 con José Manuel Domenech y tiene un hijo de 14 años que se llama como el padre.

Los padres de Nuria son José Terol Pérez (nacido en El Rebolledo en 1946) y M.ª Carmen Terol Fuentes (nacida en 1950 en Villafranqueza). Se casaron en la parroquia de San José, de Villafranqueza, en 1972. Tienen seis hijos: Nuria, que es la mayor, José María (1975), Javier (1977), Héctor (1980), Alexis (1983) y Cristian (1986). José María (tiene dos hijos con Beatriz Hernández), Héctor (tiene dos hijos con Isabel Bou) y Alexis (soltero) trabajan en la fábrica La Escandella, de Agost. Javier es técnico de mantenimiento, está casado con Soraya Donis y tiene una hija. Cristian está soltero y tiene una arrocería.

Los abuelos paternos de Nuria se llamaban José Terol Alberola (natural de Monforte) y Lorenza Pérez Quirant, nacida en El Rebolledo, donde vivió el matrimonio. Ambos ya han fallecido; él en 1948, de tuberculosis; ella más recientemente. Además del padre de Nuria tuvieron una niña. «Se llamaba Finita. Falleció cuando tenía solo seis meses, en febrero de 1849», dice nuestra entrevistada.

Su abuelo materno, Roberto Terol Ramos, nació en Villafranqueza. Su abuela, Carmen Fuentes, nació en Orihuela, pero vino a vivir siendo niña a Villafranqueza. Además de M.ª Carmen tuvieron dos hijos: Roberto (casado con Inmaculada García y padre de dos hijos) y Juan José (tiene un hijo con su esposa, Francisca Sogorb). Todos viven en Villafranqueza.

También nacieron y vivieron en Villafranqueza los bisabuelos de Nuria. Se llamaban Joan Batiste Terol Ripoll y Vicenta Ramos. Tuvieron cuatro hijos; Roberto fue el segundo. «Mi bisabuelo Joan Batiste era cantero. Trabajó en la construcción de la plaza del Palamó, la plaza antigua de Villafranqueza, que está al lado de la iglesia».

TORREGROSA

MELODÍA ALICANTINA

Este apellido toponímico tiene su origen en una población leridana del mismo nombre.

Familias con este apellido repoblaron el antiguo Reino de Valencia tras su conquista por Jaime I en el siglo XIII.

Los documentos más antiguos conservados que mencionan a los Torregrosa alicantinos son registros bautismales de la parroquia de Santa María. Se trata de la familia formada por el matrimonio Jaime Torregrosa e Isabel Guilla, y sus hijos Juana (nacida en 1551), Isabel (1554), Ana (1558), Jaime (1561), Leonor (1563), Vicente (1566) y Francisco (1569).

En la segunda mitad de este siglo había un reverendo mosén Jaime Torregrosa, que contaba con el título de magnífico.

Otros clérigos, ya en el siglo siguiente, fueron Pedro Torregrosa, presbítero secretario del Santo Oficio y vicario foráneo de Alicante (1681), y mosén Esteban Torregrosa, párroco de Santa María (1686).

SIGLO XVIII

También en el Setecientos había eclesiásticos con este apellido, como el presbítero Juan Torregrosa, que fue enterrado en la colegial el 20-7-1717.

El maestro escopetero Damián Torregrosa se querelló en 1703 contra el gremio de herreros y cerrajeros por los derechos en exclusividad de la fabricación y conservación de las escopetas.

Antonio Torregrosa Blanquer, administrador del arrendamiento de las pieles, fue denunciado por el síndico de la ciudad en 1708, por deudas.

Félix Torregrosa poseía en 1743 una casa en la calle de los Jesuitas y una herencia en Muchamiel.

El abogado Bernardo Torregrosa era regidor en 1766 y diputado del común en 1789.

SIGLO XIX

El 16-1-1812, en plena Guerra de la Independencia, tres divisiones al mando del general Montbrun cercaron Alicante. La artillería francesa disparó contra el recién construido castillo de San Fernando, hallándose su cañón más avanzado en lo alto del cerro de los Ángeles. Este fue desmontado por la batería que guarnecía el baluarte de la Ampolla, al mando de la cual se hallaba el capitán de artillería Vicente Torregrosa Antón. El asedio solo duró día y medio.

El 16-7-1837, el alicantino Francisco Torregrosa, tejedor, casado y de 37 años, desertó del regimiento de infantería de Málaga 20, en Línea.

En 1857, Antonio Torregrosa Pastor tenía 22 años y era un tranquilo escribiente de la fábrica de tabacos. Pero ese año, como consecuencia de «fuertes y continuados disgustos, comenzó a cambiar su carácter» y se volvió triste. Al cabo de dos años aparecieron las alucinaciones. Oía a todas horas voces que se mofaban de él, lo que provocó graves conflictos con sus vecinos. Los facultativos Bergez y Fernández le diagnosticaron «lipemanía ó manía triste con alucinaciones», y recomendaron su ingreso en un establecimiento para enfermos mentales.

José García Torregrosa abrió en 1881 una agencia de mudanzas y colocación de cristales en Bailén, 4. Juan García Torregrosa fue concejal, miliciano y juez; fue enterrado en Villafranqueza el 21-3-1903. Francisco García Torregrosa abrió en 1884 una tienda de somieres en la plaza Constitución, 11.

Francisco Torregrosa Miró fue alcalde de Villafranqueza en 1883.

SIGLO XX

Además de presidente del círculo gallístico (1908), Emilio Torregrosa era contratista de obras. Entre los años 1934 y 1936 anunció en la prensa el alquiler de chalés amueblados en la playa de San Juan, siendo su domicilio Doctor Rico 47, 2.º.

Tomás Torregrosa era albañil y su esposa, Matilde López, cigarrera. En mayo de 1904 prohijaron a una niña expósita y demente. Vivían en San Lorenzo, 20.

Arturo Torregrosa anunciaba en agosto de 1906 una cocina económica en Mercado 15-16; en 1908, el Gran Restaurant Comercio en San Fernando, 21 y Paseo de los Mártires, 31; y el 21-6-1929 inauguró, en Méndez Núñez, 12, el bar Madrid.

En 1930, Rafael Torregrosa Marhuenda (albañil y de 25 años de edad) y su esposa vivían en una calle en proyecto de Los Ángeles. Ella hizo venir a su casa, para que la ayudase con el trabajo doméstico, a Isabel Juan, de 14 años, que servía en el bar Paraíso, pero al cabo de unos días (10 de octubre) Rafael la despidió porque su economía no le permitía mantener a una sirvienta. Al cabo de unas horas regresó Isabel en compañía de su madre y de su novio, quienes le golpearon sin mediar palabra, produciéndole lesiones de las que hubo de ser curado en la Casa de Socorro. Además, fue detenido por la Policía, acusado de haber violado a Isabel, según la denuncia que había presentado su padre. El juez decretó su libertad provisional el 31 de octubre, pero el 7-5-1932 fue ingresado en la prisión de Barcelona, tras ser declarado rebelde. Fue puesto en libertad en octubre, después de que el padre de Isabel, y ella misma, le otorgaran su perdón ante el juez instructor de Alicante.

El obrero Ángel Martínez Torregrosa fue concejal socialista entre los años 1931 y 1933.

El boxeador Manuel Torregrosa fue campeón de Levante amateur del peso pluma en 1933. Sus combates en 1935 con el valenciano García Álvarez, campeón de España del peso ligero y seleccionado olímpico, generaron mucha expectación entre los aficionados alicantinos, que llenaron lugares tan amplios como la plaza de Toros. El periódico *El Día* le dio el 9-6-1935 el siguiente consejo: «Hay que cuidarse, dejar la vida de crápula y no fiarlo todo a la resistencia».

Ramón Torregrosa Mirambell era un constructor que realizó numerosas obras particulares en los primeros años de la década de 1930. Casado con Natalia Josefa Lluch, tuvieron seis hijos: Ramón (muerto el 2-1-1933, a los 37 años), Josefina, Mercedes, Adela, Amparo y Rafael Torregrosa Lluch. Falleció el 31-12-1934.

Manuel Torregrosa March era mecánico y tenía 31 años cuando fue fusilado, el 11-3-1941, tras ser condenado a pena de muerte por un consejo de guerra que le acusó de adhesión a la rebelión.

El 23-7-1943 Vicente Torregrosa Pina conducía un tranvía cuando José Valero salió inesperadamente de entre las palmeras para cruzar la Explanada. No pudo evitar el atropello y el peatón murió. En 1955 pidió permiso para construir un cobertizo en el camino viejo de Elche, y en 1962 otro en la calle Víctor de la Serna.

Rafael Torregrosa Sánchez era joyero. El 14-1-1944 fue sentenciado en Madrid a 12 años y un día de reclusión menor por masón (Logia Numancia, 3; nombre simbólico Espartaco).

Vicente Torregrosa Manrique nació en Alicante en 1933 y murió en Barcelona en 1985. Dibujante especializado en ilustraciones de libros, en 1963 comenzó a trabajar para la editorial Bruguera en la colección de *El Capitán*

Trueno. Hizo adaptaciones de grandes clásicos, como Julio Verne, y trabajó también en publicaciones tan populares como DDT o Pulgarcito. Produjo, asimismo, historietas para el mercado británico.

En 1958 se presentaron tres solicitudes para instalar sendos merenderos en la Playa de San Juan. Una de ellas la firmaba Francisco Torregrosa Ortolá, con domicilio en General Goded 41, 3.º, llamándose La Campana el restaurante que deseaba instalar (los otros dos eran Casa Domingo y Miramar). A pesar de la oposición del ayuntamiento, en 1960 la Jefatura de Puertos de la Provincia autorizó el deslinde de la zona marítimo-terrestre, para permitir la instalación de dichos merenderos.

Torregrosa-Aliaga

Cuando José Torregrosa Ramos murió el 19-4-1902, tenía seis hijos, nacidos de tres esposas. Con la primera de ellas, Antonia Aliaga Pastor, tuvo a Vicenta. En segundas nupcias se casó con su cuñada, Josefa Aliaga Pastor, con quien tuvo a Vicente, Encarnación, Antonia y José. Con la tercera, María Luisa Esteve, tuvo a Juan.

Vicente Torregrosa Aliaga fue contratista de obras. Entre otras, realizó en 1936 desmontes en las calles General Marvá y Mariana Pineda; en 1939 pidió permiso para construir un panteón; y en 1953 instaló una motobomba en el colegio de huérfanos ferroviarios.

José Torregrosa Aliaga

Era conocido por Pepet y también como el Baronet porque había nacido en la hacienda del Barón de Finestrat, en la partida del Bacarot. Casado en 1902 con Francisca Ruiz, tuvieron nueve hijos. En 1927 vivían en la casa Las Atalayas del Bacarot, más conocida como la Casa de la Muerte por haberla habitado antes un hombre de aspecto cadavérico llamado «*tío Pep la Mort*», y explotaba canteras cercanas, cuya piedra y arena transportaba con sus carros y caballerías.

En la madrugada del 8-8-1927 desapareció misteriosamente de la Casa de la Muerte su hija Vicenta, de 19 años. Pepet sospechó que se había fugado con un antiguo pretendiente, Vicente Torregrosa Domenech, que había trabajado como mulero para él, pero no fue así. Después de varias semanas de búsqueda e investigación, los guardias civiles, los vecinos y hasta sus familiares dejaron de buscarla. Por fin apareció en marzo del año siguiente, sana y salva, en Alcira, donde vivía como sirvienta de un dentista. De vuelta a casa, reconoció que se había fugado porque sus padres se oponían a su noviazgo con un vecino, Rafael Sempere, pues preferían que se casase con Rafael Baeza, hijo del propietario de la finca del Barón de Finestrat, que no le gustaba a ella.

En septiembre de aquel mismo año de 1928 Pepet fue el único postor en el concurso municipal por el que se adjudicó la explotación de la cantera enclavada en la finca conocida como La Británica.

En 1946 pidió autorización para aumentar un piso en Navas 52 y en 1948 abrió una vaquería en su finca del Bacarot (Las Atalayas).

Torregrosa-Ruiz

José Torregrosa Ruiz, hijo del anterior, abrió en 1943 un almacén en Andrómeda 5, donde aumentó dos pisos en 1945, el mismo año en que abrió una zapatería en la avenida de Orihuela 78. En 1948, abrió con su padre un puesto de distribución de leche en la calle Quintana. También un puesto de venta de leche en Benito Pérez Galdós abrió Josefa Torregrosa Ruiz en 1952, junto con Francisco Bonet.

Blas Torregrosa Ruiz puso en 1956 un puesto de venta de barquillos en General Goded, 29. Emilio Torregrosa Ruiz abrió en 1958 tienda de comestibles en Guardiola, 3, que convirtió un año después en lechería, y que al siguiente amplió a bollería y horchatería. Pedro Torregrosa Ruiz abrió en 1959 un almacén en la Casa de la Muerte, del Bacarot, y en 1965 construyó un panteón para él y su esposa, Concepción Casanova.

Torregrosa-Guijarro

Andrés Torregrosa Guijarro y su hijo José Torregrosa Seguí fueron detenidos por herir con arma blanca el 8-9-1905 a un individuo en el muelle. Vivían en Parroquia, 89. Otro hijo, Antonio Torregrosa Seguí, que vivía en Esperanza, 25, fue denunciado en junio de 1909 por su esposa, Teresa Asensi, por apalear a una de sus hijas y echarla de casa junto con dos niñas más. En septiembre de 1915 volvió a ser detenido tras pelearse con todos los clientes de un bar situado en la calle Alfonso el Sabio.

José Torregrosa Guijarro era en 1936 ordenanza municipal en Villafranqueza.

Vicente Torregrosa Guijarro apareció ahogado en la playa de la Albufereta el 21-2-1937.

José Torregrosa Torregrosa

Nació en Alicante el 21-12-1904.

A los 15 años comenzó a jugar en un equipo de fútbol formado por alumnos de los Salesianos, el Sporting. Unos meses después pasó al Hércules, donde se especializó como defensa. Las dos temporadas siguientes las jugó con el Círculo Bellas Artes y, por fin, en 1923, fue fichado por el Club Natación Alicante, que a la sazón era el equipo de fútbol más importante de la ciudad.

En mayo de 1925 organizó un partido en beneficio del hospital de la Cruz Roja y al año siguiente sufrió una grave lesión por rotura de tibia.

En 1926 fichó por el Levante de Valencia, en 1928 por el Club Deportivo Castellón y, en 1929 por el Real Madrid, equipo en el que jugó tres temporadas y con el que ganó una Liga y un subcampeonato de Copa, antes de regresar al Hércules en 1932. Su último equipo, por una temporada, fue el Elche (1935).

El 11-4-1943 el Hércules y el Real Madrid jugaron un partido en homenaje a Pepe Torregrosa, quien jugó media hora. Fue presidente de la comisión de Hogueras de San Blas (1953 y 1954). Falleció en 1986.

Torregrosa-Sirvent

José Torregrosa Sirvent construyó en 1925 una casa en la calle de la Luna. En 1945 abrió en Vistahermosa de la Cruz una fábrica de mosaico hidráulico y en 1948 un almacén de construcción en Manuel Antón, 1. En 1959, la sociedad Herederos de José Torregrosa Sirvent abrió un local de venta de materiales de construcción en San Vicente 36.

Rafael Torregrosa Sirvent abrió en 1952 una carpintería en Paraíso, 11, y en 1957 era el presidente de la Hoguera de San Antón Bajo.

Torregrosa-Solbes

María Torregrosa Solbes contrajo matrimonio el 18-3-1926 con José Espuch. Tres años y medio después tuvieron a su hija María.

El 13-11-1940 vivían en Lonja de Caballero, 10. Aquel día María descubrió que unos pendientes suyos (de oro, con perlas y brillantes) habían desaparecido del estuche donde los guardaba. Su marido fue a la comisaría para presentar la correspondiente denuncia, haciendo constar sus sospechas de que los autores del robo eran su cuñado, Enrique Torregrosa Solbes, y un cómplice suyo. Valoró los pendientes en unas 1 300 pesetas, si bien la tasación pericial posterior solo llegó a las 150.

Los policías fueron en busca de los presuntos ladrones al día siguiente, pero se encontraron con que Enrique había ingerido ácido clorhídrico, siendo llevado primero a la Casa de Socorro y luego al Hospital Provincial, donde murió. El sumario por el hurto de los pendientes fue cerrado en el juzgado sin que los pendientes fuesen recuperados «ni descubierto a los autores del hecho».

Francisco Torregrosa Solbes tenía 32 años y era contratista cuando, al finalizar la Guerra Civil, fue represaliado con dos años de inhabilitación.

Torregrosa-Juan

Manuel Torregrosa Juan estudió Medicina en Valencia. En julio de 1929 fue nombrado médico honorario de la Casa de Socorro. Poseía además una clínica a la salida de San Juan, junto al camino de «les Palmeretes». Murió el 16-4-1938.

José M.ª Torregrosa Juan era abogado. El 23-12-1930 contrajo matrimonio con Conchita Juan Pérez y en julio de 1932 abrió bufete en Riego, 14. Fue secretario de la primera Agrupación de Jurados Mixtos de Alicante (1934).

Muertes en la fábrica de cemento

Francisco Torregrosa Barberá trabajaba en la fábrica de cementos de San Vicente. El 19-3-1930 fue aprisionado por el montacargas de los hornos, ocasionándole la muerte instantánea por asfixia.

Otro obrero de esta fábrica, Andrés Torregrosa Pastor, falleció en la madrugada del 10-5-1941, al caer desde lo alto del silo (de unos siete metros de altura) que se preparaba para limpiar.

Un rescate muy sospechoso

José Torregrosa Pastor y su esposa, Constanza Hernández, eran los propietarios de la finca La Rosaleda, en la partida de Los Ángeles.

El 30-3-1946, José hizo entrega en su finca, a representantes del Cabildo Colegial y del ayuntamiento, del Pino Santo que había rescatado de la ermita de Los Ángeles, antes de que ésta fuese «destruida por los rojos». La idea era que el tronco en el que supuestamente fue encontrada en el siglo XII la imagen de una Virgen con el niño en brazos (que motivó la edificación de la ermita dedicada a la Virgen de los Ángeles) fuese trasladado de nuevo a dicha ermita, ya reconstruida; pero debido a la falta de seguridad que todavía ofrecía el nuevo templo, fue depositado provisionalmente en el Hospital Militar y entregado el 1 de julio al Monasterio de la Santa Faz.

Para el cronista Enrique Cutillas resultaba difícil de creer que un particular sacara el Pino Santo de la ermita sin que nadie se lo impidiera (los creyentes por sacrilegio; los ateos por clericalismo). Además, «¿por qué motivo no lo entregó a los Ayuntamientos nacionales en 1939, a la jerarquía eclesiástica o al propio Monasterio, y esperaba a hacerlo en 1946? ¿Qué atribuciones presentaba este matrimonio (…) para decidir qué debía hacerse con él?». Cutillas creía que Torregrosa y la Colegial esperaron a que hubiera un alcalde más crédulo (hasta el 9 de abril lo fue Román Bono, que no tenía buenas relaciones con los canónigos debido al Patronato de la Santa Faz; siendo a partir de entonces el alcalde Manuel Montesinos, quien decidió con el canónigo Vicente Alemán la entrega de la reliquia al Monasterio).

Recordaba además el cronista que existe un escrito fechado el 13-12-1817 en el que el alcalde ordenaba «que se mande a las monjas de la Santa Faz la mitad del Pino Santo y se archive el otro», insinuando que el «rescatado» por Torregrosa debió salir en realidad de algún almacén municipal.

MÚSICOS

Tomás López Torregrosa

Nació el 24-9-1868. Estudió música en Alicante, hasta 1865, que se marchó a Madrid con 17 años. Estudió en el conservatorio madrileño y fue uno de los discípulos predilectos de Ruperto Chapí. Recomendado por éste, ingresó en la orquesta del teatro Apolo, siendo luego maestro de coros y, por fin, con solo 19 años, director de la orquesta.

Gracias a otro ilustre alicantino, Carlos Arniches, consiguió estrenarse como compositor el 19-8-1891 en el teatro Tívoli, con la obra *¡Victoria!*. Después compuso las partituras de otras obras de Arniches: *Las amapolas*, *Tabardillo* y *La banda de trompetas*, y muchas otras propias que alcanzaron un gran éxito de público y crítica: *El santo de la Isidra*, *Los cocineros*, *La fiesta de San Antón*, etc.

Algunas de sus obras las compuso en colaboración con otros músicos, como Quinito Valverde. Falleció en Madrid el 23-6-1913, con 44 años. Fue enterrado en el cementerio alicantino. Durante muchos años fue uno de los compositores de zarzuela más populares. En mayo de 1929 se celebró en el teatro Apolo un homenaje en su honor. El ayuntamiento alicantino puso su nombre a la antigua calle Liorna.

Luis Torregrosa García

Fue profesor de orquesta del Teatro Real, de la Capilla Real y de la Sociedad de Conciertos de Madrid. Dirigió la sociedad musical La Wagneriana. En 1901 se encargó interinamente de la dirección de la banda municipal obrera.

En 1912 fue nombrado director de la recién creada Banda Municipal de Música, compuesta por 45 instrumentistas, y cuyo local, en la calle Castaños, fue alquilado por 75 pesetas mensuales.

Recibió varios homenajes en Alicante, como el celebrado el 27-8-1916 en el café Comercio, organizado por los profesores de la banda municipal y al que asistió el alcalde. En 1919 fue nombrado hijo predilecto de la ciudad.

En 1929 compuso el pasodoble *Fogueres de Sant Joan*, que poco después se popularizó como *Himno de las Hogueras*.

En octubre de 1936 renunció a la dirección de la banda municipal, que retomó una vez acabada la Guerra Civil.

En 1944 cesó definitivamente como director de la banda municipal y el 16-9-1946 le concedió el ayuntamiento una pensión vitalicia de 3 000 pesetas. El 25-6-1965 se puso el nombre de Maestro Luis Torregrosa a una calle situada en el Pla del Bon Repos.

Su hermano Tomás fue secretario de la sociedad Canal de la Huerta (1919-1933), tenía una finca a la salida de San Juan y se casó en 1916 con María Alemañ.

El maestro Torregrosa tuvo dos hijos: Miguel y Luis Torregrosa Altolaguirre. Miguel se licenció en Medicina en Madrid en junio de 1931. En 1960 solicitó certificado municipal de líneas de unos terrenos suyos situados en Vistahermosa de la Cruz, frente al colegio de los Jesuitas.

José Torregrosa García

Nacido en Villafranqueza, fue clarinetista de la Banda Municipal de Música de Alicante desde su fundación.

Director de la banda de música de Villafranqueza (1919-1966) y de la agrupación musical La Wagneriana (1924-1937).

Profesor de música de la Escuela Modelo, dirigió la Banda Municipal de Alicante durante la Guerra Civil, tras la dimisión en 1936 de Luis Torregrosa. En 1939 fue destituido por republicano y haber compuesto el himno Milicianos Antifascistas, por el que ganó el premio de la Complutense de Madrid, pero que no llegó a ser ejecutado públicamente.

El 12-5-1970, el ayuntamiento puso el nombre de Músico José Torregrosa a una calle de Villafranqueza.

José Torregrosa Alcaraz

Hijo del anterior. Nació en 1927 y murió en 2005.

Estudió piano con su padre y después en el Conservatorio de Madrid (1943).

Con 17 años ingresó como militar en la Banda de Infantería de Marina en Bilbao. En la década de 1950 volvió a Madrid, donde conoció al compositor Augusto Algueró, quien le ofreció trabajar para su editora Músicas del Mundo.

Compuso canciones para intérpretes tan famosos como Nino Bravo, Marisol o Rocío Dúrcal, y las bandas sonoras de más de treinta películas (entre ellas, *Tómbola*, en 1962, con Algueró). También compuso la música de series de televisión, como *La abeja Maya*, y los himnos del Mundial de Fútbol de 1982 y del Hércules C.F.

En 1963 fue nombrado director de producción de la casa Philips, donde trabajó hasta 1981, con artistas como Juan Peña, el Lebrijano, Paco de Lucía o Los Chichos.

Además, transcribió y armonizó obras españolas del Renacimiento y de los siglos XVII y XVIII.

ACTUALIDAD

La alicantina es, con mucha diferencia, la provincia española donde hay más personas censadas con apellido Torregrosa.

Estadísticas TORREGROSA

LUGAR	APELLIDO 1.º	APELLIDO 2.º	AMBOS APELLIDOS	TOTAL	% ESPAÑA	% PROVINCIA
ESPAÑA	6 563	6 304	33	12 900	100	-----
PROVINCIA ALICANTE	3 218	3 021	23	6 262	48,54	100
ALICANTE CIUDAD	1 153	1 010	2	2 165	16,78	34,57

Fuentes: INE y Ayto. Alicante

Nieto del Tío Pep vestí de negre

Ángel José Torregrosa Salcedo ha vivido siempre en el barrio Sagrada Familia. Nació el 30-9-1960 en una casa de la calle Padre Esplá y estudió en colegios de la zona (Antonio Ramos Carratalá y San Juan de la Cruz), antes de ir al instituto Jorge Juan. Luego estudió en la Universidad de Alicante y en la Oberta de Catalunya, licenciándose en ADE (Administración de Empresas), diplomándose en Ciencias Empresariales y obteniendo un máster en Finanzas por la UA, Carlos III y UAB.

Con 14 años sacó matrícula de honor y beca en el instituto. «Cuando le enseñé las notas a mi padre, me felicitó y a continuación me dijo que tenía que buscar trabajo. Lo hice, pero como era muy joven no lo encontré. Mi madre entonces me dijo que intentara entrar en un banco porque sería un trabajo para toda la vida. Al año siguiente, con 15 años, entré a trabajar de botones en la Caja de Ahorros del Sureste». Medio siglo después, Ángel forma parte de un área de cumplimiento normativo del Banco Sabadell.

Además de excelente estudiante, Ángel también fue un buen deportista. Socio 111 de su adorado Hércules, fue jugador de fútbol sala de este club durante cinco años y miembro de la Asamblea Nacional de Fútbol y de Fútbol Sala. «Fui uno de los organizadores de la Liga Nacional de Fútbol Sala. Llegó un momento en que tuve que decidir qué camino tomar, si el del fútbol o el de la banca». Eligió el segundo, obviamente.

El 10-8-1991 se casó con la alicantina M.ª Dolores Llopis Llinares, a quien había conocido en los carnavales del año anterior. Maruchi estaba separada y tenía una hija, Noelia, a quien Ángel quiso como su propia hija. Falleció el 2-6-2001, con 14 años, a causa de una meningitis neumocócica. Pasaron solo unas horas desde que le diagnosticaron la enfermedad hasta que murió. Ángel se emociona recordando la impotencia que sintió durante aquellas angustiosas horas.

Maruchi y Ángel tienen una hija, Marina Faz Torregrosa Llopis, que nació el día de la Santa Faz de hace 23 años (22-4-1993). Está soltera, estudia Criminología y es monitora de AODI para niños (Asociación de Ocio para Discapacitados Intelectuales). Fue bellea infantil (2004) y adulta (2013) de la Hoguera Sagrada Familia. Pero su pasión es el baile. Es miembro de varias compañías musicales y batucadas, como Circus Imaginarius y Pan de Azúcar. El pasado 7 de julio bailó en el concierto que ofreció Marc Anthony en Benidorm.

Ángel tiene una hermana, M.ª Elvira, que nació el 4-3-1963. Es licenciada en ADE, doctora en Ciencias de la Educación y docente en el Conservatorio de Danza. Casada con el alicantino Alejandro Royuela, es madre de Enrique.

Ángel y M.ª Elvira son hijos de Enrique Torregrosa Pérez y Rosario Salcedo Fuentes. Ella nació en un pueblo de Málaga, pero vino a vivir a Alicante siendo muy niña. Enrique nació en Alicante en 1928. Trabajó como escayolista y en la fábrica de aluminio. Murió el 4-1-1995.

Los abuelos paternos de nuestro entrevistado fueron José Torregrosa Pina, nacido en Agost el 23-4-1900, y María Pérez Jover, natural de Villajoyosa.

José era el menor de seis hermanos. Dos de ellos emigraron a Francia y otro, Vicente, vino a vivir a Alicante, donde trabajó como conductor de tranvía.

José tenía 17 años cuando emigró a Francia, a casa de su hermano mayor, en Luc Sur Orbieu, pero regresó a Alicante tres años más tarde para cumplir como recluta. Destinado al regimiento de Ceriñola, embarcó rumbo a Melilla en 1921, donde participó en la campaña del Rif. Al cabo de tres años volvió a Alicante, donde trabajó como albañil, se casó y bautizó a su hijo Enrique. Cuando este tenía 3 años, volvió a emigrar a Francia, esta vez con su esposa e hijo. Allí nacieron (30-11-1931) las gemelas Anette y Eliette, pero volvieron a Alicante en 1936, pocos meses antes de que estallara la Guerra Civil. Destinado a fortificaciones, participó en la campaña de Teruel y del Ebro. Finalizada la guerra, fue confinado en un campo de concentración francés (Pla de Arles Sestet), de donde le sacó el alcalde de Luc Sur Orbieu.

De vuelta a Alicante, para reunirse con su familia, José trabajó como maestro de obras en la construcción del instituto Jorge Juan, la antigua estación de autobuses (plaza Séneca) y el barrio Sagrada Familia, donde adquirió una vivienda. Con el transcurso de los años, José se convirtió en el principal referente del barrio, en el alma de la Hoguera Sagrada Familia, conocido por todos como el abuelo o como *el tío Pep vestí de negre*, por el inconfundible traje de foguerer que solía llevar con elegancia y orgullo.

El 28-7-1979, José Torregrosa Pina, el Abuelo, recibió un homenaje de su Hoguera. Asistieron numerosos amigos y festeros de la ciudad, y el alcalde Lassaletta le impuso el emblema de Alicante. Falleció el 6-2-1983.

VISCONTI

RAÍCES ITALIANAS

RAMA MILANESA

Linaje de militares fundado por Pío Francisco Visconti Badía, natural de Saronno (actual provincia de Varese; en el Setecientos formaba parte de la de Milán), hijo de Juan Francisco y Juana. Era cabo 1.º de artillería en la Provincial Compañía de Mallorca cuando se casó, el 5 de noviembre de 1761, en la colegiata de San Nicolás, con la alicantina Josefa Puig Falageno. Fue ascendiendo en la escala militar: sargento en 1767, sargento de brigada en 1770, subteniente en 1774 y alférez en 1787. Tuvo once hijos: Juan Francisco Ramón (nacido en 1762), Juana (1764), Juan Francisco María (1767), Pascual (1770), Juan Crisóstomo (1772), Josefa (1774), Roberta (1776), José (1777), Joaquín (1780), Miguel (1782) y Tomás (1787).

Juan Francisco Ramón contrajo matrimonio el 10-2-1792 con Nicolasa Gozálbez (viuda de Nicolás Puerto).

Juan Francisco María desposó el 15-10-1796 a M.ª Teresa Puerto Gozálbez (hija de su cuñada Nicolasa). Tuvieron nueve hijos.

Pascual fue militar y se casó, fuera de Alicante, con Josefa Jumilla. Regresó a Alicante como capitán de Infantería retirado y caballero de la Orden de San Hermenegildo. Vivió en calle Arques, 1. Falleció el 16-7-1841.

Visconti-Vassallo

Tomás Visconti Puig contrajo matrimonio el 10-3-1811 con Manuela Vassallo, natural de Orihuela. Tuvieron siete hijos. Fue concejal (1908-1909 y 1841). En 1848 fue nombrado interventor de Correos en Cartagena. Tomás falleció en 1866 y Manuela en 1872.

Sus hijos fueron: Manuel (1813), Irene (1816), Manuela (1817), Josefa (1820), Carmen (1823), Liberata (1826-1829) y Tomás (1828-1829).

Josefa Visconti Vassallo se casó (con dispensa y en Cartagena) con el carabinero Juan Teijeiro Visconti (hijo de su prima). Josefa murió en 1878.

Carmen Visconti Vassallo vivió en la calle San Fernando y falleció, soltera y de cáncer, a los 49 años.

Visconti-Puerto

Juan Francisco María Visconti Puig era diputado del Común en 1814 y síndico personero del ayuntamiento en 1820. Sus nueve hijos con M.ª Teresa Puerto se llamaron M.ª Teresa (1797), M.ª Dolores (1799), Juan (1801-1810), Manuel (1802), M.ª Asunción (1803), José María (1804, en Villafranqueza), Concepción (1806), Teresa (1808-1875) y Juan (1810).

Manuel Visconti Puerto fue comisario de guerra. En enero de 1839 solicitó certificado de buena conducta y de haberse alistado voluntariamente a la Milicia Nacional en 1834.

Concepción Visconti Puerto contrajo matrimonio el 23-8-1829 con Juan Lázaro Vivas, coronel de Infantería. Falleció, viuda y sin descendencia, el 12 de febrero de 1864, de afección pulmonar.

Juan Visconti Puerto falleció, soltero y de pulmonía, el 22 de noviembre de 1875.

José María Visconti Puerto era oficial de la Fábrica de Tabacos en 1848 y fue nombrado inspector segundo de labores (con sueldo de 2 000 pesetas anuales) en 1882. El 25 de marzo de 1869, ante un notario madrileño, los hermanos Juan Bautista y Luis Lafora Caturla le otorgaron poderes para que administrase en su nombre la Sociedad Nuestra Señora de los Remedios que, desde los manantiales de Casa-Blanca y Valladolid, proporcionaba agua a la ciudad de Alicante. Como tal, en junio de 1877 reclamó al ayuntamiento el pago de 24 846 pesetas que se debía a dicha sociedad en concepto de atrasos. Poseía casas en Castaños, 5 (1870) y Rambla, 42 (1872), pero en febrero de 1878 vivía en Artilleros, 2 donde, además, tenía domiciliada la sociedad agrícola La Familiar, de la que era presidente. Falleció el 6-10-1885, de broncorrea.

Teijeiro-Visconti

M.ª Dolores Visconti Puerto se casó el 5-5-1815 con Ramón Teijeiro (también escrito Teixeiro o Teigeiro), capitán del Regimiento de Cazadores de Valencia. Tuvieron nueve hijos. M.ª Dolores enviudó el 10-2-1848 y murió de cáncer de matriz el 19-10-1860.

Sus hijos fueron: Ramón (1817, nació en Valencia), Juan Francisco (1819, en Valencia), Manuel (1821), Concepción (1824), Teresa (1827-1847), Jacobo (1828), Emilia (en Villajoyosa), Eduardo (1838) y Rafael (1839, en Valencia).

Ramón Teijeiro Visconti ingresó a los 12 años en la Escuela Militar de Infantería. En 1841 recibió el empleo de capitán. Se le concedieron varias distinciones militares. Se casó en 1850 con Evarista Juseu, con quien tuvo un hijo. Falleció en 1868.

Juan Francisco Teijeiro Visconti ingresó en el cuerpo de Carabineros en 1838. Contrajo matrimonio el 16-12-1850 en Cartagena con Josefa Visconti Vassallo, prima hermana de su madre. Tuvieron una hija. Vivieron en la calle Labradores, donde murió el 31-10-1886 de una úlcera cancerosa estomacal.

Manuel Teijeiro Visconti ingresó en 1835 como cadete en el Colegio General Militar. En 1861 era capitán, con grado de comandante del batallón de Cazadores. Casado con Eugenia Martí, tuvieron siete hijos.

Concepción Teijeiro Visconti se casó en primeras nupcias con Ramón Espejo (con quien tuvo dos hijos), y en segundas con Tiburcio Carrillo, hijo del marqués de la Vilueña y la baronesa de Velasco, con quien tuvo cinco hijos.

Jacobo Teijeiro Visconti fue militar. Recibió la cruz de San Fernando a los 14 años por una intervención en Alicante. Se casó con Manuela Tercero Sáez-Izquierdo, con quien tuvo dos hijos. Falleció en acción de guerra en 1874, siendo teniente coronel.

Emilia Teijeiro Visconti contrajo matrimonio el 10-8-1859 con el farmacéutico Raimundo Sebastiá. En 1862 estaban censados en la calle Mayor; y en la plaza de San Cristóbal, en 1870. Tuvieron cuatro hijos.

Eduardo Teijeiro Visconti fue coronel de Infantería y gobernador militar de Huelva (1894). Murió en 1903.

Rafael María Teijeiro Visconti ingresó en el Colegio General de Infantería, pero no pudo acabar sus estudios por enfermedad. Fue concejal alicantino en varias legislaturas y alcalde en 1871 durante un mes. Comerciante y propietario, vivió en Riego, 15 y después en la calle Castaños. Se casó dos veces: la primera con Presentación Martín, natural de Guardamar, con quien tuvo una hija; la segunda con Manuela García, con quien tuvo tres hijos. Víctima de una epidemia de cólera, falleció en San Juan, en la finca La Asequia Ampla (después, Villa Amparo). Fue enterrado en el cementerio de San Blas el 28-9-1885.

La Rama Milanesa de los Visconti alicantinos quedó sin continuidad a finales del siglo XIX, al perder, a partir de entonces, los descendientes este apellido.

RAMA NAPOLITANA

Esta rama la fundó en Alicante Francisco Visconti, nacido en 1788 en Rivello (provincia de Calabria; reino de Nápoles), hijo de Nicolás e Isabel Salomone. En Alicante se ganaba la vida como calderero. El 25 de diciembre de 1814, en la colegiata de San Nicolás, contrajo matrimonio con M.ª Antonia López Sánchez, natural de Dolores. Vivieron en la calle San Francisco y después (1841) en Teatinos, 40 y 41. Tuvieron siete hijos: Nicolás (1815), Josefa (1818), Tomás (1821), Francisco (1824), Dolores (1827), Antonio (1829-1830) y Ramona (1832). Francisco Visconti Salomone murió en 1861.

SEGUNDA GENERACIÓN

Visconti-Monllor

Nicolás Visconti López era calderero, como su padre. El 14 de septiembre de 1862, a causa de un fortísimo aguacero, se inundó su establecimiento, situado en San Francisco, 48, destruyendo seis arrobas de aceite y material (planchas de cinc, plomo, hierro y cobre) por valor de 2 342 reales vellón. En vista de que el ayuntamiento no le prestaba ayuda por carecer de un perito adecuado (enviaron a un hojalatero para la inspección), recurrió al gobernador el día 19, quien ordenó al alcalde que atendiese su petición.

Se casó con Rosa Monllor, natural de San Vicente del Raspeig. Tuvieron seis hijos: Francisco (1836-1854), Juan (1838), Domingo (1840), Nicolás (1846), Rafaela (1853) y Rosa (1855). Vivieron en la plaza Ramiro y luego (1841) en Parador, 18 y en San Francisco, 46 (1871). También construyó una casa en la calle Cid (1863). Murió en diciembre de 1891.

Esplá-Visconti

Josefa Visconti López contrajo matrimonio con Manuel Esplá, con quien tuvo nueve hijos, de quienes ya hablamos en el artículo dedicado a los Esplá.

Visconti-Marco

Tomás Visconti López era calderero, como su padre y su hermano Nicolás. Se casó el 25-11-1849 con M.ª Antonia Marco, natural de Elche. Tuvieron cinco hijos: Ramona (1850-1860), Remedios (†1879), Ramona (1863-1870), Rita Balbina (1865) y Constantina. Falleció en 1866.

Visconti-Morata

Francisco Visconti López era zapatero. El 25-11-1843 se casó en primeras nupcias con Antonia Sánchez, natural de Beas (Huelva), con quien tuvo dos hijos: Antonia (1843-1855) y Francisco (1845); y en segundas nupcias el 15-4-1860 con Vicenta Morata Alcaraz, de 20 años e hija de un carpintero. En 1871 aparece censado en Mayor, 5, pero al año siguiente construyó una casa en Gerona, 41, en 1876 reformó otra en plaza San Francisco, esquina con calles Teatinos y San Francisco. En 1878 enlució la fachada de otra en la calle Santa Lucía, en 1883 construyó otra en la calle San Agustín y en 1892 tenía una casa en plaza Constitución, 14-15.

En 1889 poseía un almacén de curtidos ubicado en Mayor, 5, según anunciaba en la prensa, que trasladó en enero de 1892 a plaza Constitución, 14-15, ofreciendo previamente una rebaja en sus géneros del 10 %.

Francisco y Vicenta tuvieron cuatro hijos: Juan (1861-1882), Antonio (1865), Francisca (1874) y Francisco (1876). Francisco Visconti López falleció el jueves 14-2-1895.

Reus-Visconti

Dolores Visconti López se casó el 12-5-1841 con Andrés Reus. Tuvieron dos hijos: Francisco Enrique (1842) y M.ª Dolores.

Olmos-Visconti

Ramona Visconti López contrajo matrimonio en 1853 con Ventura Olmos y dio a luz tres hijos: Ventura (1872, que falleció a los dos meses), Eduardo y José (†1911). Murió en 1885.

TERCERA GENERACIÓN

Visconti-Monllor

Francisco Visconti Monllor falleció a los 18 años, soltero.

Rafaela Visconti Monllor contrajo matrimonio el 24-8-1872 con Antonio Ferrer, natural de Sella. Falleció en 1885.

Rosa Visconti Monllor vivía en 1906 con sus padres en la calle San Nicolás, soltera.

El 31-7-1915, *El Periódico para todos* publicaba la siguiente noticia: «Ayer, en el vecino pueblo de San Juan, quemóse una garbera de mieses que contenía 60 caíces de cebada, valorados en 1 500 pesetas, cuya propietaria era doña Rosa Visconti Monllor, de 61 años, viuda y vecina de San Vicente».

Visconti-Javaloyes

Juan Visconti Monllor era comerciante. Contrajo matrimonio el 27-11-1858 con Teresa Javaloyes. Vivieron en Bailén 14, 3.º, y luego (1873) en la plaza San Cristóbal. Tuvieron seis hijos: Rosa (1859), Juan (1862), Tomasa (1864), Nicolás (1869-1872), Nicolás (nació el 31-12-1872, el mismo día en que falleció su hermano del mismo nombre) y Ernesto (1882).

Visconti-Muñoz

Domingo Visconti Monllor se casó el 4-8-1860 con Joaquina Muñoz, natural de Algeciras y de 17 años de edad. Tuvieron siete hijos: Nicolás (1862), Enrique (1867), Joaquina (1871-1881), Carmen (1875), Josefa (1877), Remedios (1879, murió el mismo año) y Remedios (1880). Vivieron en la calle del Rincón y más tarde (1881) en Aranjuez, 7 y en Teatinos, 37 (1887).

Visconti-Calbó

Nicolás Visconti Monllor fue administrador del semanario *La Velada* (enero-febrero 1875). Entre 1876 y 1878 vendió por correo (previo envío de once sellos de 10 céntimos a San Francisco, 46) su *Manual teórico-práctico de Ortografía*. Lo anunció en varias publicaciones, entre ellas *La Ilustración Popular* (mayo-diciembre 1878), revista semanal de la que era fundador, propietario y director.

En diciembre de 1880 fue nombrado procurador de Audiencia y en enero de 1882 abrió despacho en Princesa, 26. El 26-8-1882 contrajo matrimonio con Ana Calbó. Primero tuvieron su domicilio en la calle San Francisco y después (1906) vivieron en San Nicolás 14, 3.º, con los padres de él. Tuvieron cinco hijos: Margarita (1883), Nicolás (1884), Rosa (1886), Rosalía (1887) y Margarita (1889). Fue concejal y teniente de alcalde. En 1889 poseía una hacienda en San Vicente. Murió el 30-10-1912.

Reus-Visconti

M.ª Dolores Reus Visconti contrajo matrimonio en octubre de 1886 con el comerciante Manuel Isanjou. Tuvieron un hijo: Francisco Enrique.

Visconti-Tordera

Antonio Visconti Morata era comerciante. Se casó el 2-5-1901 con M.ª Concepción Tordera. En 1906 vivían solos en Constitución, 14, pero en 1911 pidió permiso para aumentar un segundo piso en Bazán, esquina Poeta Quintana. En 1909 tenían una finca en San Vicente llamada La Concepción.

Fue concejal, secretario de la Junta de Beneficencia, y tesorero del Círculo Maurista de Alicante y de la Cámara Oficial de la Propiedad Urbana. Enviudó el 1-11-1927. Cuando falleció, vivía en Poeta Quintana, 5. Fue enterrado el 28-1-1937.

Francisco Visconti Morata

Heredó de su padre el negocio de cuero curtido, cuyo almacén estaba en la plaza Constitución, 14-15. Desde muy joven demostró tener una gran fe comercial en la publicidad, especialmente en los anuncios de prensa. Lo demuestra la gran cantidad de estos anuncios que publicó en diferentes periódicos alicantinos durante sus muchos años de actividad comercial (1897-1935). Gracias a ellos conocemos también la amplitud de negocios en los que participó: desde comestibles hasta motocicletas. En 1918 anunció la venta de 16 000 pinos para madera en la provincia de Cuenca.

En 1904 abrió con un socio el almacén de ultramarinos Visconti y Llorca, en Rambla, 39, pero abandonó la sociedad a los pocos meses (junio), coincidiendo con el homicidio de Juan Llorca (hijo de su socio) por un dependiente, José Vidal, que había sido despedido y que después se suicidó.

En 1917 abrió un almacén en Poeta Quintana, esquina Belando. Fue catedrático de Comercio, secretario del sindicato alicantino de exportadores de vinos (1904) y presidente del Colegio Pericial Mercantil (1913). Como consignatario de buques (presidente de la Asociación de Navieros y Consignatarios de Alicante) y agente de Aduanas tenía una agencia-almacén en Paseo de los Mártires, 38 (luego 50).

Fue nombrado cónsul de Honduras (1900), de Paraguay (1901) y de Liberia (1904). En 1897 era socio del Círculo Católico de Obreros. Propietario de la revista *Iris* (1912) y copropietario de *El Alicantino* (solo durante unos días de octubre de 1926), colaboró con los periódicos *El Nuevo Alicantino* y *La Lealtad*.

En 1914 fue elegido secretario del Círculo Maurista de Alicante y del comité provincial de Juventud Conservadora.

Una agria polémica surgió en mayo de 1916 al conocerse que Francisco había dejado de ser italiano y adquirido la nacionalidad española. Al haber sido secretario de la Junta de Beneficencia durante los últimos diez años, *Diario de Alicante* le acusó de haber ocupado dicho cargo ilegalmente, puesto que para hacerlo era requisito imprescindible ser español (era un puesto no remunerado, pero por el que dispuso durante esa década con un presupuesto de 5 000 duros). *El Periódico para todos* le defendió recordando que Francisco había nacido en la calle Mayor alicantina, y que había estudiado en el colegio de San Luis, en el Instituto de 2.ª Enseñanza y en la Escuela de Comercio. No obstante, dimitió de dicho cargo en junio.

Fue concejal en 1926-1927.

Contrajo matrimonio el 27-1-1900 con María Ana Llobregat Asín. Vivieron en Sagasta, 6, 1.º y 2.º, y más tarde (1913) en San Ildefonso, 10, 2.º. También fue propietario de otra casa en Villavieja, 19, que demolió en 1914.

Tuvieron cinco hijos: M.ª Luisa (1902), Francisco de Asís (1905), M.ª Concepción (1909), Josefina e Isabel (1917).

En 1932 era propietario en San Vicente de la finca María Luisa, donde se celebró la boda de su primogénita.

Fue enterrado en el cementerio municipal el 16-11-1959.

Jornet-Visconti

Constantina Visconti Marco, viuda de Jornet, fue enterrada el 23-4-1936. Tenía una hija: Dolores.

CUARTA GENERACIÓN

Francisco Enrique Reus Visconti falleció el 5-4-1898.
M.ª Concepción Visconti Llobregat falleció soltera.

Visconti-Muñoz

Enrique Visconti Muñoz fue detenido el 27-1-1887 por robar «tres duros y unos cuantos salchichones de una tienda de choricería del Mercado, entrando por un ventanillo de la calle de Roger» (*El Liberal*).

El 1-9-1915 noticiaba *El Periódico para todos*: «En la Inspección de Seguridad compareció ayer Enrique Visconti Muñoz, manifestando que, habiéndose disgustado con un hijo suyo menor de diez años, le tiró una llave a la cabeza, produciéndole varias erosiones leves que le fueron curadas en la Casa de Socorro».

Enrique fue enterrado en el cementerio municipal el 24-2-1919.

Josefa y Remedios Visconti Muñoz pidieron permiso en 1931 para construir un panteón en el cementerio municipal.

Ramos-Visconti

Carmen Visconti Muñoz se casó el 29-9-1900 con Manuel Ramos. Tuvieron un hijo: Francisco. Carmen falleció el 12-7-1918.

Visconti-Candela

Juan Visconti Javaloyes era comerciante. Contrajo matrimonio el 23-8-1890 con Francisca Candela. Tuvieron cuatro hijos: Juan (1891), Consuelo (1892), Emilia (1894) y Francisca (1900).

En 1902 poseía un depósito de carbones minerales en el Postiguet, frente a los baños Diana. Al año siguiente fue denunciado por deudas por la sociedad D.H.J. Rauert.

En 1906 estaba censado con su familia en Bailén 14, 3.º.

Mora-Visconti

Tomasa Visconti Javaloyes se casó el 10-12-1891 con Rafael Mora. Tuvieron dos hijos: Rafael y Teresa.

Visconti-Quirant

Nicolás Visconti Calbó fue nombrado escribano de actuaciones de Almadén (Ciudad Real) el 24-10-1877, pero regresó pronto a Alicante. Se casó con Dolores Quirant. Tuvieron dos hijos: Ana (1905) y Nicolás (1907). En 1906 estaban censados con sus padres y hermanas en San Nicolás 14, 3.º.

Pérez-Visconti

Rosalía Visconti Calbó contrajo matrimonio en 1913 con Miguel Pérez Arrenedo.

Jornet-Visconti

Dolores (Lola) Jornet Visconti era, en abril de 1936, «practicante en medicina y cirugía (…), empleada de las Casas de Beneficencia».

Mínguez-Visconti

M.ª Luisa Visconti Llobregat se casó con Miguel Mínguez, natural de Callosa de Segura, el 21-10-1932 en la parroquia de San Vicente. El banquete nupcial fue celebrado en la finca María Luisa que el padre de la novia tenía en dicho pueblo. M.ª Luisa tuvo una hija: Rosa.

Visconti-Amorós

Francisco de Asís Visconti Llobregat estudió Medicina en Valencia, licenciándose en 1934. En octubre del año siguiente fue nombrado médico especialista (pulmones y corazón) en el dispensario de la Cruz Roja de Elche.

Fue médico inspector de RENFE, médico comandante de la Cruz Roja, profesor de Anatomía y de Socorrismo en la Escuela Femenina de la Cruz Roja, y cónsul de Honduras y Liberia.

Se casó con María Amorós Ramallo, con quien tuvo un hijo: Francisco. En 1960 encargó la construcción de un panteón. Falleció el 3 de julio de 1982.

Aparisi-Visconti

Josefina Visconti Llobregat falleció de sobreparto en Villajoyosa durante la Guerra Civil. Su marido se apellidaba Aparisi. Su hija se llama M.ª Paz.

Herrero-Visconti

Isabel Visconti Llobregat se casó con Octavio Herrero, natural de Jumilla (Murcia). Tuvieron dos hijos: Francisco Octavio (13-8-1944) y Ana María (13-3-1948). Isabel falleció en 2003.

QUINTA GENERACIÓN

Visconti-Aguado

No tenemos situados dentro de la Rama Napolitana a los hermanos Visconti Aguado, de quienes sabemos a través de la hemeroteca. Enrique y Amparo Visconti Aguado, de 12 y 8 años, respectivamente, robaron el 28-11-1919 una canastilla de ropa en Torrijos, 55 (*Diario de Alicante*). Sabemos que la madre de ambos era Carmen Aguado por el mismo periódico (7-8-1918), que informó de que había denunciado a una mujer por maltratar de palabra y obra a su hija Carmen Visconti Aguado.

«Las hermanas Amparo y Carmen Visconti Aguado (a) "Caldereras", con domicilio en la calle del Gallo núm. 10, han visitado esta mañana la Casa de Socorro, en donde se les ha asistido de diferentes lesiones y heridas leves que les había producido un hermano suyo con una silla en su propio domicilio». Este apodo de «Caldereras» hace pensar en la posibilidad de que estos Visconti Aguado fueran descendientes de Nicolás Visconti López, a través de Juan Visconti Monllor y Juan Visconti Javaloyes.

Rafael Mora Visconti

Nació a las nueve de la mañana del 17-4-1898. La primera noticia que encontramos de él es del 24-10-1910, fecha en que *El pueblo de Alicante* informa de lo siguiente: «Ayer en la Explanada de España y en ocasión en que estaban riñendo unos jóvenes, Rafael Mora Visconti de 14 años de edad (en realidad tenía 12) domiciliado en la calle de Bailén, núm. 8, tiró una piedra, dándole á Juan Correa Ovellán (…), produciéndole una contusión en el lado izquierdo de la nariz, la cual le fue curada en la Casa de Socorro».

La siguiente noticia que habla de este Visconti es de diciembre de 1926 y fue publicada en casi todos los periódicos españoles. Rafael llevaba viviendo en Madrid desde hacía unos años, adonde se había trasladado llevando 1 250 pesetas, después de cumplir el servicio militar en el batallón de Ferrocarriles. Estuvo empleado en los tranvías y, más tarde, trabajó como acomodador de un cinematógrafo, corredor de productos químicos y, por fin, como empleado de una funeraria de la calle de la Reina. En 1924 se había casado con Teresa Torrego, con quien había tenido un hijo, pero el matrimonio terminó separándose a causa, al parecer, de las dificultades económicas que padecían. Ella se marchó a Bilbao y él se quedó en la capital de España.

En la tarde del 13 de diciembre de 1926, impulsado según se dijo por «una agobiante necesidad de dinero» (la policía reconoció que no era un ladrón profesional), Rafael intentó atracar en la Administración de Loterías n.º 4, ubicada en Alcalá, 2, esquina con la Puerta del Sol. Pero Diego López Olivares, de 61 años y capitán del Ejército retirado, se resistió, y Rafael le atravesó el cuello con un cuchillo. Sorprendido por transeúntes y un policía, huyó corriendo y sin coger siquiera el dinero que pretendía robar. Poco después, viéndose acorralado, se disparó con un revólver en la cabeza, muriendo al cabo de dos horas.

Desde Alicante, la familia de Rafael confirmó pocos días después que, desde niño, sufría cierto desequilibrio mental. Quince días después del suicidio de Rafael, su hermana Teresa fallecía en Alicante. Estaba casada con Juan Rojas Puig.

Otros

El 2-10-1926 *El Luchador* informaba de que «el joven Francisco Ramos Visconti pasó por la partida de los Ángeles y vio al alcance de sus manos un palomar. Quiso llevarse un par de pichones y quedó detenido. Puesto al habla con la policía no tuvo inconveniente ya de confesar que había sustraído dos colchas de cama en otra casa de la carretera de San Vicente. Dichas colchas se las vendió a una gitana. Ha sido puesto a disposición del Juzgado».

Juan Visconti Candela se casó con Emilia Guerra, con quien tuvo una hija el 27-9-1934. En noviembre de 1935 se anunció en la prensa como agente productor en Alicante de la aseguradora valenciana La Mutua del Turia. Al inicio de la Guerra Civil (septiembre 1936) era el presidente del comité del Sindicato Provincial de Viajantes y Representantes (U.G.T.).

Rosa Mínguez Visconti se casó con Rafael Manresa y tiene una hija, M.ª Carmen. Vive en Callosa de Segura.

Francisco Visconti Amorós es abogado, está soltero y vive en Alicante.

M.ª Paz Aparisi Visconti se casó con el alcoyano Antonio Cantó, ya fallecido, con quien tuvo una hija. Vive en Alicante.

Hoy hay censadas en Alicante 22 personas apellidadas Visconti (8 con el primer apellido, 14 con el segundo y ninguna con ambos). Mi agradecimiento, por su inestimable colaboración, a Pilar Yerza Aquilina, descendiente alicantina de la rama milanesa de los Visconti.

Cambió el orden de sus apellidos para que Visconti fuera el primero

Francisco Octavio Visconti Herrero es hijo de Octavio Herrero e Isabel Visconti Llobregat. Nació el 13 de agosto de 1944 en la casa de sus abuelos maternos (Francisco Visconti Morata y María Ana Llobregat), calle San Ildefonso, 10. «Vivíamos en los pisos superiores; en los bajos mi abuelo tenía tiendas y un garaje».

Se acuerda muy bien de su abuelo porque tenía 14 años cuando murió. «Mi abuelo era muy enérgico y le gustaban mucho las mujeres».

Los padres de nuestro entrevistado se separaron amistosamente cuando él tenía cinco años. Su madre, su hermana Ana María (fallecida el 9-3-2006) y él se quedaron a vivir con sus abuelos y su tía Concepción.

Francisco está retirado. Su larga vida laboral es bastante variada: emplea-do de Hispano Olivetti, vendedor de material de oficina, profesor de E.G.B., gerente de la Mercantil Magnum Mediterránea, director comercial de Alpha-Media, comercial de Canal 37 Televisión, profesor de danza, música y can-to… Tiene registradas más de sesenta obras musicales. El 14 de noviembre de 2004 estrenó en el Teatro Principal su ópera *Elena*, que fue nuevamente representada en 2013 en los auditorios municipales de Mutxamel (10 febrero) y San Vicente del Raspeig (15 marzo). Actualmente es el presidente de la Asociación Lírico Musical Ciudad de Alicante, fundada por él en mayo de 2005, y tiene pendiente de estrenar su segunda ópera.

Hace 23 años cambió el orden de sus apellidos. Se ha casado dos veces y tiene tres hijos: Inmaculada, Francisco de Asís y Darío. Solo este último se apellida Visconti.

ÍNDICE